図解即戦力

オールカラーの豊富な図解と
丁寧な解説でわかりやすい!

不動産業界の

しくみとビジネスが
しっかりわかる
これ1冊で 教科書 改訂2版

不動産コンサルタント
畑中 学
Osamu Hatanaka

技術評論社

ご注意：ご購入・ご利用の前に必ずお読みください

はじめに

不動産業は、衣食住の「住」にかかわる分野であり、生活に必要不可欠なものです。国内生産に占める不動産業の割合や、国民資産における不動産の割合も大きいため、不動産は個人にとって大きな買い物というだけではなく、日本の経済や産業においても影響力が大きいといえます。

不動産の価格は2013年から上昇基調となり、低金利のローンやインバウンドへの対応、人件費の高騰などにより、この傾向は今後も続くものと考えられます。そのため不動産取引には、今後もより念入りな情報収集と、慎重な判断が求められ、不動産に関する専門知識やスキルを備えた人材へのニーズがより高まっていくといえます。

不動産業には、土地の開発や分譲、不動産の流通、物件の管理、証券化まで、セクションごとに多岐にわたる業務があり、それぞれに専門的な知識やスキルが求められます。基本となる不動産に関する幅広い法律知識はもちろんのこと、開発分譲における企画力、流通の提案力、物件管理に関する技術的な知識などです。

また、少子高齢化により増加する空き家を活用した民泊サービスや相続といった周辺業務、リノベーションによる不動産再生などのビジネスもより活性化してきています。今後も、不動産に起きている諸問題を解決できるようにITや社会的なニーズを汲んだ新たな不動産ビジネスが増えていくでしょう。同時に、新型コロナウイルスの蔓延拡大の影響で今までも多かったインターネットによる物件探しや取引もより普及するでしょうし、電子署名による契約なども導入されていくことでしょう。このようにITの動きや、社会的ニーズ、時代の流れも捉えておく必要があります。

本書では、常に変わりつつある不動産業について、筆者の経験と最新データに基づいて分析しました。また、豊富な図解により、できるだけ読者に理解しやすいように工夫しています。業界での活躍や新規ビジネスの立ち上げなどには、より綿密な市場調査と自由な発想が必要とされます。本書が皆さんにとって、その情報収集と発想拡大の一助となることを願ってやみません。

不動産コンサルタント
畑中　学

CONTENTS

Chapter 3

開発・分譲に関連する事業と業務

Chapter 5

賃貸管理に関連する事業と業務

Chapter 6

ビル・マンション管理に関連する事業と業務

Chapter 9

不動産業界の職場とキャリアプラン

Chapter 10

不動産業界の新規ビジネスと将来像

第1章

不動産業界の基礎知識と現状

不動産業界といっても業態はさまざまで、広範囲にわたります。まずは不動産の定義や範囲、関連する法律、市場規模、不動産価格の推移、事業所数など、基礎知識と現状について押さえておきましょう。

Chapter1
01

不動産業の分類

「取引業」と「賃貸・管理業」に分類される不動産業

当事者や代理として不動産を売買し、第三者間での売買や賃借などの取引をまとめるのが宅地建物取引業、当事者や代理として賃貸や管理を行うのが不動産賃貸業・管理業です。各々に求められるスキルや知識は若干異なります。

宅地建物取引だけが不動産業ではない

「不動産業」は不動産に関連するさまざまな業態の総称です。ひとくくりに不動産業という呼称がよく使われますが、とても裾野が広く、業態ごとに行っている業務は異なります。金融業が銀行業、証券業、保険業など細かく分類されているのと同じで、本来は細かな分類が必要な業種といえますが、日本標準産業分類においては、不動産業を「不動産取引業」と「不動産賃貸業・管理業」の２つだけに分類しています。不動産取引業は宅地建物取引業のことで、宅地建物取引業は不動産業に含まれているといえますが、宅地建物取引業＝不動産業ではない点に注意しましょう。

法律では不動産業の正確な定義付けはされていません。不動産業を規制する法律には宅地建物取引業法（以下、宅建業法）とマンションの管理の適正化の推進に関する法律（以下、マンション管理適正化法）がありますが、ともに不動産業の定義はしていません。唯一、宅地建物取引業が宅建業法で「宅地若しくは建物（建物の一部を含む。以下同じ。）の売買若しくは交換又は宅地若しくは建物の売買、交換若しくは貸借の代理若しくは媒介をする行為で業として行うもの」として「土地建物の売買業」「不動産取引の代理および仲介業」として定義されている程度です。

本書では不動産業を「不動産を取り扱う業種」と定義し、不動産取引業（宅地建物取引業）に当てはまるものとして不動産分譲事業、流通事業、賃貸事業（大家業以外）、投資事業を、不動産賃貸業・管理業として開発事業、賃貸事業（大家業）、ビル・マンション管理事業、証券化事業を取り上げていきます。

日本標準産業分類
総務省が統計調査における産業の分類を定めたもの。生産される財または提供されるサービスの種類、提供方法で分類される。大分類、中分類および小分類から成る３段階構成であり、その構成は大分類20、中分類99、小分類530となる。

宅地建物取引業法
購入者などの利益保護と宅地および建物の流通の円滑化を目的とする法律で、業を営む者について免許制度を実施し、必要な規制を行う。所管官庁は国土交通省で昭和27年に制定。

マンションの管理の適正化の推進に関する法律
マンションの重要性が高まってきたことを受け、マンション管理士、管理業務主任者といった国家資格制度を創設し、管理業者の登録制度を定める法律。所轄官庁は国土交通省で2000年に制定。

本書での不動産業の各事業

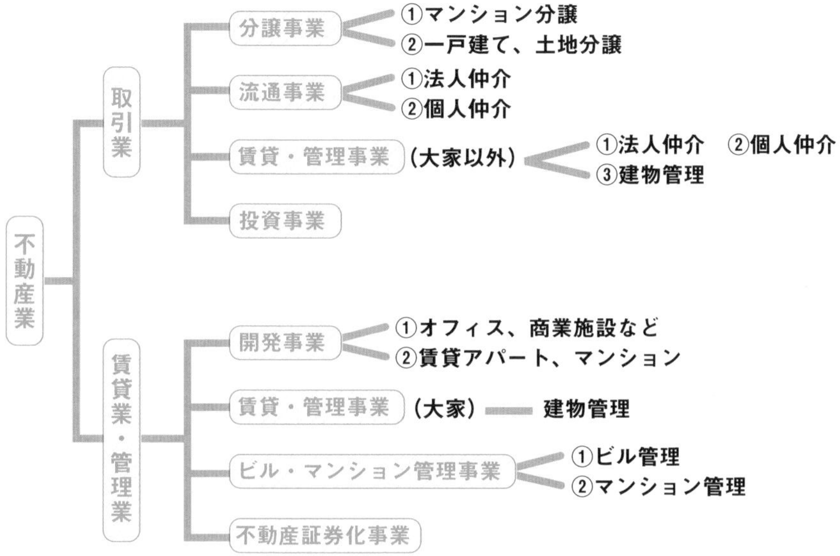

取引業、賃貸・管理業で求められること

　不動産取引業と不動産賃貸業・管理業では、仕事で必要となるスキルや知識のベースは同じですが、求められるレベルに強弱があり、若干異なります。

　不動産取引業は当事者や代理として売買を行い、また第三者間での売買や賃借などの取引をまとめるのが業務ですので、不動産取引のスキル、知識および宅地建物取引士の資格が必要です。

　具体的には、不動産の情報をいち早く顧客に届けるスキルや、不動産取引の知識を持たない一般消費者の顧客にわかりやすく説明するコミュニケーション能力、安全に取引を進める法律などの知識が求められます。

　不動産賃貸業・管理業は当事者や代理として賃貸や管理を行い、また貸家業を行うための不動産の開発、証券化も行います。具体的には顧客のニーズに応じた不動産をつくり、建築物の維持管理を行い、証券化して開発資金を回収するスキル、知識などが必要となります。マンション管理士、マンション管理業務主任者、ビル経営管理士などの資格があるとよいでしょう。

賃貸・賃借・賃貸借のちがい
賃貸は不動産を貸す立場から見て、賃借は借りる立場から見る用語。賃貸借は貸し借りを指し、第三者の立場から見る用語。開発事業や管理では賃貸を、取引業では賃借や賃貸借をよく用いる。

Chapter1
02

不動産の定義と範囲

そもそも「不動産」とは何か

「不動産」とは土地およびその定着物のことですが、その定義や範囲を知っておかないと、業務をするときに何をどこまでするのかが明確になりません。曖昧なまま業務を進めるとトラブルになる可能性もあります。

さまざまな場面で必要な不動産の定義と範囲

不動産の業務を行うには不動産の定義と範囲を知っておかないといけません。不動産の定義と範囲を理解することで、売買や取引、賃貸、管理の際に対象範囲を明確にできるからです。

売主に「ここからここまでを売ってほしい」と言われたときに、指示された対象が不動産なのかどうかを明確にする必要が出てきます。たとえば物置です。売主は、「物置は不動産ではない」と考えて売買時に持っていくつもりであっても、買主は「物置は不動産の一部」と考えて、使おうと思っているかもしれません。そのようなときに不動産の正確な定義と範囲の知識で判断することが必要となってきます。

また、賃貸や管理のときも同様です。一戸建ての管理を請け負った際に、借主から「庭の樹木が伸びてきたので、大家さんに切ってもらうようにお願いをしてください」と言われたらどうでしょうか。樹木が不動産の一部に該当するなら貸主（大家）に伝えて切ってもらわないといけません。貸主のものを借主が勝手に切る（壊す）ことができないからです。一方で、樹木が不動産の一部ではないなら借主自身に切ってもらうことになります。さまざまな場面で判断してアドバイスをすることが多いのが、不動産の定義と範囲であり、この定義と範囲を知ることがとても重要です。不動産の定義は次のようになっています。

不動産の定義と範囲とは？

「土地及びその定着物は、不動産とする（民法第86条第１項）」
「定着物」とは土地にしっかりとくっついて容易に動かせないもののことで、建物や樹木、門塀、物置などの工作物がそれに該当

民法第86条
1.土地及びその定着物は、不動産とする。2.不動産以外の物は、すべて動産とする。

民法第242条
不動産の所有者は、その不動産に従として付合した物の所有権を取得する。ただし、権原によってその物を附属させた他人の権利を妨げない。

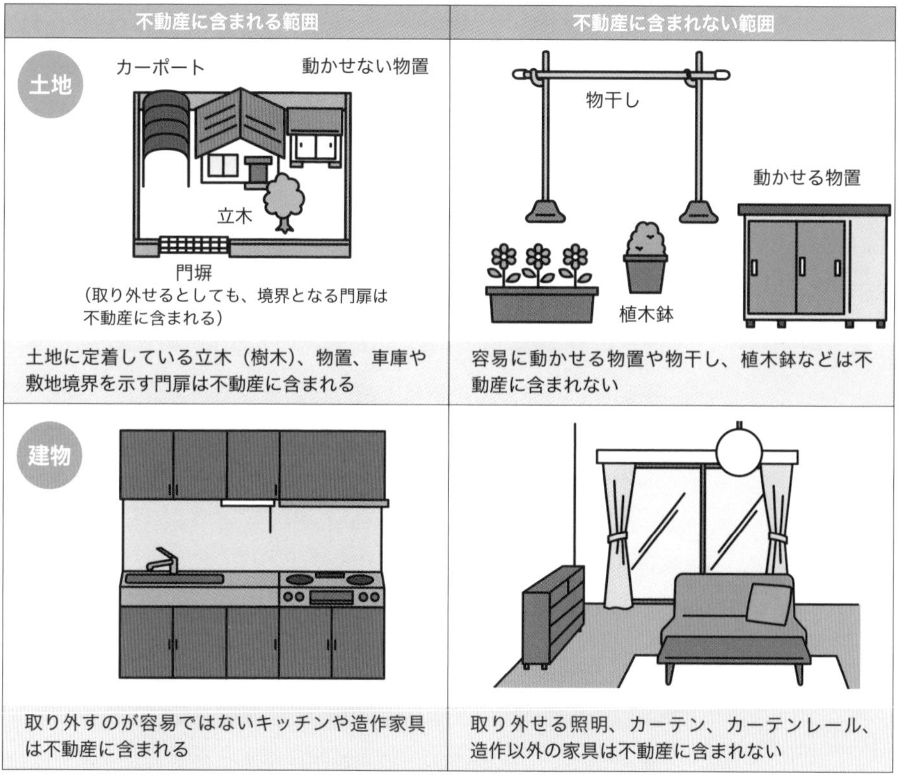

土地に定着している立木（樹木）、物置、車庫や敷地境界を示す門扉は不動産に含まれる
容易に動かせる物置や物干し、植木鉢などは不動産に含まれない

取り外すのが容易ではないキッチンや造作家具は不動産に含まれる
取り外せる照明、カーテン、カーテンレール、造作以外の家具は不動産に含まれない

します。また建物内では、取り外すのが難しいキッチンなどの設備や、造作家具は建物に含まれるものとします（民法第242条、第370条、建築基準法第1章第2条第1号）。容易に動かせるタイプの物置や植木鉢といった小物は定着物に含まれず、取り外すことができるエアコンや照明器具は建物に含まれないことになります。

それでは、不動産の範囲はどこからどこまでになるでしょうか。土地は、「地表を境界点と境界線で区分し境界線で囲まれたその部分」「土地の所有権は、法令の制限内において、その土地の上下に及ぶ（民法第207条）」となります。つまり、隣地との境界線に囲まれた部分が土地の範囲で、その上空や地下も所有権の範囲が及ぶということになります。そのため、土地の上空に高圧線を引くときや、土地を掘って水道管やガス管を敷くときも土地の所有者に同意を求めなければならないのです。

民法第370条
抵当権は、抵当地の上に存する建物を除き、その目的である不動産（以下「抵当不動産」という。）に付加して一体となっている物に及ぶ。ただし、設定行為に別段の定めがある場合及び債務者の行為について第424条第3項に規定する詐害行為取消請求をすることができる場合は、この限りでない。

不動産業と関連法規

多くの法律や制度に制限を受ける不動産業務

不動産業には関係する法律が数多くあります。その中でも特に、宅地建物取引業法と建築基準法の規定や制限からは大きな影響を受けます。スムーズに業務を進めるために、これらの法律の知識を深めましょう。

不動産に深い関わりのある４つの法律

不動産業には多くの法律と制度が関係しています。居住用の不動産で約60前後の法律、公共の建築物などではより多くの法律が関係しています。その中で不動産業に大きな影響を与えるのは、宅建業法、建築基準法（以下、建基法）、マンション管理適正化法、都市計画法の４つの法律です。不動産業務においてやるべきこと、やってはいけないことを決めた「規定」と、許可範囲を決めた「制限」が定められています。

宅建業法、建基法とは？

宅建業法は、不動産取引や売買時に大きく影響を与えます。宅建業法の第１条には、購入者などが勘違いしたり騙されたりすることなく不動産売買における利益を保護するため、一定のルールを設けることで戸惑うことなく売買ができるようにする、という内容が書かれています。具体的には、不動産に関する内容の購入者への事前説明・書類交付と、媒介依頼後の不動産情報の登録業務が定められており、事実ではないことや、「将来駅が近くにできると聞いています」といった**推測の類のこと**を説明して購入者などの勘違いを誘発することを禁止する制限も設けられています。

建基法では、建物をつくるときの制限や緩和、維持管理で必要な検査や届出などが定められています。不動産は建物を含むので、その建物に関係する建基法の影響を受けるのは当然です。なお、建基法の第１条では、建物は個人で建てたとしても、公共の物として国民の生命などを守る必要があることを定めています。そのため、敷地や構造、設備、用途に関して守らなければならない最低の基準があるということです。

推測の類のこと
「将来駅が近くにできると聞いています」「噂ではスーパーができるそうです」など、噂や憶測のこと。確定していない事実をあたかも確定したように話をして取引を誘導することは禁止されている。

不動産業に関係する主な法律

- 宅地建物取引業法
- マンションの管理の適正化の推進に関する法律
- 建築基準法
- 都市計画法

不動産業に関係する法律と資格

名称		事業を規制する法律	法律による資格
不動産取引業	建物売買業・土地売買業	宅地建物取引業法	宅地建物取引士
	不動産代理業・仲介業	宅地建物取引業法	宅地建物取引士
不動産賃貸業	不動産賃貸業	賃貸住宅の管理業務等の適正化に関する法律	賃貸不動産経営管理士
	貸家業・貸間業	賃貸住宅の管理業務等の適正化に関する法律	賃貸不動産経営管理士
	駐車場業	—	—
不動産管理業	分譲マンション	マンションの管理の適正化の推進に関する法律	管理業務主任者 マンション管理士
	賃貸住宅	賃貸住宅の管理業務等の適正化に関する法律	賃貸不動産経営管理士
	オフィスビルなど	—	—

マンション管理適正化法、都市計画法とは？

マンション管理適正化法では、マンションの管理会社や管理組合の運営についての制限や義務を規定しています。

特に重要なのは管理組合会計の収入支出の調定と出納、マンションの維持や修繕に関する企画や実施調整など、会計や建築に詳しくない管理組合をマンション管理業者がサポートすることを定めている点です。それによりマンション管理を滞りなく行わせて、居住者の生活に支障がないようにしています。

都市計画法も重要です。都市計画法は建基法と相互に関係しており、都市における建築などを規制しています。たとえば、造ってもよい建物の規模を決める建ぺい率、容積率は都市計画法で決められています。また、建物を許可なく造れる市街化地域や、そうでない市街化調整区域も都市計画法で定められています。

不動産業界の市場規模

日本経済への影響が大きい不動産

国内総生産に占める不動産業の割合は大きく、国民資産に占める不動産の割合も大きいのが特徴です。また、不動産業界の年間売上高は44兆円と莫大で、日本経済への影響が大きい市場規模を持っています。

年間売上高は建設業と合わせて全産業の約13%

不動産業は名目国内総生産（GDP）536兆円の12.3%に当たる66兆円を占めている産業です（2020年度）。

また、不動産業全体での売上高は2020年のデータで44兆円となり、全産業の売上高1,362兆円のうち約３%になります。これは不動産業と関係が深い建設業と合わせると約178兆円になり、１位の卸売業・小売業の547兆円に続いて２位の規模になります。また、全産業の約13%となり、産業全体の売上に占める割合は大きいといえます。３位はサービス業の147兆円で、１位から３位は生活に密着する産業が占めています。

国民総資産に占める不動産の割合が高いことに顕著に見られるように、不動産業は私たちの生活設計にも大きな影響を与えています。不動産は、現金に次ぐ身近な資産として考えられていることが読み取れます。

名目国内総生産（GDP）
国内の居住者たる生産者による国内生産活動の結果、生み出された付加価値の総額、経済成長率を指す。内閣府が推計し発表する。名目GDPは物価の変動を考慮せず、実質GDPは変動を加味した数字である。

不動産の評価額と持ち家率

不動産の評価額は2020年時点で約2,838兆円もあり、国民総資産である約１京1,892兆円の 約23.9%に当たります。また、総資産から現金などの金融資産を除いた非金融資産の約86%弱を占めています。

日本では、持ち家率が高い割合を占めていて、2018年は全国で61.2%と６割近くになっています。10年前の2008年は61.1%なので、この割合は維持されています。賃貸住戸が多い東京でも、2008年の44.8%から2018年の45.0%と変わっていません。居住用不動産を扱う不動産会社にとっては、持ち家率で高い割合が維持されることはうれしい状況ですが、多くの消費者に対して

不動産の評価額
国民の資産のうち不動産が占める資産の評価額である。ここでは土地と住宅、住宅以外の建物を合算した数字である。

金融資産、非金融資産
金融資産は現金や貸付などの金銭債権と、株式や公社債などの有価証券を指す。非金融資産は金融資産外で不動産などがそれにあたる。

2020年の不動産業の売上高（市場規模）

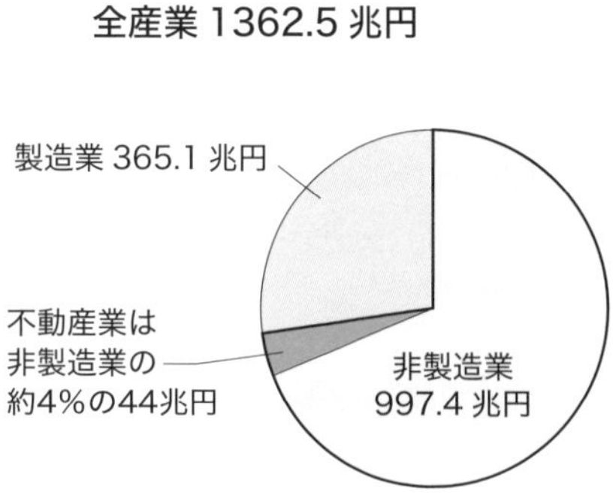
全産業 1362.5 兆円
製造業 365.1 兆円
不動産業は
非製造業の
約4%の44兆円
非製造業
997.4 兆円

※財務省「法人企業統計年報特集」を基に作成

国民総資産に占める評価額

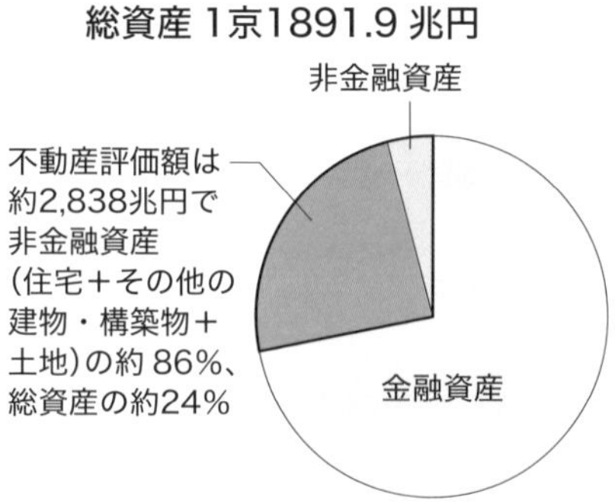
総資産 1京1891.9 兆円
非金融資産
不動産評価額は
約2,838兆円で
非金融資産
(住宅＋その他の
建物・構築物＋
土地)の約 86%、
総資産の約24%
金融資産

※内閣府経済社会総合研究所「2020年度（令和２年度）国民経済計算年次推計ポイント」（2022年１月24日）を基に作成

日本の持ち家率

都道府県	持ち家住宅率（%）
全国	61.2
埼玉県	65.7
千葉県	65.4
東京都	45.0
神奈川県	59.1
愛知県	59.5
京都府	61.3
大阪府	54.7
兵庫県	64.8
奈良県	74.1
福岡県	52.8

賃貸住戸が多い
東京でも、45.0%と
高い持ち家率に
なっているよ！

※居住世帯なしの住宅を含む
※総務省統計局「平成30年住宅・土地統計調査　住宅及び世帯に関する基本集計結果の概要（令和元年９月30日)」を基に作成

納得いく情報の提供や知識、スキルを提供していくことが仕事上でより望まれます。

Chapter1 05

従業員一人当たりの付加価値額が高い不動産業

不動産業は高単価の商品を取り扱う産業なので、従業員一人当たりの付加価値額も全産業の中で高い位置付けとなっています。効率よく売上を得るために、働く人は生産性やスキルを求められます。

不動産業の付加価値額とは？

不動産業における従業員一人当たりの付加価値額は全産業の平均よりも高くなっています。一人当たりの付加価値額とは労働生産性のことで、データによって計算方法は変わってきますが、単純なもので売上高（得られたお金）から売上原価（支払ったお金）を差し引いた金額となります。この付加価値額によって、社会に対してどれだけの新しい価値を生み出したかがわかるとともに、従業員一人ひとりが活動によってどれだけの利益を生み出すのかが見えてきます。2020年の法人企業統計調査で不動産業の付加価値額は1,847万円で、全産業平均688万円の2.5倍以上、中小企業に限った中小企業実態基本調査では、全産業のうち第１位の1,070万円であり、製造業の600万円、建設業の650万円と比べて1.6倍以上も高い数字となっています。

付加価値額
法人が事業活動によって生み出した価値を数字で表したもの。法人の収益や生産性を算出する指標として使われ、一般的には売上から原価を差し引いた金額で、利益として扱われる。

労働生産性
労働で生み出された価値（利益）を労働量で割り数字で表したもの。一般的には労働者一人当たりが生み出す成果を指す。

不動産業の付加価値額が高い理由

このように不動産業の付加価値額が高い背景には主に３つの理由が考えられます。１つ目は、不動産という商品の単価が高いことです。不動産の価格は何百万円から、高いものになると数百億円と高額になります。その売上も、売買、流通、賃貸に限らず当然高いものになり、付加価値額を高めていると考えられます。

２つ目は、売上に対する原価が低いことです。売買の場合は不動産を仕入れるので原価がかかりますが、高価な設備や機材などは必要がなく、製造業や建設業、サービス業と比べると原価がかからないといえます。流通や賃貸業・管理業では事務所費や人件費がかかりますが、あとは電話、FAX、IT関連などの通信費がかかる程度で、他産業と比べて原価はかかりません。

各産業の従業員一人当たりの付加価値額

区分／年度	2020
不動産業	1,847
建設業	830
卸売・小売業	634
製造業	797
電気・情報通信機械器具	903
輸送用機械器具	813
鉄鋼	713
全産業平均	688

※単位：万円
※財務省「財政金融統計月報」-法人企業統計年報特集を基に作成

不動産業の付加価値額
は全産業平均の
２倍以上になっているよ！

３つ目は、企画によって商品価格を上げることができるということです。土地を仕入れた場合、その土地に一戸建てを建てるか、アパートを建てるかなどさまざまな企画が考えられますが、買う人が欲しいと思う商品企画なら高い価格で売れることがあります。

不動産は、企画をつくる創造性やその見せ方によって、価格が大きく変わる商品なのです。

商品企画
不動産の商品企画とは、不動産の生産性を高めるため、高い価格で売買や賃貸ができるように、市況や顧客のニーズに合わせて住宅やアパート、マンション、ビルといった建物などと、駐車場といった土地活用を企画すること。

不動産業のビジネスモデル

以上、付加価値額が高い３つの理由を考えてきましたが、よいことばかりではありません。商品価格が高いことで、商品が売れるまでの時間はほかの産業の商品と比べて長くかかりますし、タイミングを逃すと、ほかの人に取られたりして売り買いができないこともよくあります。また、物価変動や企画によっては大きな損失を出すこともあるのです。

このことから、不動産業のビジネスモデルは、不動産を売買・賃貸する適切なタイミングを図るスキル、商品の企画立案や見せ方の演出スキルに支えられて高い付加価値額を出しているといえます。

Chapter1
06

建設業、金融業との相互補完関係で成り立つ不動産業

不動産業はさまざまな産業との関係で成り立っていますが、その中でも建物を造る建設業と、融資をする金融業とは密接な相互補完関係があります。そのため、建設業、金融業の理解は不可欠です。

不動産業に建設業と金融業は欠かせない

家を買うときの場面を考えてみると、不動産業は**建設業**、**金融業**と深い関係があることがよくわかります。家を買うには建物が造られていないといけないので建設業と関わりがあります。また、不動産の商品価格は数千万円するので、多くの人は住宅ローンを組むため、金融業との関わりが出てきます。事業でも同じで、オフィスビルや商業施設を造るには建設業の協力が必要で、建設資金を融資してもらう金融業の協力が不可欠です。

このように、不動産業は建設業と金融業のどちらが欠けても成り立ちません。一方で、建設業も土地の情報を収集して、造った建物を売ったり貸したりしないといけませんし、金融業にとって不動産はとても大きな融資先なので、不動産業は欠かせない存在といえます。つまり、不動産業と建設業、金融業は互いに存在を必要とする相互補完関係にあり、とても密接に関わっているのです。そのため、不動産業の仕事では、建設や金融の知識が不可欠といえます。

建設業、金融業の知識が必要な場面

冒頭の家を買う話に戻します。不動産業界で働く人の目線に立つと、家を売買、流通、賃貸する場合には、建物という商品の特徴について顧客に話さなければなりません。土地の面積や部屋の間取りなどは当然のこと、構造は木造で**耐震等級**はいくつなのか、また、木造でも**在来工法**なのか**2×4工法**なのか。窓の遮音や遮熱性能はどうなのか。キッチンや床暖房の保証期間はいつまでなのか。顧客からはさまざまなことをたずねられます。答えられないと取引の機会を逃すかもしれません。

建設業
建設工事を請け負い完成させる業のこと。ゼネコンやハウスメーカーを指す。建設する対象の範囲は広く、住宅からビル、アパート、マンション、商業施設、そして土木工事まで含み、各々を専門とする建設会社がある。

金融業
お金を貸したい人と借りたい人の間に立ち、その貸し借りを媒介する業のこと。法制上では主に銀行・信託・保険などを指すが、広義では証券・貸金・質屋も含まれる。金融業を営む公的・私的機関を金融機関と総称する。

耐震等級
地震への建物の強さの指標。「住宅の品質確保の促進等に関する法律」によって定められている。耐震等級は1から3まであり、等級3は1で想定される1.5倍の地震が起きても倒壊・崩壊しない強さ。

建設業と金融業との相互補完関係図

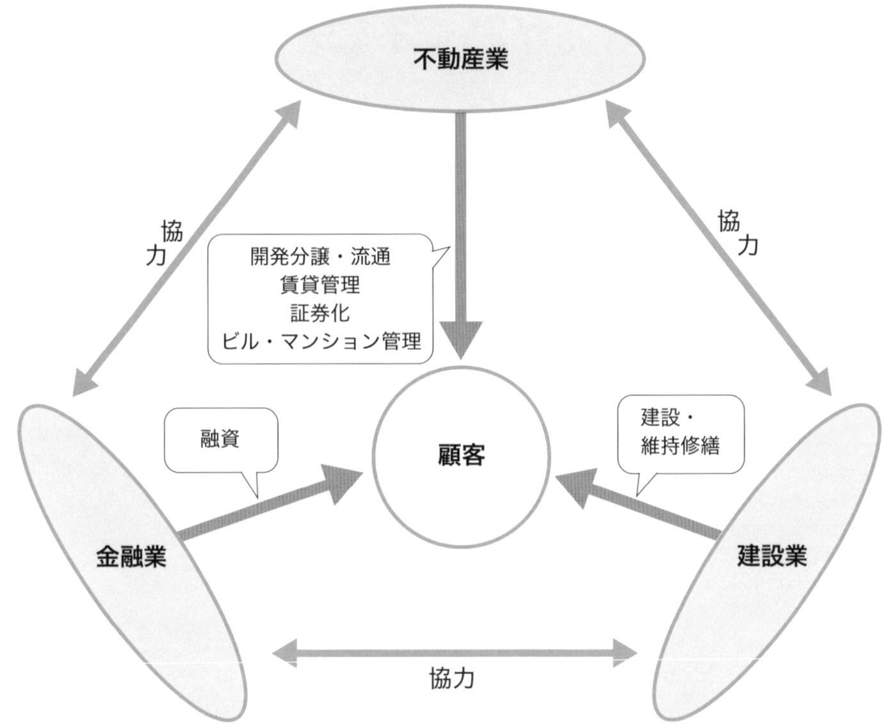

管理業においても、維持管理するには建物の状況を見極めなければならないので、外壁のひび割れが何を意味するのかなど、建造物の基本的な知識は不可欠です。

売買の場面では、ローンのことも顧客からよく聞かれます。どの金融機関の金利が安く、何年間貸してくれるのか、そもそもローンの審査は通るのかなど、顧客の心配は尽きません。金利が少し異なるだけでも毎月支払う金額が変わるので、顧客は真剣に聞いてきます。管理においても修繕が必要ならローンを組むことがありますが、その場合の金融商品や審査のしくみを知っておくと、顧客からの信頼も高まります。

建設業、金融業との関係を考え、その知識を学んでおくことが大切です。

在来工法
木造建物の工法で、柱と梁を組み合わせて建物を組み立てていくもの。木造軸組構法ともいう。日本に古くからある工法で、近年は金物が発達改良され、耐震性も高くなってきている。

2×4工法
木造建物の工法で、2インチ×4インチ（約5cm×約10cm）の角材でつくられるため、ツーバイフォーと呼ばれる。角材で壁や床、天井、屋根をつくり、それらを組み合わせて建物を造る。

不動産価格の推移

Chapter1
07

上昇基調が続く不動産価格

2013年から低金利ローンやインバウンドなどで上昇基調となっていた不動産の平均価格は、コロナ禍でも堅調に上昇しました。ただし、不動産価格の高騰に消費者が対応できず、調整局面に入ったという指摘もあります。

不動産価格は2013年から上昇基調

地価公示とは、国土交通省が毎年1回、標準地として定める不動産の価格を調査して公的に発表することです。その地価公示を毎年確認することで、不動産価格の推移を読むことができます。

公示地価はバブル期の1991年をピークに下がり続け、ミニバブルの2006年で反転上昇し、リーマンショックの2008年で再度下落、その後、2013年から再度上昇基調となり、コロナ禍でも上昇が続いている状況です。

特に東京都23区での住宅地の平均価格は2022年で641万円/m^2と、2008年の579万円/m^2の1.1倍となり、リーマンショックの影響を払拭し、さらに価格は上昇しています。

地価公示
国土交通省が地価公示法にもとづき、毎年3月下旬に公表する土地の評価のこと。全国で3万数千地点の評価を行うことから、税金や公共用地の取得価格の算定基準となる。公示された価格を「公示地価」という。

低金利など、4つの要因による不動産価格の上昇

近年の上昇基調の理由としては、①低金利ローンによる下支え、②人件費や建材費の高騰、③法人投資家の不動産取得への高い意欲、④インバウンドによる店舗・ホテルの進出、などを主な要因とする指摘があります。特に住宅では、低金利による価格上昇への恩恵が大きく、低金利によって毎月の返済額が抑えられることから、融資額を増やす顧客が多く、その分購入価格の上昇に影響を及ぼしているようです。

それは首都圏の新築マンションの平均坪単価と民間金融機関の変動金利の相関性のデータでも確認ができ、2008年を指数100とした場合で、2018年でも97.2とほぼ同様となっています。つまり、不動産価格が上昇しても低金利により毎月の支払額は変わらず組むことができ、結果、不動産価格を低金利が下支えできているという構図となります。

民間金融機関の変動金利
銀行や信金信組といった民間の金融機関における、市況によって金利が変わる融資商品のこと。変動金利のほかには一定期間、金利が変わらない固定金利がある。

主な都市における住宅地の「平均」価格の推移

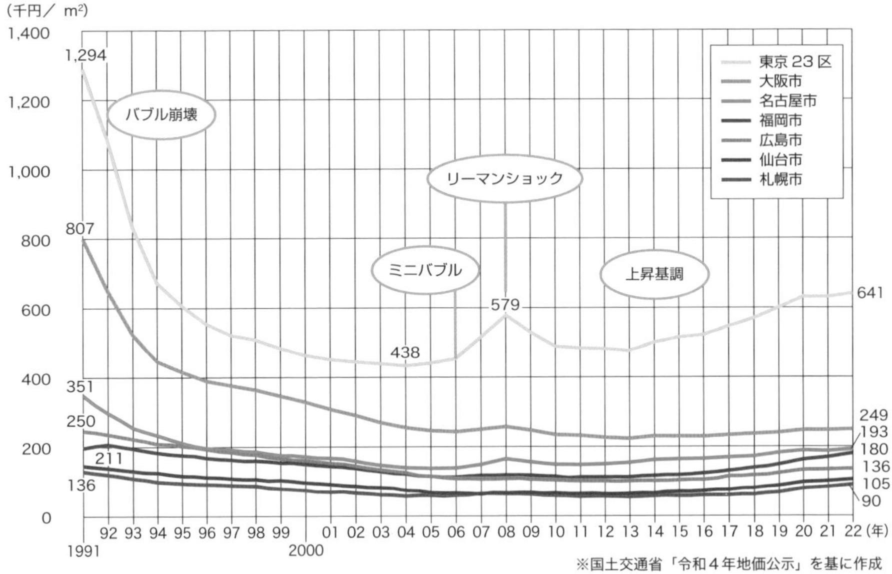

※国土交通省「令和４年地価公示」を基に作成

主要金融商品（住宅ローン関連）金利の推移（年平均：%）

	2008	2009	2010	2011	2012	2013	2014	2015	2016	2017	2018	2019.1-6
支援機構基準金利	3.54	3.76	3.25	3.14	2.62	2.38	2.10	1.88	1.39	1.29	1.27	1.22
フラット35金利	3.03	3.09	2.63	2.40	1.99	1.93	1.70	1.52	1.22	1.16	1.38	1.29
民間金融機関変動金利※	3.33	3.67	3.18	3.07	2.67	2.73	2.55	2.30	1.70	1.76	1.78	1.60
10年国債利回り（%）	1.49	1.35	1.18	1.12	0.86	0.71	0.55	0.36	－0.05	0.05	0.08	－0.05

※民間金融機関変動金利は三井住友銀行における「超長期固定金利型」の「借入期間30年超35年以内」の金利（年平均値を採用）

首都圏における新築マンション平均坪単価と民間金融機関変動金利の相関性（2008年を100.0とした指数による比較）

2008年＝100.0	2008	2009	2010	2011	2012	2013	2014	2015	2016	2017	2018	2019.1-6
首都圏平均坪単価指数（A）	100.0	103.6	103.4	103.3	103.5	109.2	113.3	126.5	127.4	136.4	140.9	143.9
民間金融機関変動金利指数（B）	100.0	110.2	95.5	92.2	80.2	82.0	76.6	69.1	51.1	52.9	53.5	48.0
平均値（A＋B／2）	100.0	106.9	99.4	97.8	91.8	95.6	94.9	97.8	89.2	94.6	97.2	96.0

出典：住宅新報2019年９月24日号（株）東京カンテイ

ただし、2022年に入り、円安によるさらなる建築費の高騰、弱い雇用賃金情勢による需給ギャップが起き、不動産価格は調整局面に入ったという指摘もあります。

フラット35金利
2-05参照。

事業者数の推移と事業規模

小規模事業者が圧倒的に多い不動産業

不動産業は参入ハードルが低く兼業も多いことから、法人数は全産業中の約1割を占めるほどたくさんあります。ただし、事業所は廃止になることも多く、従業者数4人までの小規模事業者が多いのが特徴です。

参入ハードルは低いが、廃止する事業所も多い

不動産業の法人数は2020年に353,448社で全産業（2,846,147社）の12.4％と1割超を占めており、年々増加傾向にあります。不動産業は建設業や金融業との兼業が多いことや、資本金が少なくても参入しやすいことから、法人数は多く、個人大家の登場や、コロナ禍前まではインバウンドへの不動産需要により年々増加傾向にあるといえます。

また事業所数は2016年時点で323,394あり、全産業の事業所数5,340,783の6.1％となっています。法人数と事業所数に大きな差がないことから、複数の事業所を必要としない業態であることや、兼業が多いことが読み取れます。

その一方で、廃止事業所数が新設事業所数よりも多くなっています。2012～2014年のデータでは、年当たり16,210の事業所が新設されているのに対して、18,642の事業所が廃止されており、毎年2,400近い事業所がなくなっていることがわかります。それだけ事業所再編の動きがあり、先に述べたように複数の事業所が必要ない業態であることが見て取れます。

事業規模としては、従業者数が少ない小規模事業者が多いことも特徴です。従業者数が1～4人の事業所が圧倒的に多く、2014年のデータで304,566事業所あり、全事業所353,558の86.1％と8割を超えています。宅地建物取引業は免許制度となってはいますが、賃貸業・管理業は免許制度がないことから、参入のハードルはそれほど高くありません。また、少人数で事業ができるビジネスモデルということも小規模事業者が多い要因です。

ただ、廃止事業所数が新設事業所数よりも多いことから、経営自体は難しく、安定性は低いことがうかがえます。

個人大家
組織ではなく、個人で判断をして不動産を取得し賃貸する業のこと。詳細は**5-07**を参照。

インバウンドへの不動産需要
インバウンドとは、外国人が訪れてくる旅行のことで、日本へのインバウンドを訪日外国人旅行または訪日旅行という。この訪日外国人が泊まるホテルなどの宿泊所、販売する物品の店舗などの建設で不動産の需要がある。

事業所
営利、非営利の目的を問わず、物を生産したり、サービスを提供したりするなどの経済活動が行われている個々の場所のこと。店舗や事務所、工場などを指す。

不動産業の事業所数の推移

区分	1991	1996	2001	2006	2009	2014	2016
不動産業の事業所数	287,269 (4.3)	292,358 (4.4)	328,633 (5.2)	320,365 (5.4)	375,478 (6.2)	353,558 (6.2)	323,394 (6.1)
全産業の事業所数	6,753,858	6,717,025	6,350,101	5,911,038	6,043,300	5,689,366	5,340,783

※単位：所
※（　）の数字は全産業に占める不動産業の割合
総務省「経済センサス」を基に作成（2006年以前は総務省「事業所・企業統計調査」）
※不動産業は、「不動産取引業」と「不動産賃貸業・管理業」の合計

2020年の各産業法人数の全産業法人数に占める割合

全体　2,846,147社

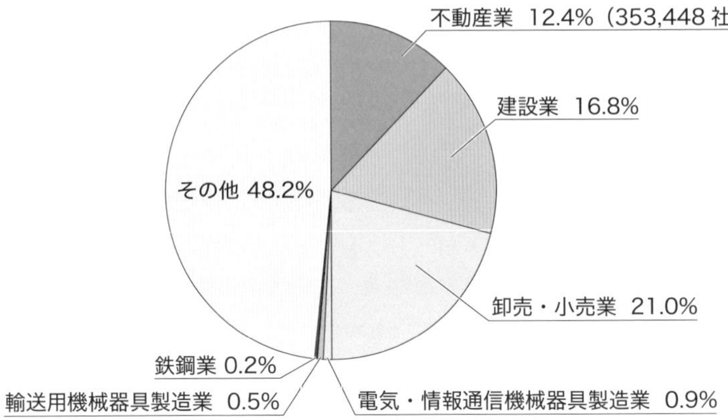

※2022不動産業統計集を基に作成
注：全産業には、金融業・保険業を含まない

Chapter1

09

従業者数と男女比

不動産業界の従業者数と男女の構成比

不動産業の従業者数は117万人で全産業の2.1%ですが、事業所数が全産業の6.1%であることと比べて少なく、従業者一人ひとりが重要な存在であることがわかります。男女の構成比は、全産業の平均と同じ6：4です。

人手が少ない分、一人が活躍しないと厳しい業態

不動産業の2016年時点での従業者数は1,178,108人であり、全産業の従業者数56,872,826人の約2.1%となっています。建設業の約369万人、製造業の約886万人など他の産業と比べて総数が少なく、また、全産業の事業所数のうち約6.1%の不動産の事業所数があるのと比べて従業者数が少ないことが読み取れます。

このことから、他の産業と比べて人手はかからず、一人当たりの付加価値額が高い業態（→P.20）であり、従業者一人ひとりの活躍が重要で、戦力にならないと厳しい業態だとわかります。

従業者数のうち、売買や流通などの取引業は321,660人と全体の27.3%、賃貸や貸家、管理などの賃貸業・貸家業・管理業は770,580人で全体の65.4%です。賃貸業・管理業のほうが倍以上の従業者数になっていますが、理由は不動産1件から生じる売上が取引業と比べると低く、そのため、従業者数を増やして扱える不動産の件数を増やさざるを得ないからと考えられます。

業界別の男女比

従業者の男女比は、物品賃貸業を入れた大分類で男性が58.5%、女性41.2%となっています（2021年時点）。公営と民営どちらも似た割合で大きなちがいは見られず、全産業の男女比とかなり近い割合です。

ただ、実態としては、開発分譲業や流通業ではこの数字よりも男性が多く、賃貸業・管理業では女性のほうが多く働いています。顧客の住生活に近くて早い対応が求められる現場には女性が多く、建設や金融業に近くて長いスパンでの対応が求められる現場には男性が多くいる傾向があります。

産業大分類と中分類、小分類

日本標準産業分類では大分類，中分類、小分類の３段階がある。大分類で不動産業・物品賃貸業、中分類では不動産取引業と不動産賃貸業・管理業の２つとなり、小分類ではさらに８つに分かれる。

事業所当たりの平均従業者数

（2016年6月1日）

区　分	一事業所当たり平均従業者数（人）	事業所数	構成比（%）	従業者数（人）	構成比（%）
全産業	10.6	5,340,783	100.0	56,872,826	100.0
不動産業	3.6	323,958	6.1〈100.0〉	1,178,108	2.1〈100.0〉
建物売買業、土地売買業	6.8	16,585	〈5.1〉	112,659	〈9.6〉
不動産代理業・仲介業	4.5	46,691	〈14.4〉	209,001	〈17.7〉
不動産賃貸業	4.0	47,366	〈14.6〉	191,322	〈16.2〉
貸家業、貸間業	2.4	144,370	〈44.6〉	340,144	〈28.9〉
不動産管理業	6.2	38,504	〈11.9〉	239,114	〈20.3〉
その他	2.8	30,442	〈9.4〉	85,868	〈7.3〉
建設業	7.5	492,734	9.2	3,690,740	6.5
製造業	19.5	454,800	8.5	8,864,253	15.6

※経済センサスを基に作成

男女別従業者の構成比

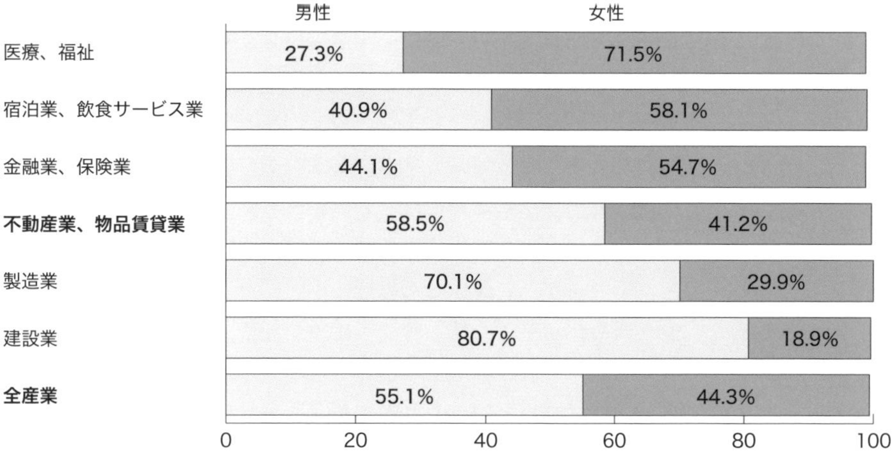

注：総数には男女別が不詳の従業者を含むため、男性と女性の合計は総数と一致しない場合がある。
※令和３年経済センサス-基礎調査の概要を基に作成

Chapter1
10

不動産業の関係職種

不動産業は、不動産という商品を売買、賃貸、管理するためにさまざまな関係職種と協力しながら事業を進めていきます。どの職種と協力していくかを理解しましょう。

事業主かそうでないかで業態が変わる

不動産業は、事業を行う立場（以下事業主という）として不動産という商品を売買、賃貸、維持管理していくのか、それともサポート的な立場として、事業主（たとえば不動産の開発を行う事業者）からの依頼に従って不動産という商品を売買、賃貸、維持管理していくのかでその業態は変わってきます。

右ページの図表の①開発事業、②分譲事業、⑥不動産証券化事業が前者の事業主といえます。自らの判断で利益や損失を計算して事業に取り組んでいくため、建設業などの関係職種に対して発注者としていつまでに建設してもらうなどの期日や成果、費用などをコントロールしていくことになります。

一方で、③流通事業、④ビル・マンション管理事業、⑤賃貸業・管理事業は後者で、事業主を通して関係職種に協力してもらい期日や成果、費用をコントロールしていきます。

各事業と関係職種のかかわり

①開発事業と②分譲事業は商品企画を行い、その企画に添って建築設計事務所に建物の設計を依頼し、建設会社に建物を造ってもらいます。また、内外装のデザインや家具選定などの特別なテーマがあればそれに関係した職種に依頼することがあります。⑥不動産証券化事業は、建築設計事務所や建設会社、不動産鑑定士事務所などに不動産の調査を依頼して、調査結果がその不動産の取得に対して妥当ということであれば、宅地建物取引業者に依頼して不動産を取得し、その後、不動産管理会社に依頼して不動産の維持管理をしていきます。

③流通事業と⑤賃貸・管理事業は、事業主と買主、借主を宅地

不動産事業全体の構成図

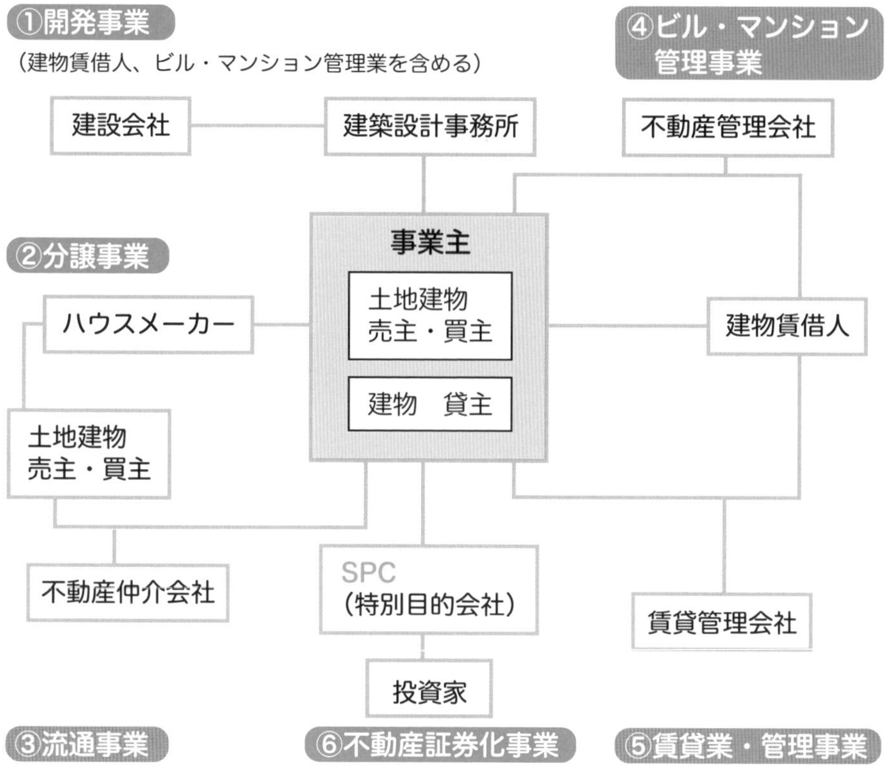

建物取引業者としてつないでいきます。その間、建物の建設やリフォームなどで建設会社、ローンで金融機関、取引に際しては司法書士、税理士などのさまざまな士業と協力していきます。

④ビル・マンション管理事業は事業主と借主を不動産管理会社としてつないでいきます。維持管理においては、建物の修繕で建設会社の協力を、トラブルなどがあったときはさまざまな士業の協力を得ていきます。

立場のちがいがありますが、不動産業は関係職種の仕事をまとめ上げていく総合職種であることにはちがいありません。

SPC
不動産を証券化する際に必要な組織形態。不動産を購入して投資家に利益を分配するための会社。詳細は**7-01**を参照。

士業
司法書士、税理士、不動産鑑定士、弁護士など、不動産に関係する士業は多い。それぞれに役割やできることがある。詳細は**8-09**を参照。

Chapter1
11

不動産業における仕事の特色

不動産業は、個人資産や日本経済に大きな影響を与える一方、少人数の事業所が多く、付加価値の高い業務が中心となります。個人の働きが会社の売上に直結する危うさもあるといえます。

不動産業の４つの仕事の特色

ここでは、課題について述べていきます。

第１章でこれまで紹介してきた内容から、筆者が考える不動産業の仕事の特色をまとめました。

１.不動産は重要な資産であるため、売買や賃貸借などの判断を下すのは他の商品と比べて容易ではなく、販売期間などが長期化しやすい。

２.不動産業は従業員一人ひとりの裁量が大きく、その創造性で成果が変わることが多い。また、ほかの産業と比べて個人の成果が会社の売上に与える影響が大きい。

３.個人の裁量が大きい反面、経験が組織に還元されず、組織としての継続性や効率の悪さがあり、仕事で成長するまでに時間がかかる。

４.不動産は顧客にも馴染み深い商品であるため、プロの意見が通りにくい。また、気に入っている、いないという感情が入り込みやすいため、「この不動産はいくら」と定性化、定量化もしづらい。結果、商品の見せ方、説明の仕方など、顧客と会って１つひとつ地道に理解を得ていくアナログな活動が必要となる。

「人対人」の働きが重要な不動産業

また、AIにとって代わられる職業として不動産の営業職が挙げられていますが、日本の不動産業における営業職の場合は、４で述べたように不動産に顧客の感情が入り込む余地が多く、定性化、定量化しづらいため、数字で判断していくAIではすべてを行うのは難しいのではないかと考えられます。

定性化、定量化
定性化とは不動産の商品の性能などを言葉で表すことで、定量化とは数字で表すことをいう。不動産の商品はこれらが難しく、たとえばきれいな庭がある不動産でも、ある顧客にとっては余計な庭と言葉で表される場合がある。また、価格という数字も顧客の好悪の感情で増減する。

AIにとって代わられる職業
オックスフォード大学のオズボーン准教授などによる2013年の論文「未来の雇用」より。人類の仕事の半数がなくなるとしているが、主な代表例として不動産営業（不動産ブローカー）を挙げている。

不動産業の仕事の特色

家は人生で最も大きな買い物

↓

販売期間は長期化しやすい

従業員の個人の裁量が大きい

↓

会社の売上に対する影響が大きい

会社に知識・スキルがストックされにくい

↓

知識・スキルがうまく継承されにくい

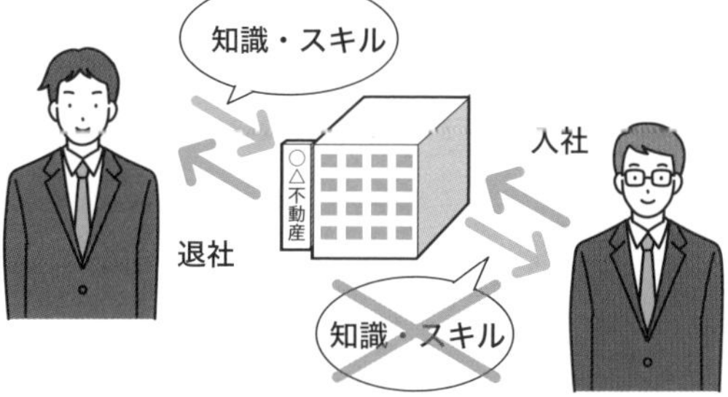

取引に感情が入る

↓

定性化・定量化しづらい

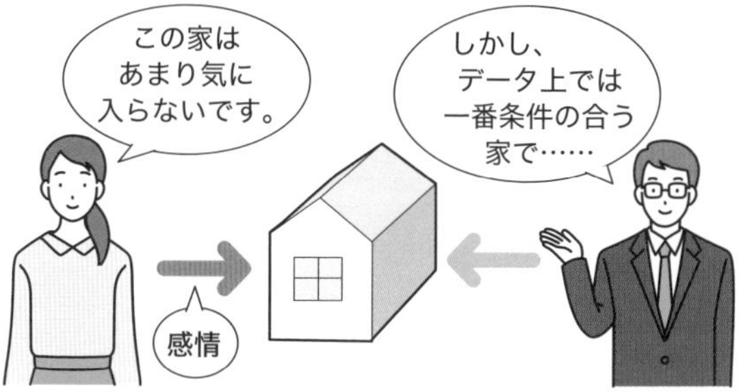

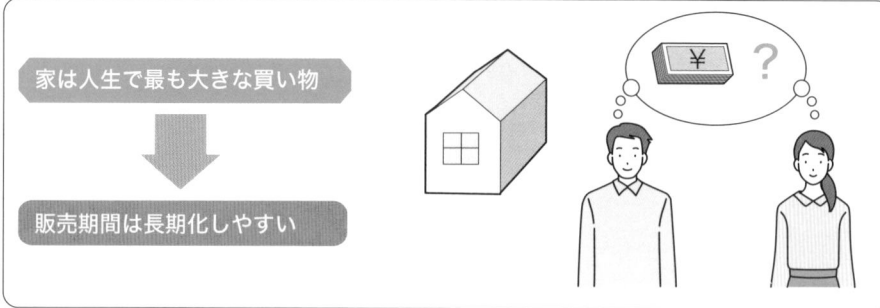

COLUMN 1

不動産という言葉はいつから使われ始めたのか

明治初期にひねり出された苦心の訳語

『不動産業界沿革史』によれば「不動産」という言葉は、明治時代初期に、法律用語として外国語から翻訳する際に造られたそうです。それまでは家屋敷、地所家屋が不動産を表す言葉でした。ただ、元になった外国語には２つの説があります。

ひとつ目はフランス語で、“不動のもの”“不動の財物”にあたるimmeubleからの訳。榎本芳之助氏が『フランス語訳』の中で『明治文化史法制編』（石井良助著）を典拠としてこう述べています。

「明治３年９月から太政官制度局で、中弁江藤新平を主査として、民法編纂が行われた時、翻訳担当の箕《み》作《つくり》麟《りん》祥《しょう》がフランス民法を翻訳しているが、彼は『翻訳に当たっては訳語に非常に困った。……動産、不動産、義務、相殺……等も苦心の訳であった』と述べている。つまり、不動産とは、フランス語の「イムーブル」を箕作麟祥が造語したものであり、皇国民法仮規定ができた明治五年に、初めて誕生したということである」

もうひとつの説はオランダ語のonroerende goederenから訳したものというもの。門脇惇氏によると明治５年に文部省が刊行した翻訳書『和蘭邑法』が不動産という言葉を用いた最も古い本であるといいます。

どちらにしろ、明治３年から５年ごろに使われ始めたようです。

明治政府の重鎮も司法の場で使い始めた

明治初期の法律制定に強く影響のあった江藤新平が「不動産」という言葉の普及に深く関与し、司法卿在任時の公文書上でも使っています。明治５年９月１３日の司法省通達第９号に「凡動産不動産取引の詞訟ヲ審判スルニ原告被告双方ノ内一方……」という記録があります。

「不動産」という呼び方は、すぐには一般に普及しませんでしたが、その後段々と広まっていき、明治末から大正時代にかけて日常語として落ち着いたようです。

第2章

不動産業の各事業の構成と流れ

不動産事業は、開発・分譲、流通、賃貸管理、ビル・マンション管理、証券化の５つに分類されます。各事業がどのように成り立ち、発展したかを見ていきましょう。

Chapter2
01

不動産事業の構成と概要

不動産事業は、開発・分譲、流通、賃貸管理、ビル・マンション管理、証券化の5つに分けることができます。各々の事業はそれぞれ異なりますが、不動産と人を結びつける事業であることには変わりありません。

開発・分譲、流通、賃貸管理事業の概要

不動産業は開発・分譲事業、流通事業、賃貸管理事業、ビル・マンション管理事業、証券化事業の5つに分類されます。

開発事業はオフィスビルや商業施設の建設・運営、都市の再開発、一戸建てや土地の宅地造成、マンションの建設分譲を行う事業のことで、開発事業者はデベロッパーとも呼ばれます。資本力と企画力を投入して、不動産の付加価値を高めてから販売、賃貸することで投下資本を回収し、利益を得ていく事業です。たとえば、土地を購入して、その土地にニーズの高いマンションを建設し、それを売って利益を得ます。事業期間が長期にわたることなどから、それを支える資本力が不可欠になります。独立行政法人都市再生機構（略称：UR都市機構）など、団地や街づくりを行う公的な開発事業者もいますが、三井不動産や三菱地所などの民間の開発事業者が有名で、旧財閥系や電鉄会社、インフラ会社から生じた不動産会社が数多くあります。

流通事業は、仲介事業とも呼ばれ、一戸建てやマンション、土地、オフィスビルなどの売買や賃貸を行う事業です。不動産を介して不動産の所有者とそれを利用したい顧客をつなげます。広告作成や物件案内をして情報の流通を促したり、建物に瑕疵《かし》がある場合に補修をしたりして利益を得ていきます。開発事業と比べて資本力が低くても始められます。

賃貸管理事業は、アパートや小規模マンションの一棟、マンションの一室といった比較的小規模な不動産の所有者から依頼を受け、賃貸と管理を行う事業です。賃貸不動産を満室にしたり、賃借人の応対を担ったりすることで賃貸経営をサポートし、利益を得ていきます。

不動産事業の構成

開発・分譲事業

オフィスビルや商業施設の建設・運営、都市の再開発、一戸建てや土地の宅地造成、マンションの建設分譲を行う事業。

流通事業

一戸建てやマンション、土地、オフィスビルなどの売買や賃貸を行う事業。不動産の所有者とその不動産を利用したい顧客をつなげる。

開発・分譲事業は
資本力が必要だよ。

賃貸管理事業

アパートや小規模のマンション一棟、マンションの一室といった比較的小規模な不動産の所有者の依頼を受け、賃貸と管理を行う事業。

ビル・マンション管理事業

オフィスビルや商業施設、分譲マンションを管理する事業。比較的大規模な不動産なので、利用者が多く、建物の設備は複雑。

証券化事業

不動産の資金化を図りたい所有者が保有する大型のオフィスビルや商業施設を証券化して、投資家にその証券を売る事業。

ビル・マンション管理、証券化事業の概要

ビル・マンション管理事業は、オフィスビルや商業施設、分譲マンションを管理する事業です。扱う不動産は比較的大規模な建物で、利用者が多く、設備は複雑です。情報を一元管理する窓口担当者を設けたり、建築や設備などの技術専門職を設けたりして不動産の維持管理をすることで利益を得ていきます。

証券化事業とは、不動産の資金化を図りたい所有者が保有する大型のオフィスビルや商業施設を証券化して、一棟を買う資金力がない、もしくはリスクを分散したい投資家にその証券を売る事業です。不動産を購入して満室にし、収益力を改善した上で投資家に証券を販売することもあります。証券化と収益性の改善のノウハウで利益を得ていく事業です。

事業ごとにさまざまな業務がありますが、すべては不動産と人を結ぶ仕事として成り立っています。

Chapter2
02

明治・大正期に成立した不動産業

不動産は、名目的には奈良時代から人々の生活の中にありましたが、その所有権が認められ、取引ができるようになったのは明治時代以降です。その後、不動産業が現在のように発展していくのは大正時代になってからです。

明治時代に形づくられた不動産業

不動産業の各事業は、①不動産の所有権が認められ、②その不動産を使って自由に売買などの取引ができるようになり、初めて業として成り立ちます。①、②の両方が成立したのは明治時代です。そのため不動産業の各事業も、多くは明治時代から形づくられていったといえます。

不動産の所有権が認められたのは、名目的には奈良時代です。723（養老7）年、三《さん》世《ぜ》一身《いっしん》法によって対象となる人からその孫までの三代の所有権が認められ、続いて743（天平15）年、墾田永年私財法で永代までの所有権に改善され、現在に至っています。実態としては権力者の下での不完全な権利であったと推察されますが、意外にも早くから所有権という権利自体はあったようです。

しかし江戸時代までは不動産を自由に売買できず、また江戸時代になっても売買できる対象範囲は「**沽券地**」に限られていて、何かと制限や統制があり、田畑などは「**田畑永代売買禁止令**」で売買そのものが禁止されていました。

不動産を自由に売買できるように

それが、明治維新により新政府の大改革のひとつとして、貨幣経済社会に適した課税強化政策が取り入れられます。1872（明治5）年に田畑永代売買禁止令の解除があり、1873（明治6）年の**地租改正**で不動産を自由に売買できる所有権が認められるようになったのです。

また、地租改正によって自由な不動産の売買や事業を支える地価と登記といった制度も整えられていきました。地価が時価とさ

沽券地
江戸時代における売買などでの譲渡が自由な不動産のこと。江戸幕府は田畑永代売買禁止令で不動産の売買を禁止していたが、市街地に限って売買譲渡の制限を設けなかった。沽券地の売買証文を沽券という。

田畑永代売買禁止令
江戸時代の1643(寛永20）年に幕府が農民に田畑の永代における売買を禁じた法令のこと。富農への田畑の移動や集中を防止する目的であったが、質入れなどはできたため、実質的な土地移動はできた。地租改正で廃止に。

地租改正
明治時代の1873(明治6）年以降、政府が実施した土地・租税制度の改革のこと。田畑永代売買禁止令を解き沽券に代わる地券を発行、土地所有とその所有権の確定を行い、自由な不動産売買ができるようにした。

不動産が事業化した要因

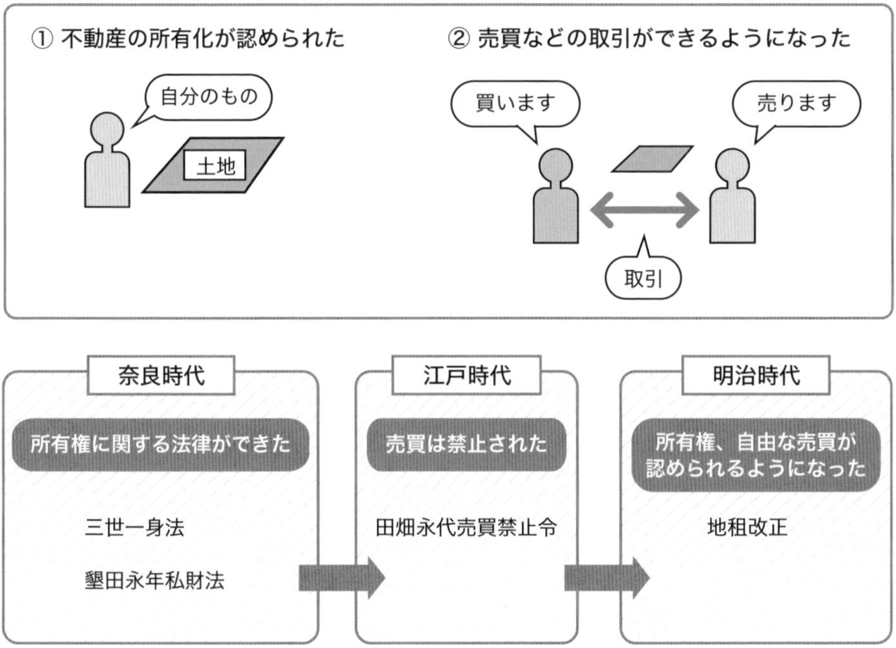
① 不動産の所有化が認められた
自分のもの
土地
② 売買などの取引ができるようになった
買います
売ります
取引
奈良時代
所有権に関する法律ができた
三世一身法
墾田永年私財法
江戸時代
売買は禁止された
田畑永代売買禁止令
明治時代
所有権、自由な売買が認められるようになった
地租改正

れたのもこの頃からです。農地の収穫量などを基準に定められていき、登記では権利関係が記された地券が土地所有者に交付されました。江戸時代にも沽券という不動産の権利証のようなものがありましたが、明治時代になると地租改正で新たに地価額や地番、所有者名、坪数、年月日などが記載されるようになりました。この地券は、1886（明治19）年の**登記法**の実施により、土地の所有が**登記簿**によって公証されるようになるまで続きました。

　このように明治時代は不動産業を成立させる基盤整備が行われると同時に、都市への人口集中、労働者の移動が進み、民法が施行され、会社組織という事業形態が生まれました。それに伴い不動産の取引件数も増加し、各事業成立の諸要件は成熟していきます。しかし『不動産業界沿革史』（1975年、東京都宅地建物取引業協会）によれば、明治時代は不動産業に特に見るべき発展はなかったとのことです。これが業として見えてくるのは、第一次世界大戦が終結した1918（大正7）年以降の好況期で、この頃から個人が専業化するようになり、発展していきました。

登記法
明治時代の1886（明治19）年に施行された不動産の登記とその手続きについて定められた法律のこと。現在の不動産登記法につながる法律。

登記簿
不動産の権利関係を公示し、保護するため、一定の事項を記載した公の帳簿のこと。登記簿を見れば、その土地や建物の所有権が誰にあるか、利用を制限する抵当権などがあるかどうかがわかる。

Chapter2
03

不動産業の各事業の成り立ち①（開発・分譲）

四大財閥を中心に進んだ開発事業と私鉄の沿線開発で発展した分譲事業

明治時代末期には、私鉄による郊外沿線の開発に伴って一戸建て分譲事業が発展し、大正時代には、財閥がその資本力を使って開発事業を発展させていきました。

開発事業は三菱財閥、三井財閥がリード

オフィスビルや商業施設の開発事業は、大正時代に各財閥が不動産事業でオフィス整備のためのビル建設を進めたことで発展していきました。その中心は三菱財閥で、東京丸の内に赤煉瓦で洋館のオフィスを次々に建設しました。1923（大正12）年２月に竣工した丸ビル（丸ノ内ビルヂング。現：丸の内ビルディング）は当時日本で一番高い大型ビル（当時地上８階。のちに９階に増築）で「東洋一」といわれ、ビルディングの略称「ビル」という呼び方はこの丸ビルから始まったといわれています。

一方で、三井財閥は関東大震災前後から東京日本橋室町を中心にオフィスビルを建設していきました。中でも1923年に着工し、関東大震災で被災した旧本館を建て替え、1929（昭和４）年に完成した三井本館は、当時ビル建設費が坪200円の時代に坪450円と、三井内部でも「贅沢すぎる」と批判を受けた、耐震性能も備えたビルを建設しました。他にも安田財閥が東京で、住友財閥が大阪でビル建設を行っていきましたが、質量ともに三菱、三井の２社が戦後までリードしていきました。

財閥（四大財閥）
家族や同族によって出資された親会社が中核となり、子会社にさまざまな産業を経営させている企業集団のこと。四大財閥とは、三井、三菱、住友、安田財閥を指す。

竣工
建物の工事が完了して、建造物ができあがること。

分譲事業は東急電鉄、阪急電鉄がリード

一方、分譲事業の歴史は、私鉄会社による郊外沿線開発の歴史ともいえます。明治時代末期の都市地域の拡大によって私鉄が路線を郊外に延ばしていき、宅地や一戸建てを分譲していくことで、沿線に住む人を増やし、乗客を生み出していく構造です。土地を安く買って開発し、高く売ることで利益を得ていく分譲事業の原型は、この時代につくられました。

最初の分譲事業は、東京では1913（大正２）年に分譲が始まっ

私鉄会社による沿線開発

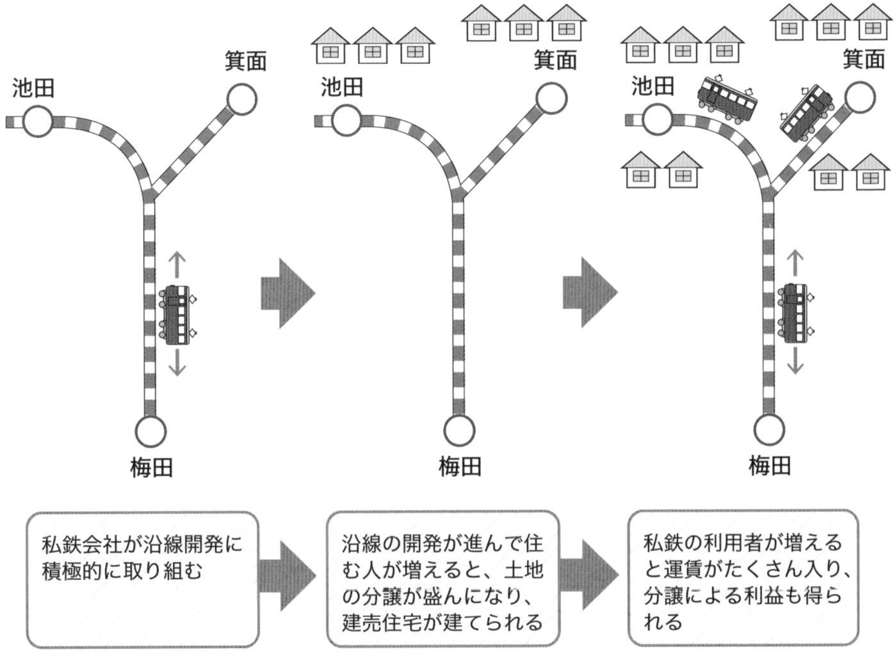
池田
箕面
梅田
池田
箕面
梅田
池田
箕面
梅田
私鉄会社が沿線開発に積極的に取り組む
沿線の開発が進んで住む人が増えると、土地の分譲が盛んになり、建売住宅が建てられる
私鉄の利用者が増えると運賃がたくさん入り、分譲による利益も得られる

た東京信託株式会社（現：日本不動産株式会社）による玉川電気鉄道（現：東急田園都市線）沿線の玉川田園都市計画、関西では1909（明治42）年の箕面有馬電気軌道（現：阪急電鉄）の沿線開発事業です。箕面有馬電気軌道の開発事業は「関西の私鉄王」ともいわれた小林一三が計画したもので、大阪府の池田市、豊中市、箕面市で開発を進め、池田市室町では土地の分譲と建売住宅（200戸）の**月賦販売**（分割で支払うこと）を行いました。小学校の先生の月給が８～９円のときの価格が一戸約3,000円ほどでした。２割は頭金として現金でもらい、残り８割は10年の月賦としたところ、売り出すと同時にすぐに売り切れになり、一戸建て開発事業に弾みがつきました。豊中、桜井では1,000円台の一戸建ての分譲が始まり、「家賃よりも安い月賦金」と謳った今と同じような販売方法で、大阪では話題を集めたようです。

　このように、明治初期に生まれた不動産業は明治末から大正時代に開発、分譲事業が花開きました。

月賦販売
不動産を購入するのに月単位で分割で支払うこと。現代では割賦払いともいう。明治や大正時代にはローンがなかったため、不動産を購入する際は、売主に対して月払いで支払うことが多かった。

Chapter2
04

不動産業の各事業の成り立ち②（流通・管理）

大正時代に専業化した流通事業と戦後から始まった管理事業

流通事業は江戸時代に副業として発生し、開発分譲事業の成熟とともに流通が盛んになることで大正時代に専業化が進みました。管理事業は第二次世界大戦後に清掃業から発展していきました。

副業から始まった流通事業

『不動産業界沿革史』によると、流通事業は江戸時代から明治時代にかけて、次の４つから始まったとされています。①町内有力者や**家作《かさく》管理人**による仲介世話の職業化、②金融業者の担保不動産の処分業務から発生したもの、③**人事周旋業**の副業として発生したもの、④**信託業**の一部として発生したものです。

どれも副業として発生したものであり、専業化したのは大正時代になってからです。この頃から不動産会社と名乗る業者も出てきました。同時に悪質な業者も出てきたことから、内務省が1940（昭和15）年に宅地建物等価格統制令を施行し、東京府では1941（昭和16）年に許可制として取り締まりを強化していきます。手数料率を売買価格1,000円以下の物件はその６％以内に、売買価格が５万円以上の場合は２％、貸家貸地の場合は賃借料１ヵ月分の20％以内などと定めて公にすると同時に、媒介契約の期間を定め、**標識掲示と帳簿の備え付け**、業者資格をつくるなど、今の宅建業の免許登録制度の原型が整えられました。

戦後になり、1952（昭和27）年に宅地建物取引業法が制定され、現在の宅地建物取引士につながる宅地建物取引員試験制度が1958（昭和33）年度から始まって、今に至っています。

清掃から始まったビル・マンション管理事業

管理事業は第二次世界大戦後から発展していきます。

ビル管理は、ビル建設が行われ始めた明治から大正時代にかけては所有者が直接管理を行っていましたが、戦後1940年代にGHQが東京丸の内の建築物を接収して、その清掃を日本人に組織的に行わせるようになってから独立した事業になっていきまし

家作管理人
家作とは貸家のことで、管理人とはそれを管理する者のこと。貸家を借りている人の中で、代表的な人がなった。

人事周旋業
売手（貸手）または買手（借手）の依頼を受けて相手をさがし、両者の取引をまとめて報酬を得る業種のこと。不動産のほかに株や証券、旅行などの業種がある。

信託業
財産を信頼できる人に託し、託した人が決めた目的に沿ってその人や相続人のために運用、管理してもらうこと。信託業は業として行っている法人、個人のこと。

標識掲示と帳簿の備え付け
法律で定められた宅地建物取引業者の義務のこと。事務所ごとに報酬額を提示し、取引のたびに必要となる事項を記載した帳簿と従業員名簿を備え付け、５年間保存しなければならないとされる。

流通事業の成り立ち

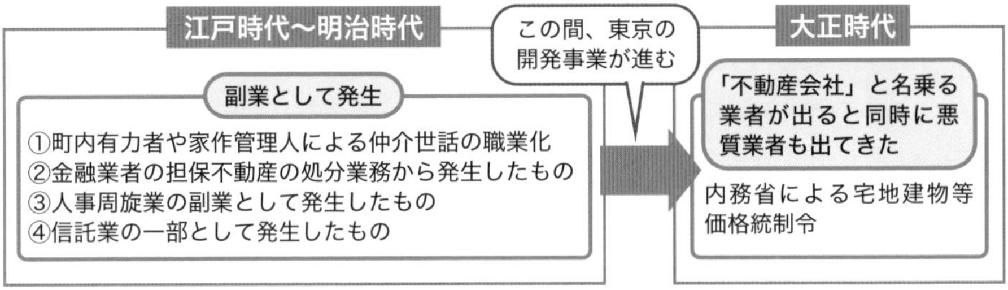
江戸時代～明治時代
副業として発生
①町内有力者や家作管理人による仲介世話の職業化
②金融業者の担保不動産の処分業務から発生したもの
③人事周旋業の副業として発生したもの
④信託業の一部として発生したもの
この間、東京の開発事業が進む
大正時代
「不動産会社」と名乗る業者が出ると同時に悪質業者も出てきた
内務省による宅地建物等価格統制令

管理事業の成り立ち

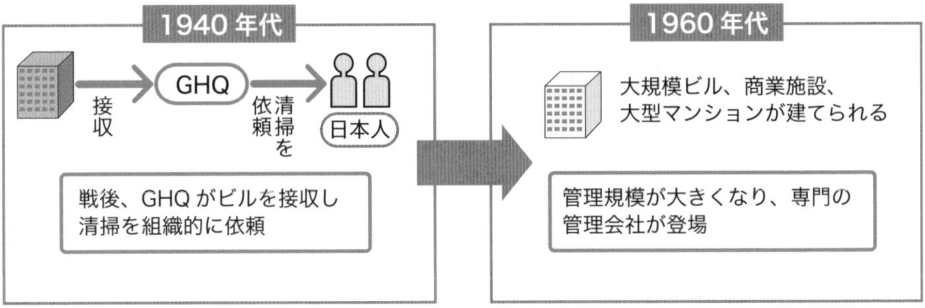
1940年代
GHQ
接収
清掃を依頼
日本人
戦後、GHQがビルを接収し清掃を組織的に依頼
1960年代
大規模ビル、商業施設、大型マンションが建てられる
管理規模が大きくなり、専門の管理会社が登場

た。高度経済成長期に入る1960年代にはさらに発展し、**霞が関ビルディング**を皮切りに高層で大規模なビルや商業施設が建設され、建物や設備の管理と警備、防災面で専門的な技術者が必要になった頃から事業規模が大きくなっていきました。

マンション管理業は、ビル管理と同様に清掃から始まっています。1953（昭和28）年の宮益坂アパートが戦後の分譲マンション第一号ですが、当初はコンクリートが永久に品質を保つものとしてメンテナンスが不要と考えられたことから、維持管理は必要とされず、清掃のみを行っていました。

ただ、1962（昭和37）年に**建物の区分所有等に関する法律**が制定され、所有者の権利や義務が明確化されてマンションの資産価値が明確になると、維持管理への関心が高まっていきます。1960年代に入り、団地ブームが起こって大型マンションが大衆向けに供給され出すと、管理規模と範囲が大きく複雑になり、分譲会社系列の管理会社が登場して管理するようになりました。

霞が関ビルディング
1968年4月にオープンした三井不動産所有の東京都千代田区霞が関3丁目にある地上36階、地下3階、地上高147mの超高層ビルのこと。日本最初の超高層ビルといわれている。

建物の区分所有等に関する法律
1962年に公布。マンションの一部屋のように、明確に物理的に区切ることができる建物の一部のことを区分建物というが、それを独立した所有権の対象とし、権利関係を明示した法律のこと。

Chapter2 05

住宅ローンの成り立ち

政府主導で整えられた住宅ローン制度

明治から大正時代にかけては月賦払い制度しかなく、住宅ローン制度はありませんでしたが、戦後は住宅取得が日本の政策となり1950年の住宅金融公庫法制定により、住宅ローンが広がりました。

住宅ローンの誕生

住宅ローンとは、本人およびその家族、親族が居住するための建物とその建物が建つ土地を購入したり、新築・増改築などをしたりするために金融機関から受ける融資のことを指します。

明治から大正時代は住宅ローンという制度はなく、一戸建てや土地の分譲事業主が買い手に対して行う月賦払い（月ごとの分割払い）というローンに近い制度がありましたが、多くは現金での一括払いや数回の分割払いであり、ある程度まとまった現金が必要でした。戦後になり、住宅建設と取得が進んでくると、1955（昭和30）年に東京労働金庫（現：中央労働金庫）が会員向けに住宅融資制度を創設。1960（昭和35）年に都市銀行、翌年に長期信用銀行や信託銀行が消費者金融の一環として融資を始めるようになりましたが、金利は5.5％前後、返済期限も３～６年であり、使い勝手がよいとはいえず、あまり普及しなかったようです。

政府が主導して住宅取得を促進

民間の金融機関の住宅ローンが広がりを見せなかったので、1950（昭和25）年に政府が住宅取得促進のために住宅金融公庫法を制定し、特殊法人である住宅金融公庫を設立しました。25年超の長期間固定金利で、民間金融機関よりも低金利だったことから普及していき、2000年代になっても総貸出残高の40％余りのシェアを握っていました（現在は約５％）。その後、2007年に独立行政法人の住宅金融支援機構となり、公庫融資は廃止。その代わりに**不動産担保証券**を**機関投資家**に売却し、融資の原資となる資金を調達して、提携した民間金融機関に融資資金の供給を行う「フラット35」と呼ばれる融資を行っています。

不動産担保証券
住宅ローンの元金や利息を担保として投資家に購入してもらうため発行された証券のこと。投資家はお金を投資することで利息を受け取り、証券を通じて得られたお金は住宅ローンの原資となる。

機関投資家
保険会社や金融機関、年金基金、共済組合、農協など、大量の資金を使って株式や債券で運用を行う組織的な大口の投資家のこと。

金利の種類と参考指標について

金利種類	概要	参考指標	参考指標の説明
変動金利	金利が変動する商品。4月、10月に金利は変動するがその増減は5年間は行われない	各金融機関が決める「短期プライムレート」	**「短期プライムレート」** 銀行などの金融機関が財務状況のよい優良企業に1年以内の期間で融資する際の金利のこと。優良かつ短期のため返済のリスクはとても低く金利も安い
固定金利（一定期間）	2～20年などの当初一定期間金利が固定となる商品。期間経過後は、変動金利となる	市場金利の「円金利スワップレート」	**「円金利スワップレート」** 日本円で変動金利と固定金利を交換するときに使われる金利のこと。金融派生商品（デリバティブ）取引での金利
固定金利（全期間）	金利が融資の全期間で固定となる商品	日本政府が発行する「新発10年物国債利回り」	**「新発10年物国債利回り」** 新規に発行された償還期限10年の国債利回りのこと。国債とは国が発行する債券のことで、利息は半年ごと、元金は期間経過後に償還される。利回りとは利息配当の元金に対する割合を指す

住宅ローンは
金利のしくみを
理解することが
重要だよ！

住宅ローンには変動金利と固定金利があります。変動金利は各金融機関が決める「短期プライムレート」と呼ばれる金利を指標に、融資の全期間の固定金利は「新規発行（新発）10年物国債利回り」を指標に、ローンを組んだ当初の一定期間（3年～20年などさまざま）が固定となる金利は「円金利スワップレート」を指標として金利を決めています。

Chapter2
06

不動産業の各事業の流れ①（開発・分譲→流通→管理）

不動産の種類と所有者の意向で変わるプロジェクトの流れ

不動産事業は不動産の所有者と不動産事業者が出会うところから始まります。不動産の種類、所有者の意向を踏まえ、事業者がどう利益を得るか検討し、プロジェクトが始まります。

不動産のプロジェクトの流れ

不動産業の各事業の関わり合いとプロジェクトの流れを見ていきます。

おおまかな流れとしては、①不動産（情報・所有者）があり、②開発・分譲事業を行い、③流通事業を行い、④賃貸管理事業、ビル・マンション管理事業を行うという順で進んでいきます。

どの事業も最初は不動産に出会うところから始まるのは同じです。その次にその不動産を使ってどのような事業が行われるのかは、不動産所有者の意向（不動産を売りたいのか、貸したいのか、活用したいのかなど）や、その不動産を見つけた事業者の利益などが総合的に検討された結果、決まります。また、不動産の種類によっても事業の流れは変わります。

不動産が土地なら、開発や分譲事業、流通事業から始まることが多いです。駐車場としての利用なら賃貸管理になりますが、数はそう多くはありません。不動産が建物付土地で、一戸建て、マンション、アパートが建っているなら流通事業や賃貸管理事業から始まりますが、一棟のビルやマンションならビル・マンション管理や不動産証券化事業から始まることがあります。所有者の意向、事業者の利益によって流れは変わってきます。

所有者の希望と事業の採算性が鍵

事業者は所有者のさまざまな希望を踏まえて、事業の採算性を計算し、利益が確保できる、もしくは利益が出なくてもメリットがあると判断したら所有者に提案して承諾をもらい、売買、賃貸借の契約や活用の業務契約を締結して事業に着手します。

業務契約
業務（仕事）を請ける契約のこと。契約者や契約条件、期間などを書面にして署名押印をして締結する。

不動産業の各事業の関わりと流れ

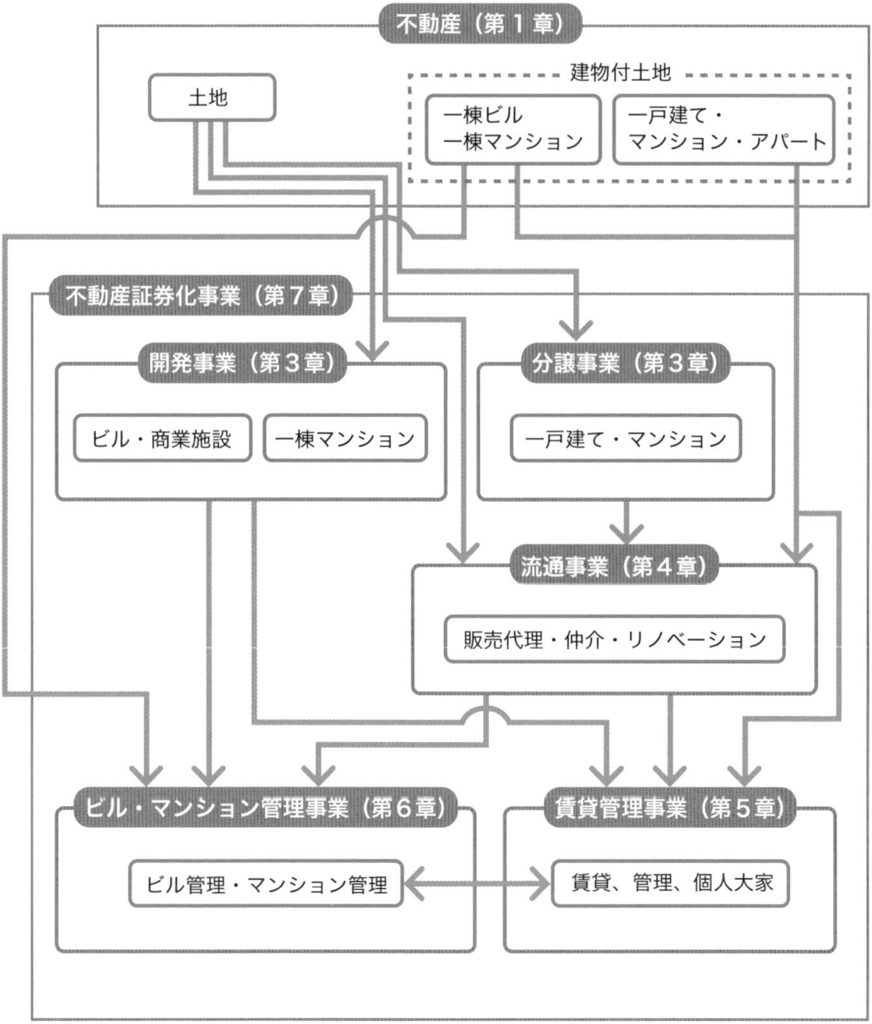

※マンションは区分所有者住戸のこと

不動産業の各事業の流れ②（開発・分譲→流通→管理）

３つの具体的なケースで見る各プロジェクトの流れ

プロジェクトは利益などの採算性の検討から始まります。単にひとつの事業が完結して次の事業へ業務が移るのではなく、関わりのある事業者の協力を得て、複数の事業者で一緒に進めていく形が多くなります。

不動産の種別によってプロジェクトの流れが変化

不動産の種別により、プロジェクトの流れは変わります。①土地に事務所ビルを建設する場合、②土地に一戸建てを建てて分譲する場合、③一棟マンションをリノベーションして賃貸する場合の３つのケースで見ていきます。

①土地に事務所ビルを建設する場合は、おおまかに不動産（土地）→開発事業を行う→ビル管理・賃貸管理事業を行うという流れになります。

開発事業で企画を立てる段階で、ビル管理事業者と連携して管理内容や費用をまとめていきます。その上で採算が合うようなら土地所有者と売買契約を交わし、土地を取得します。その後、ビルの建設を行いますが、同時に賃貸管理事業者がテナントの募集を行い、ビル完成後にテナントが入居を開始してビル管理が始まります。企画段階である程度テナントに当たりをつけているケースもあります。そのほうが得られる賃料収入が明確になり、採算性の検討がしやすいからです。

②土地に一戸建てを建てて分譲する場合では、おおまかに不動産→分譲事業を行う→流通事業を行うという流れになります。

不動産の面積や**建てられる規模**を考慮して一戸建てかマンションの分譲で企画し、販売して採算が取れるようなら、土地所有者と売買契約をして土地を取得します。そして企画どおりに一戸建てを建設し始めると同時に、流通事業者が建物の完成より前に販売を開始します。理想は利益や土地取得費などの経費を早めに回収することなので、完成よりも前に契約を終えて、完成と同時に引き渡しをして入居してもらうことが重要です。

建てられる規模
土地にどのような大きさの建物が建てられるかは、面積のほかに用途地域や容積率、建ぺい率といった法律上の制限で決められている。用途地域は住居やビルなど建物の種別が、容積率はすべての階数における建物の床面積が、建ぺい率は階数ごとの面積の上限が決められている。

各プロジェクトの流れ

①土地に事務所ビルを建設する場合

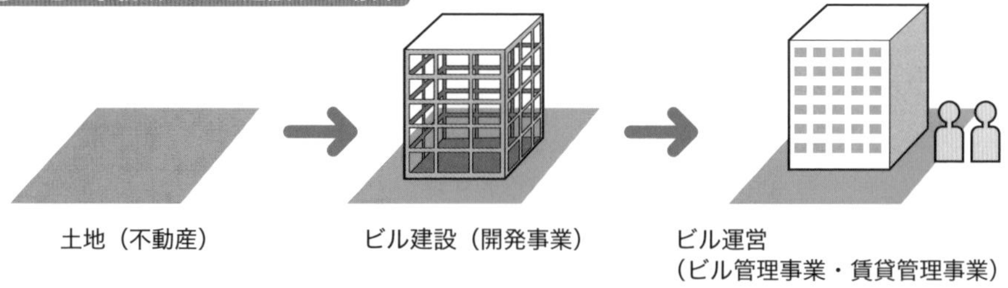

②土地に一戸建てを建てて分譲する場合

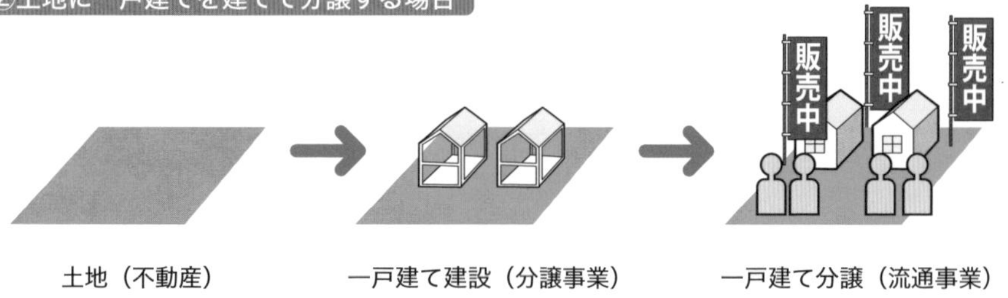

③一棟マンションをリノベーションして賃貸する場合

リノベーション後の賃料を先に決める

③一棟マンションをリノベーションして賃貸する場合は、おおまかに不動産→賃貸管理事業者が賃料を決める→リノベーション工事（建設会社が行う）を発注→マンション管理事業を行うという流れになります。賃貸管理事業者がリノベーション後に得られる**賃料査定**ができないと、リノベーション工事にいくら費用を充てられるかがわからないので、このような流れになることが多いです。リノベーション後は賃貸募集を行い、その後賃貸管理事業者が管理をするか、大規模マンションならマンション管理事業者で管理をしていきます。

賃料査定
不動産をいくらで貸せるかを賃貸管理事業者が査定すること。近隣の相場や同じような不動産の成約事例、市況から査定されることが多い。

不動産業の各事業の流れ③（開発・分譲→流通→管理）

Chapter2
08

各事業のプロジェクトが終わるまでのタイムスケジュール

開発・分譲事業は建物の建設があるため、プロジェクトが終わるまでの期間は長くなります。流通事業や賃貸事業は成約までの数ヵ月ほどで、管理やビル・マンション管理事業は依頼されている限り終わりがありません。

プロジェクトによって変わるタイムスケジュール

不動産業の各事業のプロジェクトが終わるまでのタイムスケジュールを見ていきます。

プロジェクトにかかる時間は不動産の面積や規模が大きく、関係者が多く、建設する建物が多いほど長くかかります。また、建物の構造が木造よりも**RC造**、**SRC造**のほうが建設が大変なため、時間がかかります。一方でかけられる費用が多ければ人手も増やすことができるため、作業がスムーズに進むので時間は短縮できます。そのため、どの事業にどれぐらい時間がかかるかは一概にはいえません。

RC造
鉄筋コンクリートの構造ということ。鉄筋でつくった枠（おおまかな建物の形）にコンクリートを流し込んで建物を造っていく。鉄筋は引っ張る力に強く、コンクリートは押される力に強いので相互の弱点を補完し合うのが特徴。コンクリートが重いため高層の建物での採用は難しく、中低層の建物によく用いられる。

SRC造
鉄骨鉄筋コンクリートの構造ということ。RC造で鉄骨を柱として造られた構造。基本的にはRC造と似ているが、鉄骨が粘り強いしなやかさを加えて耐久性を増し、コンクリートの重さを軽減してくれるため、高層の建物によく用いられる。

ここでは一般的にいわれているタイムスケジュールを紹介します。①ビル（商業施設）の開発賃貸、②一戸建ての分譲販売、③マンションの分譲販売、この３つの具体例を上げます。

①ビル（商業施設）の開発賃貸では建物の延べ床面積が200坪程度の小規模なものであれば、１年半ほどになります。土地情報を得てから開発企画を立て、所有者と土地の売買契約を結ぶまでに６ヵ月～１年ほど、ビルの建設に１年ほどかかるスケジュールです。近隣折衝が必要であったり、ビルの形状と構造が複雑で建設に時間がかかったりすればさらに期間は長くなります。たとえば、六本木ヒルズの場合は開発を始めてから着工するまでに約16年の歳月がかかったといいます。建設は３年ほどで完成しているので、近隣折衝にかなりの時間がかかったことがわかります。

一戸建て・マンション分譲販売のスケジュール

②一戸建ての分譲販売では、木造で建物の延べ床面積が30坪程度ならプロジェクト終了までは約９ヵ月ほどです。土地情報を

不動産業の各事業のタイムスケジュール

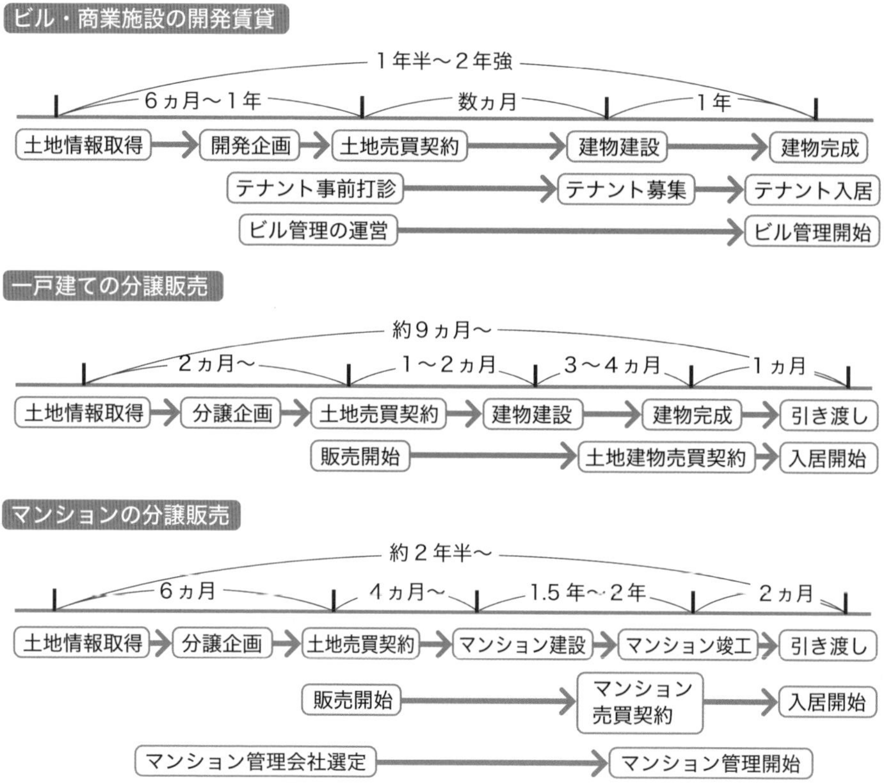

取得してから分譲企画を立て、所有者と土地売買契約を締結するまでは2ヵ月、その後建設着工まで2ヵ月弱、建物完成まで4ヵ月、購入者への引き渡しに1ヵ月かかります。これはスムーズに売却が決まった場合なので、購入者が見つからなければその分時間がかかります。

③マンションの分譲販売はSRC造で100戸ほどの規模であれば約2年半かかります。土地情報を取得してから分譲企画を立て、所有者と土地売買契約を締結するまでは6ヵ月、建設着工まで4ヵ月強、建物完成まで1年半、購入者への引き渡しに1～2ヵ月かかります。一戸建てと比べて建物の規模が大きく、構造もSRC造となると建設時間が取られ、全体のプロジェクト期間が長くなります。

Chapter2
09

不動産会社の勢力図①（開発・分譲）

開発やマンション分譲は大手企業、戸建て分譲はパワービルダーが牽引

ビル・商業施設の開発、マンション分譲事業では、ブランド力と多額の建設費が必要となるため参入障壁が高く、大手企業の勢力が強くなります。一戸建て分譲事業は比較的参入障壁が低く、パワービルダーが活躍しています。

開発、分譲事業ともに大手企業が優勢

開発、マンション分譲、一戸建て分譲の３つの事業に携わる不動産会社の勢力を、売上高、利益、分譲戸数が高い順に見ていきます。

開発事業では、三井不動産、三菱地所、住友不動産、東急不動産ホールディングス、野村不動産ホールディングスの大手５社がリードしています。オリンピックに向けての都市再開発、オフィスビルやホテルの供給、IT化による物流施設の整備など、活躍の場が多く、この状況はこの先も続くと考えられます。三井不動産は日本橋、三菱地所は丸の内、東急不動産は渋谷と、開発拠点をもっていることが強みになり、ブランド力があるため好立地の不動産情報が手に入り、世間で話題になるような開発を手掛ける機会も多いといえます。この５社に続くのが、八重洲に拠点をもつ、財閥系の東京建物、六本木や虎ノ門を拠点に六本木ヒルズなどの大型複合施設をもつ森ビル、都心の駅から近い立地にオフィスビルを保有するヒューリックです。

財閥系不動産会社
創設母体が財閥による不動産会社のこと。戦後GHQに解体された15財閥の中で、三井不動産、三菱地所、住友不動産、東京建物、野村不動産などがこれに当たる。

マンション分譲事業では、三井不動産レジデンシャル、三菱地所レジデンス、住友不動産、東急不動産ホールディングス、野村不動産ホールディングスが上位に入っていて、開発事業でリードする大手企業とほぼ同じ系列会社が牽引していることがわかります。それもそのはずでマンション分譲事業ではマンションに適していて採算が合う土地情報が出る頻度がそう高くありませんが、大手５社には開発事業で得た土地情報の中にマンションに適した土地情報があることも多いため、分譲機会が多く、恵まれているからです。他にも大成有楽不動産、東京建物、NTT都市開発といった準大手、マンション専業となる穴吹興産、コスモスイニシア、

開発事業をリードする大手企業の強み

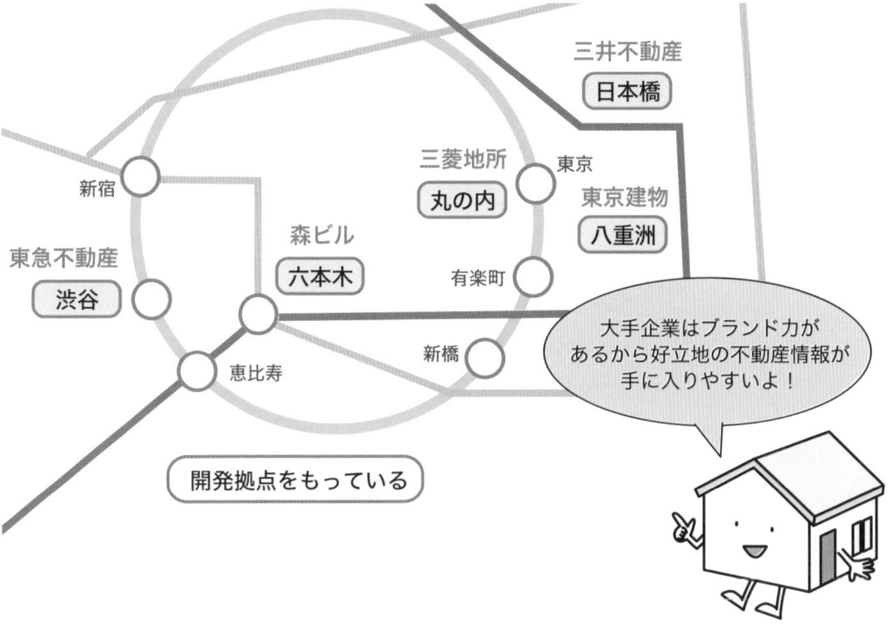

プレサンスコーポレーション、ハウスメーカー系の大和ハウス工業、積水ハウスなどが上位を占め、次に電鉄系不動産会社が続きます。

一戸建て分譲にかける中小不動産会社

一戸建て分譲事業では、積水ハウス、大和ハウス工業の大手2社が上位にいますが、住友林業や三井ホームなど他の大手も含めて注文住宅が多く、一戸建て分譲以外の事業での活躍も多いため、一戸建て分譲に限ると、**パワービルダー**の活躍が目につきます。パワービルダーの筆頭企業は飯田産業などの6社を抱える飯田グループホールディングスで、売上高は1兆円を超えています。また、首都圏で躍進するオープンハウス、埼玉県を拠点とするポラスグループなど、一戸建て分譲はエリア色も強く、参入企業を見ると百花繚乱な顔ぶれです。一戸建て分譲は30坪程度の土地情報があれば事業を始められ、資金力が弱くても融資を受けることができるため、中小不動産会社でも活躍でき、また生き残れる事業だといえます。

パワービルダー
床面積30坪程度の土地付き一戸建て住宅を2,000～3000万円程度の価格で分譲している建売業者を指す。一般的には初めて持ち家を購入する人をターゲットにしている。

Chapter2
10

流通事業は大手が優位 賃貸、管理事業は課題克服が鍵

流通事業は大手４社が優位ですが、事業の裾野は広く、さまざまな仲介会社が活躍しています。賃貸事業はIT技術の導入、管理事業は施工不良や空き家などの課題に向き合う姿勢が今後の勢力争いの鍵となりそうです。

流通事業は系列会社からの情報で優位に

流通、賃貸、管理事業の３つの事業に携わる各不動産会社の勢力を、売上高、仲介件数、管理戸数が高い順に見ていきます。

流通事業は主に売買仲介の売上高や仲介件数で見ると、三井不動産リアルティグループ（三井のリハウス）、住友不動産販売（ステップ）、東急リバブル（東急リバブル）、野村不動産グループ（ノムコム）の大手４社が上位を占めています。ブランド力はもちろんのこと、親会社からの優良で豊富な情報があることと、開発分譲した不動産を扱えることに優位性があるといえます。その意味では、大手４社に続く三井住友トラスト不動産、三菱UFJ不動産販売、みずほ不動産販売も銀行からの情報があるので、中小不動産会社と比べて優位といえるでしょう。

また、大手不動産会社は2021年まで仲介実績が好調で、その背景には、都市部での店舗増加による取引寡占化が進んだことや、オフィスビルや大規模な土地といった高価格帯の取引が多かったことが挙げられます。

賃貸事業はIT技術の導入が肝

賃貸事業では、大東建託グループ、ミニミニ、東建コーポレーション、ハウスメイトグループが仲介件数などで上位に入っています。大東建託グループ、東建コーポレーションはともにアパート建設会社の子会社で、建設後のアパートの賃貸を担っている側面もあります。ただ、今後は**スマートロック**や**VR内覧**、物件情報の一元化などのIT技術の導入が重要といえ、物件案内や契約までの効率化や、不動産情報の見える化の取り組みによっては勢力に大きな変化が生じそうな事業です。

スマートロック
玄関扉の錠を一定の方法で通信可能な状態にし、スマートフォンなどの機器を用いて開閉・管理を行う機器やシステムのこと。不動産を案内するときには鍵の手配に労力が必要だったが、スマートロックがあることでその労力が軽減されるようになる。

VR内覧
事前に3DのVR動画が撮影できる360°カメラで室内を撮影してその動画をWebサイトにアップすることで、顧客がスマートフォンやVRゴーグルであたかも室内にいるように見えるシステムのこと。

賃貸事業で導入されているIT技術

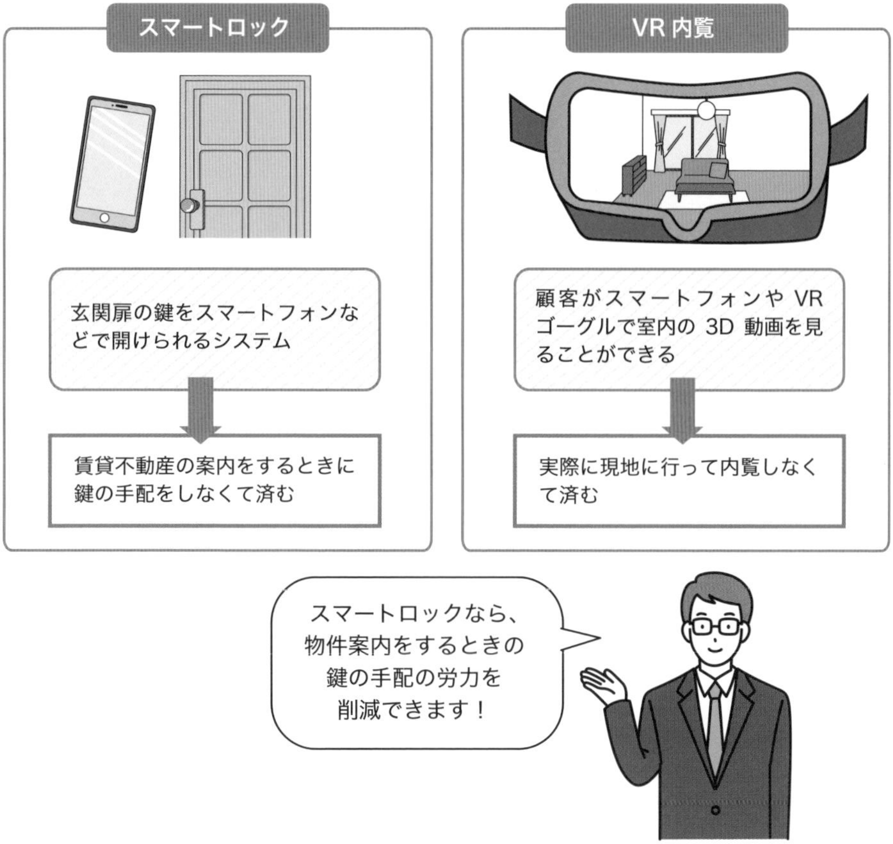
スマートロック
玄関扉の鍵をスマートフォンなどで開けられるシステム
賃貸不動産の案内をするときに鍵の手配をしなくて済む
VR内覧
顧客がスマートフォンやVRゴーグルで室内の3D動画を見ることができる
実際に現地に行って内覧しなくて済む
スマートロックなら、物件案内をするときの鍵の手配の労力を削減できます！

管理事業は不正なイメージの払拭が鍵

管理事業はアパート系の大東建託グループやレオパレス21、ハウスメーカー系の大和リビング、積水ハウスグループが上位に入っています。近年、低金利や個人投資家の投資ブームによるアパート建設による管理需要で業績を伸ばしてきましたが、レオパレス21に端を発した施工不良問題、「**かぼちゃの馬車**」事件で問題となった**サブリース**や融資審査資料改ざん発覚による融資の引き締めから、ここ数年は厳しい時代を迎えており、勢力図も変わる可能性があります。また、中長期的には人口減少による空き家のさらなる増加も考えられるので、これらの課題に向き合う姿勢が売上高を伸ばす鍵となりそうです。

かぼちゃの馬車事件
7-05参照。

サブリース
7-05参照。

不動産業界の勢力図

開発事業

三井不動産
【売上高】2兆1,009億円
【営業利益】2,450億円

三菱地所
【売上高】1兆3,495億円
【営業利益】2,790億円

住友不動産
【売上高】9,394億円
（企業全体）
【営業利益】2,339億円

東急不動産ホールディングス
【売上高】9,890億円
【営業利益】838億円

野村不動産ホールディングス
【売上高】6,451億円
【営業利益】912億円

森ビル　森トラストグループ　ヒューリック　東京建物　NTT都市開発

マンション分譲事業

三井不動産レジデンシャル
【売上高】3,553億円
【分譲戸数】3,982戸

三菱地所レジデンス
【売上高】2,554億円
【分譲戸数】2,214戸

住友不動産
【売上高】2,339億円
（不動産販売部門）
【分譲戸数】2,211戸

東急不動産ホールディングス
【売上高】1,363億円（住宅事業部門）
【分譲戸数】1,680戸

野村不動産ホールディングス
【売上高】3,092億円（住宅部門）
【分譲戸数】4,014戸

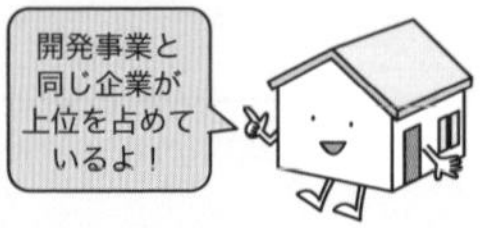
開発事業と
同じ企業が
上位を占めて
いるよ！

穴吹興産　コスモスイニシア　プレサンスコーポレーション　大和ハウス工業　積水ハウス

一戸建て分譲事業

大手系

大和ハウス工業
【売上高】6,259億円
（戸建住宅部門）
【販売戸数】
6,760戸

積水ハウス
【売上高】3,527億円
（戸建住宅事業部門）
【販売戸数】
1万610戸

住友林業　三井ホーム　トヨタホーム

パワービルダー系

飯田グループホールディングス
【売上高】1兆1,905億円
（戸建分譲事業部門、宅地等を含む）
【販売戸数】
4万1,534戸
（宅地等を含む）

オープンハウス
【売上高】4,469億円
（戸建関連事業）
【販売戸数】
1万5,087戸
（宅地等を含む）

ポラスグループ　タマホーム　ヒノキヤグループ

流通事業（売買）

三井不動産リアルティグループ
【売上高】（手数料収入）
768 億円
【仲介件数】
3 万 8,507 件

住友不動産販売
【売上高】（手数料収入）
624 億円
【仲介件数】
3 万 5,122 件

東急リバブル
【売上高】（手数料収入）
579 億円
【仲介件数】
2 万 5,635 件

野村不動産グループ
【売上高】（手数料収入）
347 億円
【仲介件数】9,322 件

三井住友トラスト不動産

三菱 UFJ 不動産販売

みずほ不動産販売

三菱地所リアルエステートサービス

大京グループ

大成有楽不動産販売グループ

賃貸事業（賃貸）

大東建託グループ
【売上高】1 兆 5,830 億円
【仲介件数】
22 万 7,706 件

ミニミニ
【売上高】300 億円
【仲介件数】
14 万 5,496 件

東建コーポレーション
【売上高】3,098 億円
【仲介件数】
7 万 5,437 件

ハウスメイトグループ
【取扱高】2,745 億円
【仲介件数】
6 万 7,324 件

タウンハウジング
【売上高】 94 億円
【仲介件数】5 万 5,529 件

タイセイ・ハウジーホールディングス
【売上高】 約 120 億円
【仲介件数】
4 万 9,550 件

スターツグループ
【売上高】 1,965 億円
【仲介件数】
3 万 9,992 件

常口アトム
【売上高】 92 億円
(2018 年度)
【仲介件数】
3 万 3,165 件

管理事業（賃貸物件の管理）

アパート系

大東建託グループ
【売上高】
1 兆 5,830 億円
【管理戸数】
117 万 4,264 戸

レオパレス 21
【売上高】
3,984 億円
【管理戸数】
57 万 3,673 戸

東建コーポレーション
【売上高】
3,098 億円
【管理戸数】
25 万 5,416 戸

シノケングループ

生和コーポレーション

ハウスメーカー・その他

スターツグループ
【売上高】1,965 億円
【管理戸数】
61 万 2,953 戸

積水ハウスグループ
【売上高】2 兆 5,896 億円
【管理戸数】
65 万 7,190 戸

旭化成不動産レジデンス

大和リビング

※「2022 不動産統計集（3 月期改訂）――2. 不動産開発、3. 不動産流通、5. 不動産管理」「全国賃貸住宅新聞（2021 賃貸仲介件数ランキング）」および企業が公表している最新データを基に作成
※マンション分譲事業の分譲戸数、流通事業（売買）の仲介件数、管理事業（賃貸物件の管理）の管理戸数は 2021 年のデータ。それ以外は企業が公表している最新のデータ

COLUMN 2

不動産の神様は誰なのか

古事記にも登場する家宅六神《かたくろくしん》 家の構造を守る神

日本には古くから「八百万《やおよろず》の神」という考え方があって、山の神・海の神・厠《かわや》の神などさまざまな場所に神様が宿ると考えられてきました。この思想は人間の営みにも当てはめられ、商売繁盛の神として恵比寿様をまつった神社も各地に存在します。

不動産にも神様はいるのでしょうか？　古事記に登場する「家宅六神」はすべて国生みの神とされるイザナギとイザナミの間に生まれた子であり、諸説あるものの建物の材料や構造を象徴すると考えられています。産まれた順に土を司る石土毘古《いわつちびこの》神《かみ》、砂を司る石巣比売神《いわすひめのかみ》、出入り口を司る大戸日別神《おおとひわけのかみ》、屋根を司る天之《あめの》吹男神《ふきおのかみ》、木造家屋を司る大屋毘古《おおやびこの》神《かみ》、家屋の耐久性を司るとされる風《かざ》木津別之忍男神《もつわけのおしおのかみ》の六神です。

土地ごとに地主神がいる 神様への敬意を忘れずに

ただ、これらの神々は建物を象徴していますが、不動産となると主に土地のこと。

土地の神は地主神と呼ばれてそれぞれの土地を守るとされています。その代表例が島根県にある出雲大社にまつられ国造りを成し遂げたとされる大国主神《おおくにぬしのかみ》。

また、日本各地にある猿田彦神社は国土保全と豊穣を司るとされ道祖神とも結びつけられる猿田彦命《さるたひこのみこと》をまつっています。

どうやら、土地の神様にはもともと、日本にいたとされる大国主神を始めとする国津神系の神様が多いようです。

とするのなら、不動産の神様はそれぞれの土地の国津神といえるのかもしれません。

建築工事を始める際には地鎮祭といって土地の神に使用の許しを請い、工事の安全を祈る儀式を執り行うのが通例です。

同じように不動産の仕事に携わるなら、その土地を守る神社にお参りするのがよいでしょう。

第3章

開発・分譲に関連する事業と業務

開発・分譲事業は、大きく「開発賃貸事業」「再開発・不動産活用事業」「戸建て土地分譲事業」「マンション分譲事業」に分けられます。本章では、それぞれの具体的な業務内容について詳しく解説しています。

不動産開発・分譲事業の全体像

Chapter3 01

大手がリードする開発事業、中小が活躍する分譲事業

開発・分譲事業では、不動産に資本と企画を投下し、付加価値を高めます。そのため、この事業では「街づくりの視点」を持った企画力、マーケティング力、交渉力が高いレベルで求められます。

資本力が必要な開発事業、参入しやすい分譲事業

不動産開発・分譲事業は、①開発して賃貸などの運営をする事業、②開発して分譲販売をする事業の２つに分けられます。ともに開発事業ではありますが、本書では便宜上、前者を開発事業、後者を分譲事業と分けて述べていきます。

どちらも利益を得る構造は一緒で、資本と企画を不動産に投下し、付加価値を高めてから賃貸運営や販売をすることで、投下資本を回収し利益を得ていきます。しかし、事業期間や必要となる資本力は異なります。開発事業は、事業規模によっては十数年から数十年かかることがあり、その期間に投資をし続けるだけでなく、会社を維持していく資本力が必要になります。そのため、開発事業は資本力がある財閥系や電鉄系などの大手不動産会社が多く行っています。規模の小さい開発事業も同様で、投下資本の回収期間が長くなるので、一定の資本力が必要です。

一方、分譲事業は、数百戸程度までの規模であれば２～３年で投下資本の回収ができるので、金融機関から融資が受けられれば、資本力がない会社でも行えます。そのため中小不動産会社が参入しやすいのですが、時代の景況感に左右されやすく、投資をしても売れずに資本を回収できない場合は、会社の経営が厳しくなります。実際に**リーマンショック時**にはモリモトやニチモなど多くのマンション専業会社が民事再生や倒産、事業撤退となりました。

リーマンショックの影響
2008年アメリカのサブプライムローンの破綻から日本でも消費者のマンションの買い控えが起き、資本力がないマンション分譲事業者が倒産、民事再生となった。新規供給数も前年の６万戸台から４万戸台に激減した。

開発・分譲事業に欠かせない「街づくりの視点」

開発・分譲事業に求められるスキルは「街づくりの視点」を持った①企画力、②マーケティング力、③交渉力となります。具体的には、多くの人が話題にしたくなるような企画を考える力や、

開発事業・分譲事業の全体像

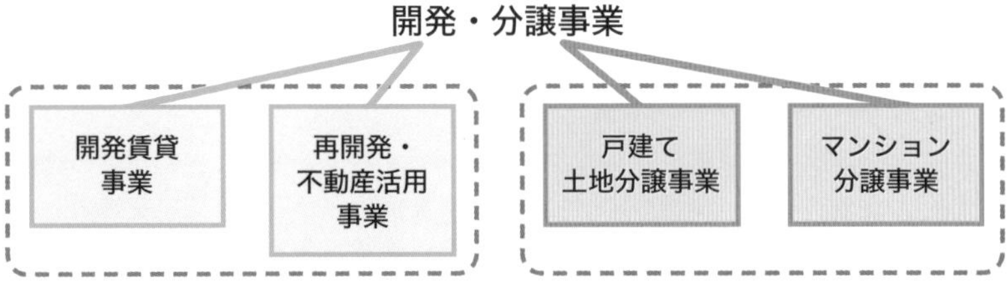

不動産開発・分譲の構図

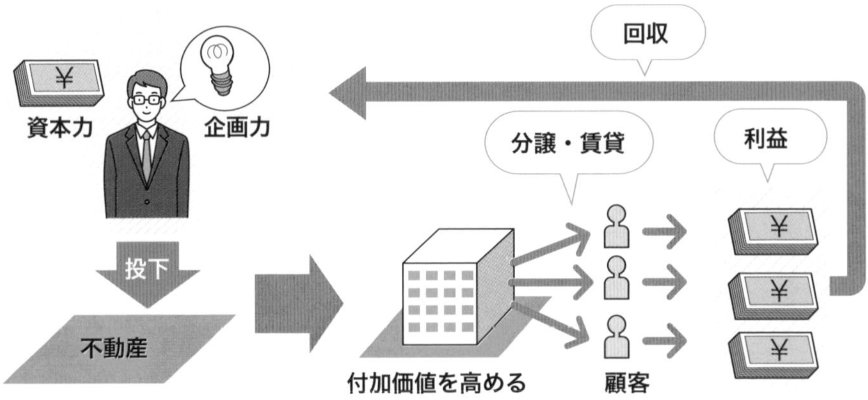

購入・賃貸の顧客、施設を利用する顧客が何を欲しがっているかを把握したマーケティング力、土地の関係者への交渉力です。

たとえば、森ビルが開発した六本木ヒルズには、東京の過密化の解決策として、都心に超高層ビルを増やし、空いた土地を公園とする企画力や、東京の象徴ともなったビルの姿、テレビ朝日を巻き込んだ話題力でテナント誘致を成功させていったマーケティング力がありました。また、世界でも稀な地権者約400人という大人数の同意を数年で取り付けた交渉力や、一部反対派からの「森ビルのエゴに巻き込まれるのはごめんだ」という声に対し、当時の森稔社長が「90％以上の人たちが賛成しているのに、反対しているあなたたちのほうがエゴではないか」と反論し合意をとりつけた熱意は、開発事業者にとって必要なものといえます。

不動産に関わるどの事業でも、業務を行う上で大なり小なりの企画力、マーケティング力、交渉力は不可欠なのですが、開発事業と分譲事業においては、街づくりに関与する点で、より大きな視点と高いレベルで求められるスキルであるといえます。

Chapter3
02

不動産の開発事業とは

開発賃貸と再開発・不動産活用の2つの事業

開発事業は事業規模が大きいため関係する人も多く、各組織間の調整が必要です。また、企画やマーケティングを成功させる粘り強い交渉力とさまざまな事業方式の知識が必要です。開発に熱意がある人が集まっています。

規模が大きい開発賃貸事業

不動産開発事業の業務には大きく分けて、①開発賃貸（オフィスビル・商業施設・住宅など）、②再開発・不動産活用の２つがあります。不動産の事業の中では業務規模が大きく、組織として動くことが求められます。

①開発賃貸は、事業用の土地を購入もしくは賃借し、オフィスビル・商業施設・住宅などを建設して賃貸運営していく業務です。主に都市部の事業用地の情報を収集し、テナントの入居や集客に必要な企画立案・マーケティングを行った上で、事業用地の価格交渉や権利関係の調整をして購入し、その土地に建物を建設して、運営していく業務です。

オフィスビル・商業施設・住宅は、土地の価格交渉や建物の建設などにはそれぞれ異なるノウハウが必要なので、物件ごとの部署でそれぞれ対応することになります。また昨今では、複合施設や物流施設など、さまざまな用途の建物の開発業務があります。

不動産の収益性を高める再開発・不動産活用事業

②の再開発は、主に大手不動産会社が、古くなり集客が難しくなった都市にテーマを設けて再開発していくことで、集客を復活させていく業務です。既存の資源を活かしつつ、今のトレンドをどう取り込んでいくかという企画力が重要で、必ずしも新たな建物の建設は必要なく、古いビルを改装（**コンバージョン**）して、新たなテナントを誘致し、都市を新しくしていく方法もあります。

不動産活用は、顧客が「高い賃料でも借りたい」と思う賃貸不動産にする企画力や、話題をつくり集客するマーケティング力といったノウハウを活かして、今ある不動産の収益性を高めていく

コンバージョン
現状の不動産の用途を変更すること。たとえば廃校となった小学校を商業施設のオフィスや交流施設のコミュニティー施設にするなど。資源の利活用の視点からも注目されている。

再開発組合
正式名称は市街地再開発組合。再開発を行う区域内のすべての地権者（所有者や借地権、底地権者など）で組織される法人。都市再開発法でルールなどが定められている。

市街地開発事業方式
開発事業者が再開発組合に資金と開発のノウハウを提供することで、再開発後の不動産の権利を提供した資金などに応じて取得する事業方式。

等価交換事業方式
開発事業者が土地所有者と共同で建物を建設する事業方式。開発事業者が建設資金を、土地所有者は土地を出資し、土地と建物を各々が等価になるように交換し、双方が所有する。

開発賃貸事業と再開発・不動産活用事業のイメージ

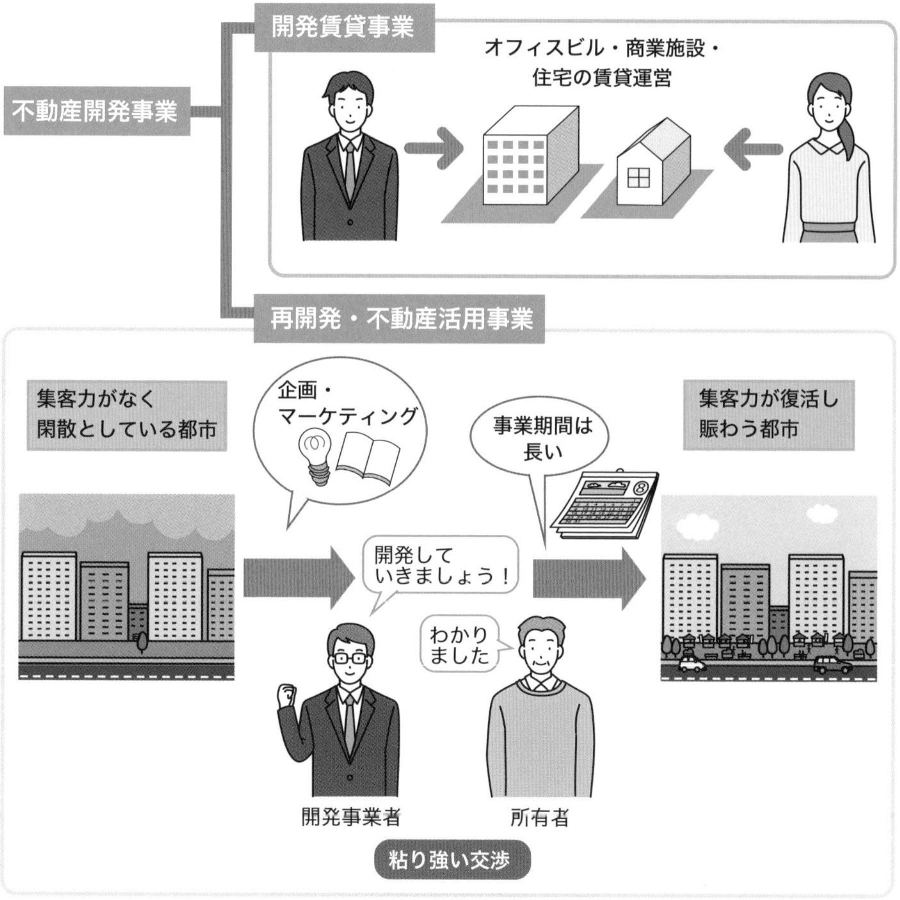

業務です。収益力を高めるには、賃料を高くするほか、節税で支出を削減することが重要なため、一定の税金の知識が必要です。再開発業務とは異なり、資本力が低くても、企画力・マーケティング力があれば業務を行えるので、中小の不動産会社も参入しやすいといえます。

再開発・不動産活用業務には、再開発組合をつくって行う市街地開発事業方式や、土地と建物の権利を交換して進めていく等価交換事業方式、土地を手放さずに開発を行える定期借地事業方式など、さまざまな方法があります。ベストな方法を不動産所有者に提案するため、各事業方式について学んでおく必要もあります。

定期借地事業方式
開発事業者が土地所有者に権利金を支払うことで定期借地権（10年以上50年未満土地を借りる権利）を締結し、土地の上に建物を造ることで収益を得る事業方式のこと。

Chapter3
03

開発の具体的な業務①（オフィス・商業施設・住宅など）

開発賃貸事業の５つの業務

事業用地の情報を集め、調査をしていくところから開発業務は始まります。企画およびマーケティング立案をして、重要な不動産の条件交渉と取得を経て、建物を建設し、管理運営までを行います。

街づくりの視点、現地での調査が重要

開発賃貸事業ではオフィス・商業施設・住宅を扱います。その具体的な業務は、①不動産情報の収集と調査、②企画およびマーケティング立案、③条件交渉と取得、④建物の設計監理と建設、⑤建物の管理運営の５つとなります。

①不動産情報の収集と調査は、主に事業用地の情報を集めてくることです。不動産流通会社や金融機関などから情報を収集して、その土地が事業に適した土地であるかどうかを判断します。一件一件会社訪問をして集めていくこともありますが、**事前に業務提携**し、情報をもらうしくみを築いている会社もあります。その土地が事業化できる可能性がある場合は、現地に行って、周辺環境や、周囲とのトラブルを抱えていないかなどの近隣関係を確認し、法令上の制限を踏まえて想定している建物の建設ができるかといった調査を行っていきます。些細なことでも計画に影響するので、この段階で綿密に調べていきます。

事業用地情報の業務提携
不動産会社などの土地情報がある事業会社から事業用地情報の提供を受ける業務提携契約のこと。提供を受け、事業用地が購入できた場合には紹介料を支払うシステムとなっている。

②企画およびマーケティング立案は、事業化に適した土地に対して、街づくりの視点から、どのような企画やマーケティングを行えば都市が活性化してテナントの誘致や利用者の集客ができるかを検討する業務です。机上の業務と思われがちですが、街に出て企画に関係することを観察したり、人の流れなどを調べたりすることもあります。

粘り強い取得交渉がプロジェクト成功の鍵

③条件交渉と取得は、最も労力が必要で大変な業務です。たとえば取得したい土地の所有者が複数人いると、全員の同意を取らなければならないため、各々に取得する価格や条件を交渉します。

条件交渉と取得の具体的な流れ

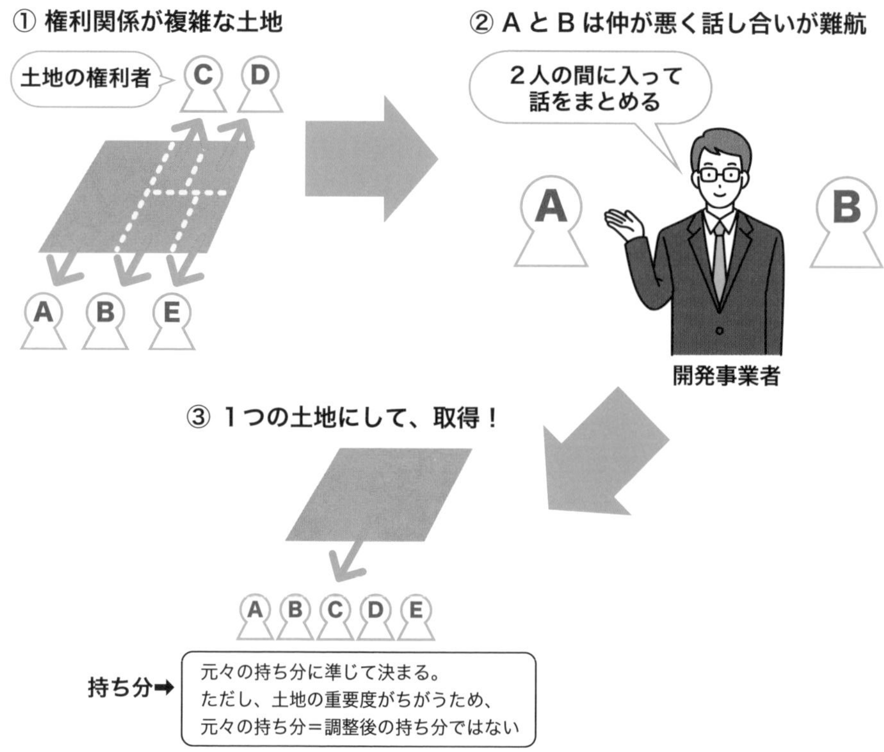
① 権利関係が複雑な土地
土地の権利者
C
D
A
B
E
② AとBは仲が悪く話し合いが難航
2人の間に入って
話をまとめる
A
B
開発事業者
③ 1つの土地にして、取得！
A
B
C
D
E
持ち分➡
元々の持ち分に準じて決まる。
ただし、土地の重要度がちがうため、
元々の持ち分＝調整後の持ち分ではない

地権者の仲が悪かったり、土地上に借地があるなど不動産の権利関係が複雑だったりすると、話が紛糾してまとまらないこともあります。絡まった紐をほどくように、一つひとつ丁寧な交渉が必要になります。また、大規模な事業用地だと数百人の関係者がいることもあり、全員の話を聞くだけでもひと苦労です。話し合いも夜や休日になることがあり、休日出勤も多い業務です。

④建物の設計監理と建設は、取得した事業用地に建設する建物の外観や内装のデザインを企画案に沿った内容にするため、建設会社や建築士、デザイナーと打ち合わせして決めていく業務です。直接工事を行うことはほとんどありませんが、プロジェクトの進捗や品質管理のマネジメントを行います。

⑤建物の管理運営では、建物や設備の維持管理はビル・マンション管理会社に任せることが多いですが、収支などの運営自体は自社で把握します。

Chapter3
04

開発の具体的な業務②（再開発・不動産活用）

再開発・不動産活用事業の６つの業務

重要なのは不動産所有者が抱える問題を解決し、利用顧客にも事業の魅力がわかるコンセプトづくりです。所有者の相談に対応し、問題解決のための企画立案、調査、事業方式の選定を行っていきます。

重要なコンセプトづくりは議論を重ね時間をかける

再開発・不動産活用事業の具体的な業務の流れは、①不動産の所有者からの相談対応、②企画立案および調査、③事業方式の選定、④計画案の提案と業務契約、⑤計画案の実施、⑥サポートとなります。自らが事業主として行う場合は①と④はありません。

①不動産の所有者からの相談対応では、所有者が抱える問題や要望などをヒアリングしていきます。所有者は、集客の減少や空室の増加など、何かしらの問題を抱えているので、悩みをすべて聞き取ります。

②企画立案および調査では、所有者の要望や問題を解決できるような企画を立案します。事業をひと言で表すことができるコンセプトを決め、集客やテナント誘致ができる企画をつくります。コンセプトづくりは、所有者や利用顧客、関係各所に事業の魅力を伝える最も重要な業務のため、何度も議論し時間をかけて決めていきます。また、その企画の実施に無理がないか、不動産の現地で調査します。再開発の場合は事業を行うエリアの範囲も広いため、地域の歴史や資源なども調べます。

最善な計画を実施し、その後のサポートも

③事業方式の選定とは、企画に応じて、実施に問題がなくコストパフォーマンスのよい事業の方式を決めることです。たとえば、所有する空地があり収益性を高めたいけれど、所有者に建物を建設する資金がないのであれば、土地を借りた上で建物を開発事業者の資金で建設し、地代として所有者に支払うことで収益性を高めるといった定期借地事業（→P.63）が最善ではないかと提案します。また、事業方式の選定には、建設費など、さまざまなコ

地代
他人の土地を借りている者が、土地所有者に対して支払う賃料のこと。一般的には土地賃貸借契約を締結し、月ごとに地代を支払っていく。

再開発・不動産活用の具体的な流れ

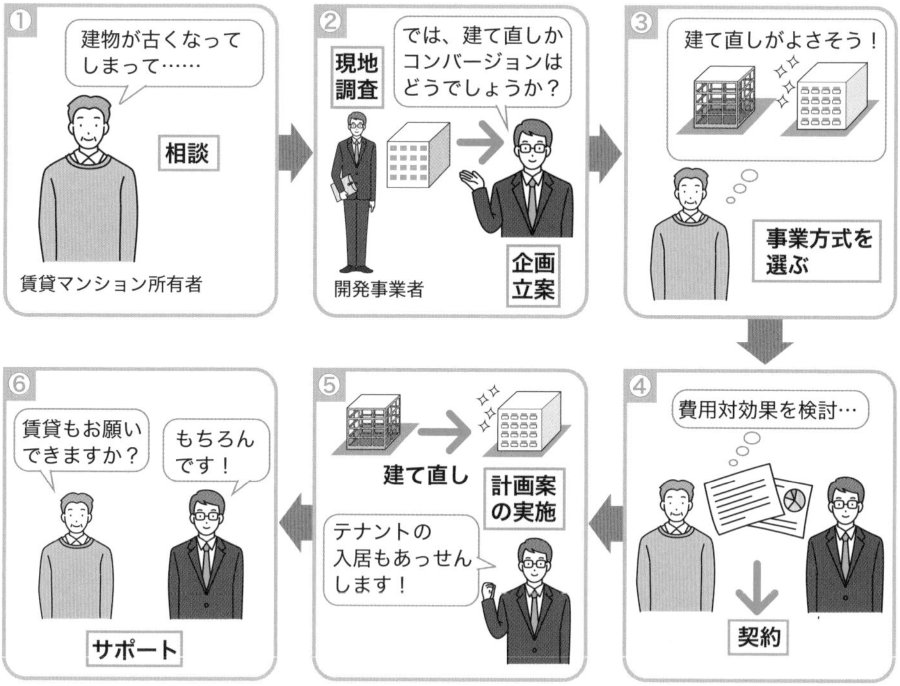

ストの確認が必要です。数字の見積もりが甘いと、後日トラブルになることもあります。

④計画案の提案と業務契約では、企画や事業方式を所有者に提案して、納得してもらった上で業務契約を締結します。所有者の多くは不動産事業に詳しい専門家ではないため、専門用語や難しい言葉を使わず、噛み砕いて説明することが必要です。

⑤計画案の実施では、所有者が承諾した計画案と業務契約に従って、関係者との打ち合わせや交渉、資金計画の段取り、建物の建設などをしていきます。また、テナントの誘致や入居者の募集なども提携している会社と一緒に行います。

⑥サポートとは、計画案の実施後に、所有者の事業がスムーズに進められるようにサポートすることです。さまざまな不動産所有者と協働し、サポートをしていくことが多くなりますので、コミュニケーションを大切にして業務を行っていきます。

Chapter3
05

不動産の分譲業務とは

一戸建て・土地分譲、マンション分譲の２つの分譲事業

開発事業と同様、不動産情報の収集から商品企画・販売まで、業務は多岐にわたります。一人ひとりの裁量が大きいため、高い知識とスキル、経営的センスが必要ですが、不動産業務の基本であり、魅力を感じられる仕事です。

一戸建て・土地分譲とは

不動産分譲事業の業務は、大きく分けて①一戸建て・土地分譲業務、②マンション分譲業務の２つです。

①一戸建て・土地分譲業務とは、土地を購入もしくは賃借して一戸建てを造り、また造成して土地を分譲する業務です。

販売するエリアや対象顧客に合わせた価格、面積の設定、仕様設備を決め、分譲販売します。開発事業全般にいえることですが、好立地で適正な価格の土地は早く売れてしまうので、土地情報の収集がとても重要です。大手不動産会社では、土地情報の仕入れ、一戸建てなどの商品企画、販売管理というように担当部署を設けて行う業務を分けていますが、パワービルダーや中小不動産会社では、設計業務以外は土地の仕入れから販売までを１人の担当者が担うことがあります。開発分譲業務全体の中では一個人の裁量が大きい業務であり、不動産業務の基本形ともいえます。

造成
土地を切ったり盛ったりして加工し、建物を建てやすく、利用しやすくする事業用の行為のこと。

パワービルダー
和製用語であり明確な定義はないが、一般的には20～30代の住宅一次取得者層が取得できやすいように都市圏で廉価な一戸建てを供給する建売住宅の事業者のこと。勢いのある建売業者を指す場合もある。

マンション分譲とは？

②マンション分譲業務は、土地を購入もしくは賃借してマンションを造り、分譲販売する業務です。一戸建てなどと同じでエリアや対象顧客に合わせた価格､面積で分譲販売します｡マンションは土地面積が大きくないと採算が取れず、東京都内では土地面積200坪以上が事業化の基準面積です。この大きさの土地情報はあまりないため、必然的に競合が多くなります。また、マンションは一戸建てのように２～３階建てではなく、事業化するために高層階になりがちです。そのため日照を奪われることを心配する近隣への説明が義務付けられています。多くの自治体が原則、高さ10ｍを超える建築物に対して「中高層建築物の建築に係る紛

事業化の基準面積
マンションを事業化する場合、一戸建てと比べて多くの経費がかかるため、建設できるマンションの総延床面積の最低基準面積があり、それと連動して土地の基準面積が各分譲事業者で決められている。

不動産分譲業務の構図

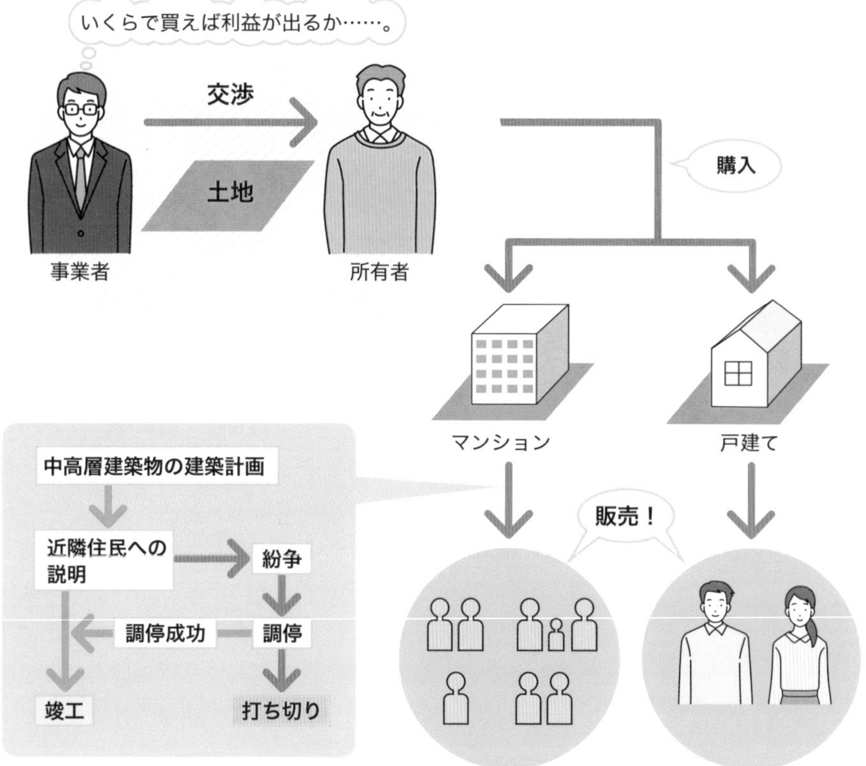

争の予防と調整に関する条例」を定めており、マンション建設の着工までに建築計画の標識を設置して、竣工までに近隣住民に配慮した計画の説明会を開かなければならないものとしています。法令を遵守しても反対運動を起こされることがあるので、近隣住民が納得できる案をつくるなど、さまざまな対策が必要になります。

マンション分譲業務は一戸建て・土地分譲と比べて開発費が高く、近隣との関係や法律の規制も厳しいです。また、地権者も多いので交渉に時間がかかります。そのため組織的に業務を行うことが多く、事業化までの期間も長くなりがちです。

中高層建築物の建築に係る紛争の予防と調整に関する条例
マンションなどの中高層建築物の建築を行う際に近隣住民の生活に配慮し、紛争を未然に防止し、健全な生活環境の維持・向上および良好な近隣関係を確保することを目的とした条例のこと。

Chapter3 06

戸建て・土地分譲事業の5つの業務

対象顧客が求める条件や価格の一戸建て・土地を供給することが重要で、常にそれらを念頭に置きながら、不動産情報の収集から企画、条件交渉、分譲販売までを行います。

アナログな訪問営業は現在でも有効な営業方法

一戸建て・土地分譲事業の具体的な業務は、①不動産情報の収集、②企画立案と建物プラン、③条件交渉と取得、④建物の設計と建設（土地分譲の場合は造成）、⑤分譲販売の５つとなります。

①不動産情報の収集は、不動産流通会社や金融機関などから情報を収集します。収集の仕方はさまざまですが、１件１件訪問営業をして土地情報を求める方法が主流です。入札などで声がかかる場合もありますが、購入できるチャンスは多くはなく、買えたとしても価格は高くなりがちです。そのため、流通会社や金融機関の担当者から適正価格で買える情報を引き出すために足で稼ぐ営業がまだ有効といえ、頻繁に足を運んでくれる担当者に土地情報を出したいという心理も働き、契約まで結びつけることができます。

企画立案から分譲販売までの流れ

②企画立案と建物プランは、不動産のある現地や市区町村役場での調査を踏まえた上で、どのような区画とし、いくらぐらいで売るのかを企画して建物プランを立てていきます。企画の段階で、周辺の不動産流通会社に相場や需給状況などのヒアリングをします。建物プランは建築士に依頼しますが、建物面積は一戸建て・土地分譲の担当者で指示しないといけないので、おおまかなイメージを持つことは必要です。

③条件交渉と取得は、土地の所有者に価格や条件を交渉して土地を取得することです。条件交渉は購入や販売の際に問題となる点を解消するものです。土地所有者全員の同意を得る、測量を行い正確な土地面積を測るなど、不動産取引に関する一定の知識と

測量
土地の面積や各境界、位置を決める作業のこと。土地家屋調査士や測量士などの有資格者が行う。不動産業務では敷地に接する近隣土地所有者と境界を決める確定測量と、そうでない現況測量がある。

一戸建て・土地分譲業務の具体的な流れ

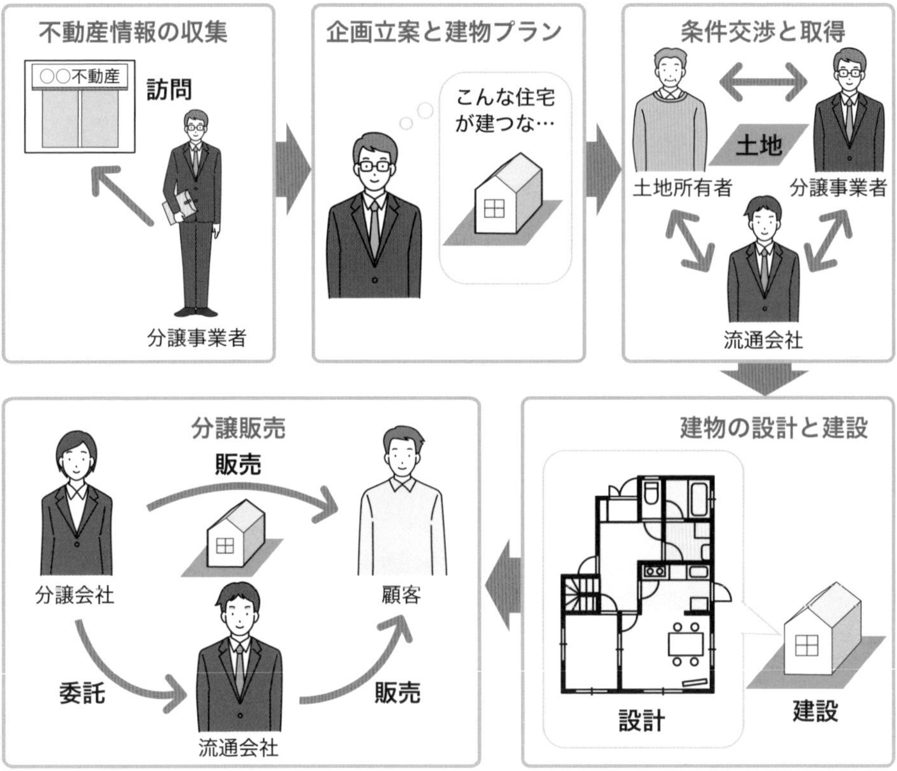

スキルが必要です。売買契約書や重要事項説明書は、流通会社と媒介契約を結んでいない場合には分譲会社で作成をすることもあります。そして、売買契約を結んだら売買代金を支払い、土地を取得します。

④建物の設計と建設は、土地を取得後、**建築確認申請**の許可を得てから建設に入ることです。土地分譲の場合は造成を始めます。一戸建ては着工から４～６ヵ月後に完成します。この間は販売やその準備、施工や広告のスケジュール管理などの業務を行います。

建築確認申請
建築をする際に建築主事がいる特定行政庁（建築を許可する者がいる市区町村役場など）や民間の指定確認検査機関に対して、建築基準法などの法令に適合しているか確認を求める申請のこと。許可を得なければ建築ができない。

⑤分譲販売は分譲会社（子会社）で行う場合と流通会社に任せる場合の２つのケースがあります。大手不動産会社は前者、パワービルダーや中小不動産会社は後者が多いです。販売中は顧客からの問い合わせなどに対応し、価格交渉をしながら成約を目指します。販売を終えて資金回収をしたら、プロジェクトは終了となります。

Chapter3
07

マンション分譲事業の6つの業務

マンション分譲事業は投下資本が大きく土地が広いため、チームで行う業務が中心となります。特に近隣対策は、マンション建設・販売の実施に大きく影響するため、専門部署や専門業者による丁寧な対応が求められます。

各専門部署の声を活かしてプランを計画する

マンション分譲事業の具体的な業務は、①不動産情報の収集と調査、②企画立案と建物プラン、③条件交渉と取得、④近隣対策、⑤マンション建設、⑥分譲販売と進捗管理の6つとなります。一戸建ての分譲と同じような業務の流れになりますが、マンションのほうが投下資本が大きく、土地が広い分近隣への影響力も強いため、企画や調査、交渉、近隣への対策を念入りに行います。

不動産情報の収集から分譲販売までの流れ

①不動産情報の収集と調査では、不動産流通会社や金融機関などから情報を収集します。収集方法はさまざまですが、訪問営業は顔つなぎ程度に行い、土地情報が出てきたら連絡が入るしくみになっていることが多いです。また、所有者から直接または入札などで声がかかることもよくあります。

②企画立案と建物プランは、不動産の現地や**市区町村役場での調査**を行い、マンションが問題なく建てられるかを判断します。マンションプランを立て、面積などの規模を把握（**ボリュームチェック**）します。その上で、マンションがいくらで売れるかを、社内の販売部署や販売代理の流通会社の意見を聞きつつ企画し、逆算して土地の購入費を決めていきます。

③条件交渉と取得は、価格や条件の交渉をして土地を取得することです。土地が広い分、一戸建てや土地の分譲の場合と比べて所有者や関係者が多いため、交渉して、さまざまな条件をまとめて同意を取り付けます。

④近隣対策では、「中高層建築物の建築に係る紛争の予防と調整に関する条例」（→P.69）により、近隣住民へマンション計画

マンションにおける市区町村役場での調査
マンションは規模が大きく高さがあるため、近隣やインフラへの影響があるので、計画や建設にあたり市区町村役場との緊密な協議や、建築指導課との調整などが必要となる。そのための調査のこと。

ボリュームチェック
土地の面積と容積率を把握した上で、建築基準法などの各法律や条例などに適合し、その土地にどれくらいの高さと面積（ボリューム）の建物を建てることができるかを確認（チェック）する業務のこと。

マンション分譲業務の具体的な流れ

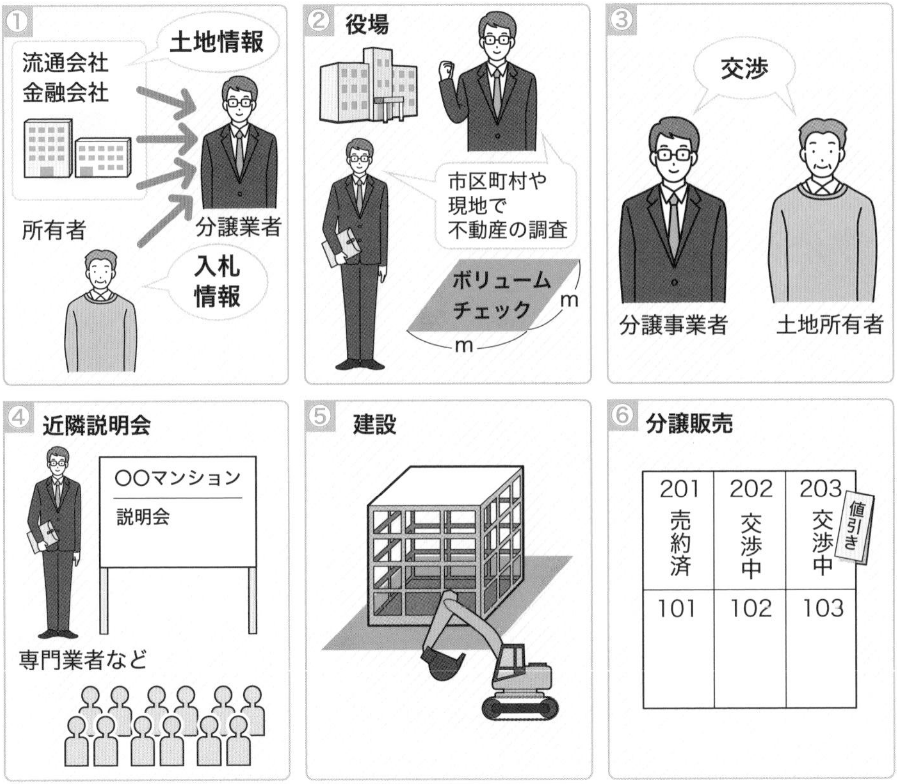

に関する説明を行い、意見の調整を行っていきます。話し合いは感情的になり対応が難しいことも多いため、近隣対策の専門部署や専門業者に依頼して進めます。

⑤マンション建設とは、土地を取得後、建築確認申請（→P.71）の許可を得てから建設に入ることです。設計監理をしながら建設の進捗状況を管理していきます。一戸建てなどよりも建設期間は長く、200戸規模であれば目安として建設に2年ほどかかります。

⑥分譲販売と進捗管理は分譲会社（子会社）で行う場合と、販売代理をしている流通会社に任せる場合の2つのケースがあります。どちらの場合も、週ごとにどの部屋がいくらで売れたか、値引き交渉があるのかといった販売状況の進捗管理を行っていきます。完売すれば、プロジェクトは終了となります。

Chapter3

08

加速する日本の不動産開発技術の海外進出

日本での人口減少・少子高齢化による都市開発需要の減少と、アジア諸国における都市人口急増による都市開発需要の高まりを背景に、我が国の高い都市開発や建築技術の海外進出が加速しています。

不動産開発では海外も視野に入れることが重要

日本の不動産開発の高い技術は、世界各国から注目されています。特に成長著しい東南アジアでは、日本の過去の都市づくりの経験や未来の都市づくりを支える技術に注目しています。2017年度に大手不動産会社・建設会社が乗り出した海外進出は、代表的な事例だけで約23件にもなり、ショッピングモールや分譲住宅、さまざまな複合開発、大型物流施設など、多種多様です。将来的にもこの流れは加速していくものと考えられます。

海外進出の背景には、日本国内の人口減少・少子高齢化による都市開発の需要の減少があります。その一方で、アジアの都市人口は2015年から2030年にかけて約6.4億人も増える予想です。人口増加による「急速で計画的ではない都市化」に伴い、渋滞や大気・水質汚染などの都市問題が深刻化し、効率的で環境面に優れた都市開発が求められています。そこで、高い技術を持つ日本の都市開発が脚光を浴び、これを機に各不動産開発会社が活躍の場を求め、海外への市場拡大に乗り出しているのです。

日本の都市開発の優位性

日本で優位性があるのは、①**公共交通指向型**、②**環境共生指向型**、③**高品質の建築技術**の３つになります。①は、都市を鉄道やバスのネットワークでつなぐことで自動車に頼らない都市開発を実現します。東京都がよい例で、都内は鉄道とバス、徒歩で移動ができ、必ずしも自動車がなくても生活に困りません。東南アジアは今後も自動車保有率の上昇が見込まれており、現在以上の渋滞や、大気・水質汚染などを避ける意味でも望まれている開発といえます。②は水や緑といった自然がある住環境と、省エネルギー

公共交通指向型都市開発
日本でも注目されており、富山市の路面電車による街づくり手法が代表的。

環境共生指向型都市開発
太陽光や風力など再生可能エネルギーを活用した省エネルギー、雨水などの貯留活用を行った資源循環など、環境に配慮しつつIT技術を用いて効率的な資源循環を実現する都市開発の手法のこと。

高品質の建築技術
耐震性能などの構造技術のみならず、費用対効果が高く安全な工法などを総じていう。消費者の強い要望があり、地震大国である日本では、建築技術が他国と比べて発展している。

不動産業の海外進出事例（2017年度）

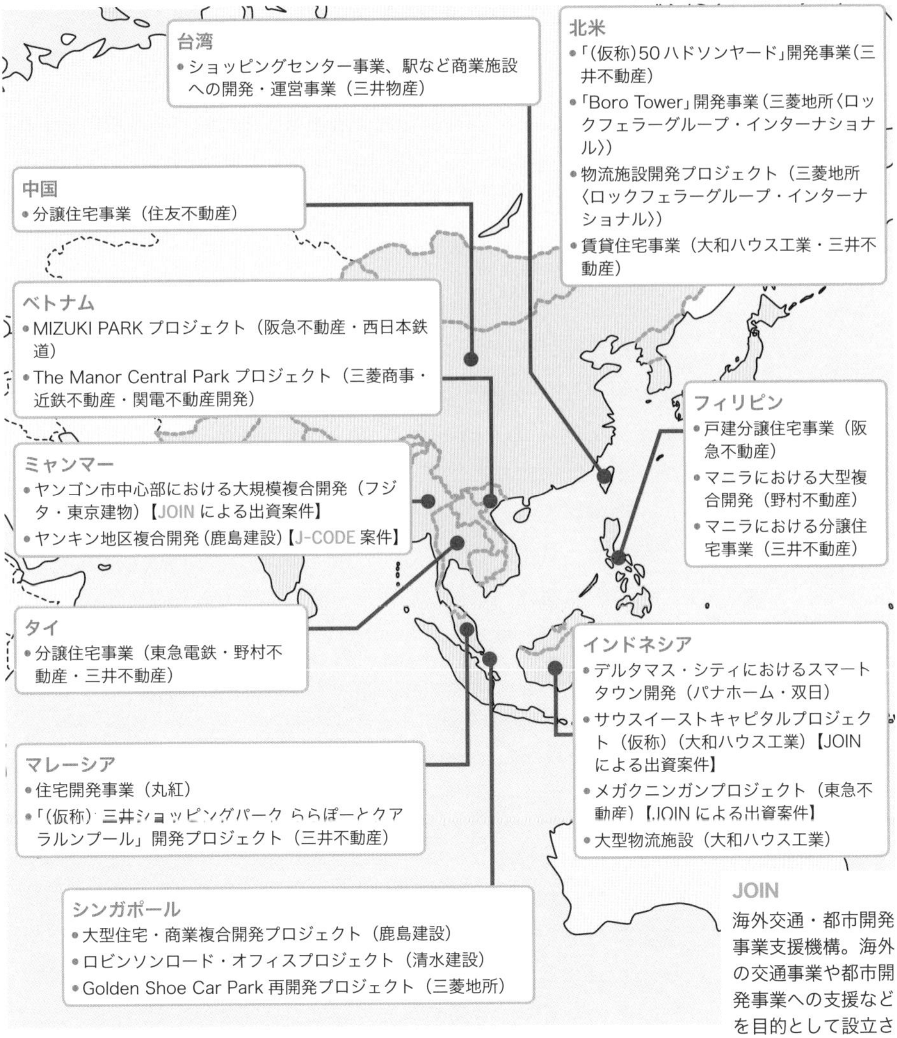

出典：国土交通省「海外展開戦略（都市開発・不動産開発）平成30年6月」を基に作成

や雨水の貯留活用といった資源循環が優れている点、③は耐震性能や細かい点に至るものづくりの質の高さが特徴です。

日本の厳しい消費者に鍛えられた、地震などの災害に耐えうる優れた都市開発や建築技術は、海外への優位性が高いのは当然です。開発の仕事に携わるときは、そういった視点を持っておきたいところです。

JOIN
海外交通・都市開発事業支援機構。海外の交通事業や都市開発事業への支援などを目的として設立された。

J-CODE
海外エコシティプロジェクト協議会。日本国内のさまざまな企業がチームとなって、アジアなどの新興国の環境共生型都市開発の推進に貢献することを目的に設立された。

Chapter3
09

バブル期の年収倍率に近づきつつある住宅価格

住宅価格の上昇により、首都圏における住宅価格に対する年収の倍率は、2015年に10倍を超えました。投資資金が流入している可能性も高く、バブル期の再来の危険性が指摘されています。

高騰し続ける住宅価格

住宅価格は2000年頃を境に上がってきており、東京都における新築マンションの価格は、2020年に年収倍率13.40倍になるなど、バブル期の1990年の年収倍率である18.12倍に近づいています。建材費や人件費の高騰も収まっていないことから、バブルが到来するか、価格調整が行われて落ち着くのか、不明な状況になりつつあります。一方で、前年よりも価格は高いのに一戸当たりの床面積は年々狭くなる反比例の構図となっており、住宅分譲事業者はこの課題にどう対応していくのか、今後求められます。

住宅価格は住宅ローンで対応しきれない局面に

年収倍率とは、住宅の購入価格に対する平均年収の倍率で、4,000万円の価格で年収が500万円なら８倍となります。東京カンテイのデータでは、年収倍率は2020年で東京都13.40倍（対2013年比1.37倍）、神奈川県10.72倍（対2013年比1.17倍）、埼玉県10.21倍（対2013年比1.29倍）、千葉県8.45倍（対2013年比1.07倍）と、2013年と比べて首都圏全域で上がっています。特に東京の増加率は高くなっており、バブル時の数字に近づいたことから「需要なき高値」といわれています。

ただ、この数字についてニッセイ基礎研究所が「東京のマンション、実はそこまで高くない！？」で、住宅ローンの金利低下を考えるなら、バブル時とはかなりの差があるといっています。仮に住宅金融支援機構（旧住宅金融公庫）の融資でみると、2020年時点でフラット35なら金利は１％前後であり、バブル時の1990年の８％前後と比べると、融資を受けた場合に支払いの差があり、金利差を加味するとバブル時の1990年の年収倍率は

首都圏 主要エリア 新築マンション価格の年収倍率推移

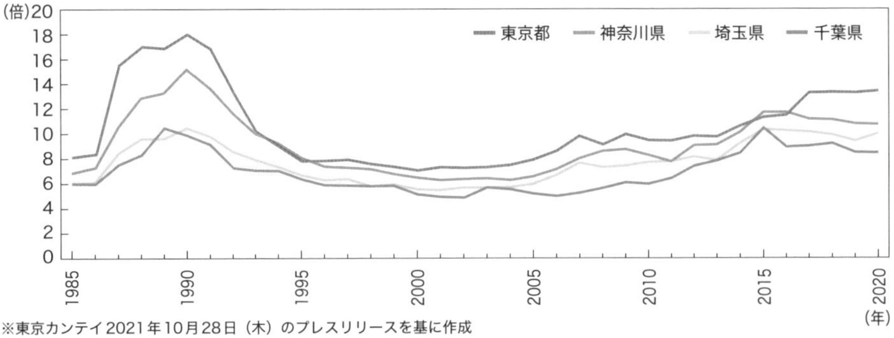

※東京カンテイ2021年10月28日（木）のプレスリリースを基に作成

東京都の年収倍率・修正年収倍率の推移

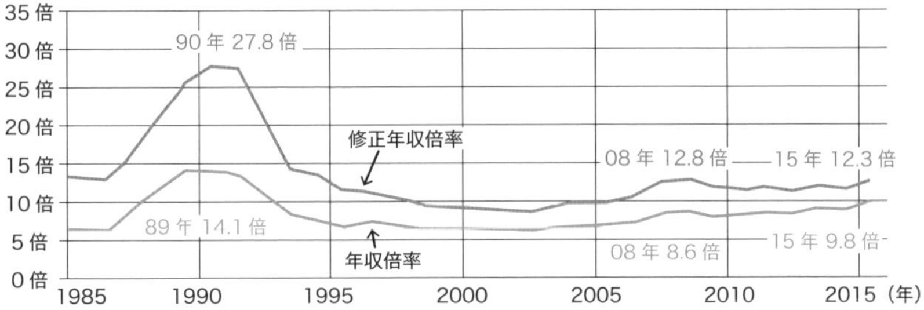

注：グラフ中にはバブル期とミニバブル期のピーク、2015年の各倍率を記載
出典：不動産経済研究所、住宅金融支援機構、東京都のデータを基にニッセイ基礎研究所が作成

首都圏の年収倍率（2020、2019年）

都道府県	2020年							2019年			
	年収倍率		順位	平均年収（万円）		70m²価格（万円）		年収倍率	順位	平均年収（万円）	70m²価格（万円）
埼玉県	10.21	↗	39	499	↗	5,093	↗	9.41	37	484	4,555
千葉県	8.45	↘	27	521	↗	4,403	↗	8.48	32	516	4,376
東京都	13.40	↗	46	596	↗	7,989	↗	13.26	47	588	7,795
神奈川県	10.72	↘	43	551	↗	5,905	↗	10.78	45	512	5,517
首都圏	10.79	↗	−	542	↗	5,848	↗	10.59	−	525	5,561

※東京カンテイ 2021年10月28日（木）のプレスリリースを基に作成

27.8倍まで高まり、2015年は12.3倍とかなり開きが出ます。

どちらにしても、住宅ローンの融資ができる上限は年収の約10倍までとされており、現状ではそれを超えています。多額の現金が必要な住宅購入に対して、今後どのようにこの問題を解決していくか、判断が求められています。

Chapter3 10

カーボンニュートラルへ向けた取り組みと補助制度

不動産業で多く取り扱っている住宅や建築物には、省エネルギー（省エネ）化と再生可能エネルギー（再エネ）導入が必須になります。そのため、補助金や税控除を含めて理解し、消費者にわかりやすく説明しなければなりません。

省エネ化と再エネ導入は時代の要請

カーボンニュートラルとは、地球温暖化への対策として、**温室効果ガス**の排出量と吸収量を均衡させることを指します。政府は2050年までにカーボンニュートラルの実現を目指しており、不動産業界では、①住宅と建築物の省エネ化、②住宅と建築物への再エネ導入、に取り組むことになりました。

温室効果ガス
二酸化炭素、メタン、一酸化二窒素、フロンガスなど、地球温暖化に及ぼす影響が大きな気体のこと。

主導する国土交通省、経済産業省、環境省によるロードマップでは、①2030年には新築される住宅と建築物にZEH《ゼッチ》（→P.80）・ZEB《ゼブ》基準の省エネ化を義務化し、新築戸建住宅の６割に太陽光発電設備を導入。②2050年には**ストック平均**で**ZEH・ZEB基準の省エネ性能を確保**し、太陽光発電設備などの再エネ導入を一般化、の２段階で進める方針を示しています。つまり、2030年には新築する住宅と建築物すべてを省エネ化、2050年には国内の住宅と建築物すべての一次エネルギー消費量の平均で一定の省エネ化を実現するということです。太陽光発電などの再エネは、2050年には利用を一般化し、非省エネの中古住宅や建築物もリフォームなどで省エネ化を図っていくことになります。

ZEB
省エネ性能を満たしたビルなどの建築物のこと。

ストック平均
国内にある住宅や建築物すべての省エネ数値の平均のこと。

ZEH・ZEB基準の省エネ性能を確保
住宅は省エネ基準から一次エネルギー消費量を20%減、建築物は30～40%減としている状態のこと。

対策を促進させるための優遇制度

カーボンニュートラルは世界的な潮流です。日本では住宅や建築物の光熱や冷暖房のエネルギー消費量が大きいため、省エネ化や再エネ導入について常に意識する必要があります。３省とも消費者に認知させ、対策を促進させるために、さまざまな補助金や、税制・融資の優遇制度を設けています。

補助金制度は、認定機関に認められた省エネ性能の住宅や建築

住宅・建築物の省エネ対策に関するロードマップ（著者抜粋）

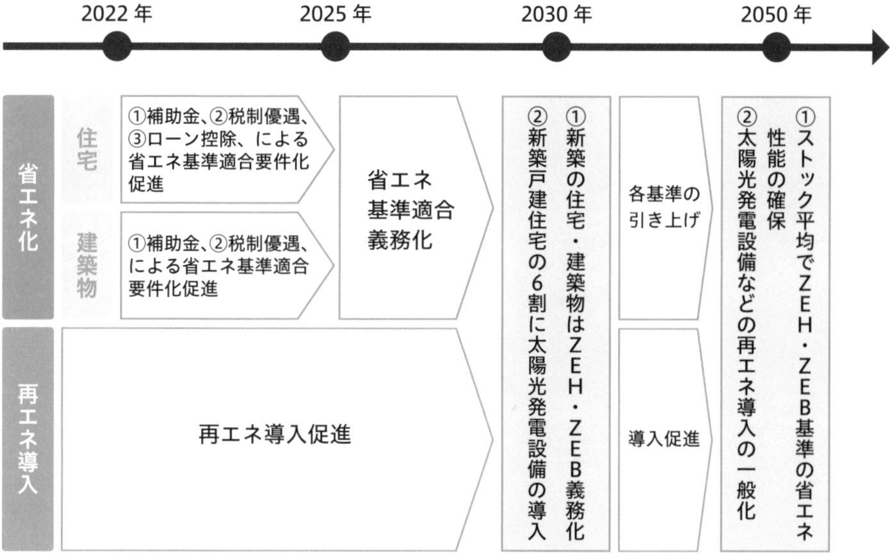

出典：国土交通省、経済産業省、環境省「脱炭素社会に向けた住宅・建築物における省エネ対策等のあり方・進め方に関するロードマップ（2021年8月）」より抜粋

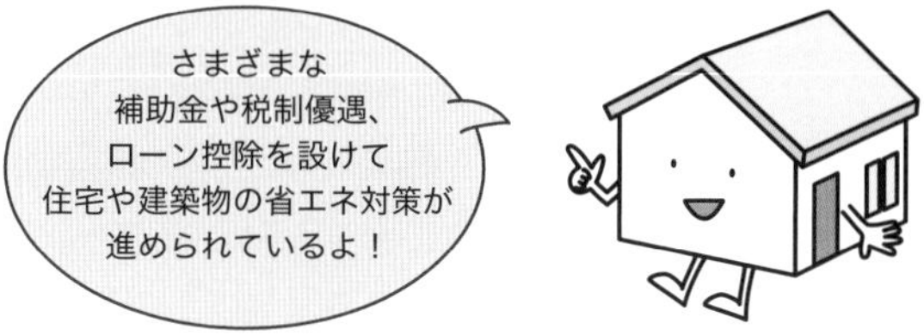

物を建築できる建設会社を通して建築した場合に、補助金が出されるしくみです。省エネ性能を備えた住宅や建築物の建築には、一定水準の設計や技術力などが求められるため、認定が必要になるのです。また住宅においては、**住宅ローン控除**の優遇制度があります。省エネ性能を備えた住宅をローンで購入・建築した場合、ローン額の0.7%を所得税などで還付するしくみです。税金として支払った中から最大35万円（2022年度）が戻ってきます。2025年度までは省エネ住宅以外でも住宅ローン控除が利用できますが、以降は新築住宅では適用できなくなる方針です。

専門用語やしくみのわかりにくさも相まって、消費者の理解度は不十分です。そのため、制度をよく理解し、丁寧に説明をすることが必要です。

住宅ローン控除
住宅借入金特別控除のことで、一定の要件を満たした上で住宅ローンを利用して住宅を購入・建築した場合、年末のローン残高の0.7%を10～13年にわたり所得税や住民税から控除（還付）されるしくみ。

省・再生エネルギーで注目されるスマートシティとZEH

産業部門に比べ、家庭でのエネルギー消費量の削減は遅れています。不動産開発・分譲事業においては、省エネルギー化と再生可能エネルギー利用を取り入れたスマートシティとZEHが今後の主流となると考えられています。

2030年までに新築住宅でのZEHの実現を目指す

不動産業の開発と住宅事業では、省エネ化と再エネ利用の2つの省エネ性能が重要視されており、都市開発においてはスマートシティ、住宅においてはZEHという言葉を目にするようになりました。

この背景には、1990年代の石油危機以降、産業部門でのエネルギー消費量は2割近く減少したのに比べ、家庭では逆に2～3倍に増加していることが挙げられます。今後は都市や住宅においても、省エネ化や太陽光などの再エネ利用を進めていくことが必要になり、スマートシティやZEHが登場しました。

スマートシティは、ITや環境技術などを駆使して街全体の電力の有効利用を図ることで省エネを徹底し、環境に配慮された都市のことです。電気自動車の充電システム整備に基づく交通システム、再エネの効率的な利用を可能にする**スマートグリッド**などを組み合わせた都市で、千葉県柏市の柏の葉キャンパス駅周辺などの先行モデルプロジェクト実施地区があります。

スマートグリッド
次世代送電網。専用の機器やソフトウェアが、送電網の一部に組み込まれていて、電力の流れを供給側・需要側の両方から制御し、最適化できる送電網のこと。

ZEHとは「ネット・ゼロ・エネルギー・ハウス」の略称で、省エネ基準を満たした上で、太陽光発電などによりエネルギーを創出し、年間を通じて外部からのエネルギー取得を実質ゼロとする住宅のことです。簡単にいえば、1年を通じて生活で使うエネルギーを、自家発電によるエネルギーで100%賄う住宅のことです。2014年4月に閣議決定された「第4次エネルギー基本計画」において、「住宅については2020年までに標準的な新築住宅で、2030年までに新築住宅の平均で住宅の年間の第一次エネルギー消費量が正味でゼロとなる住宅の実現を目指す」と決まっており、ZEHは将来的に住宅の主流になると考えられています。

スマートシティ概念図

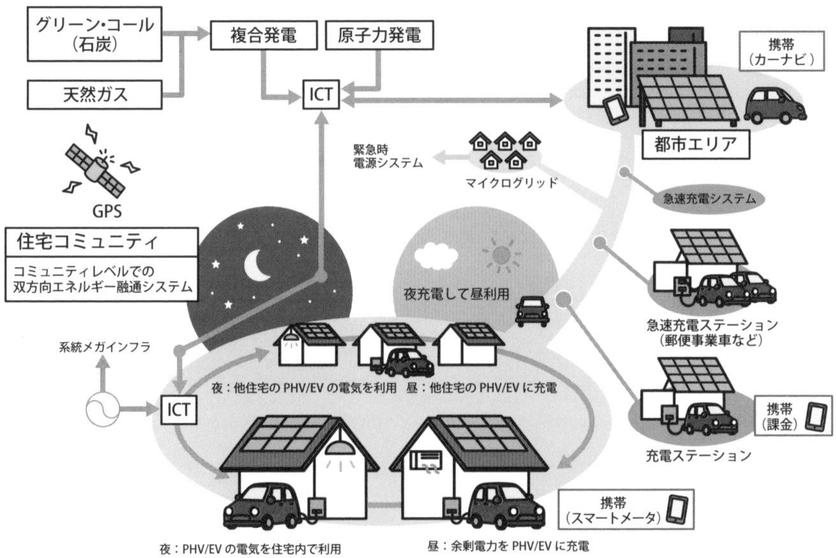

出典：国土交通省HP

ZEH の概念図

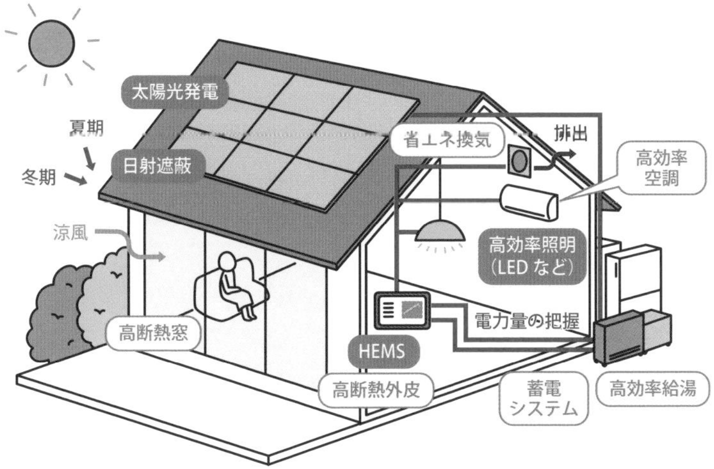

ZEH とは

断熱性能の向上
エネルギーを極力必要としない
＋
高効率な設備・システムの導入
エネルギーを上手に使う
＋
再エネの導入
エネルギーを創る
＝
メリット
・快適性アップ
・光熱費削減
・CO_2 削減

出典：sii 一般社団法人環境共創イニシアチブ

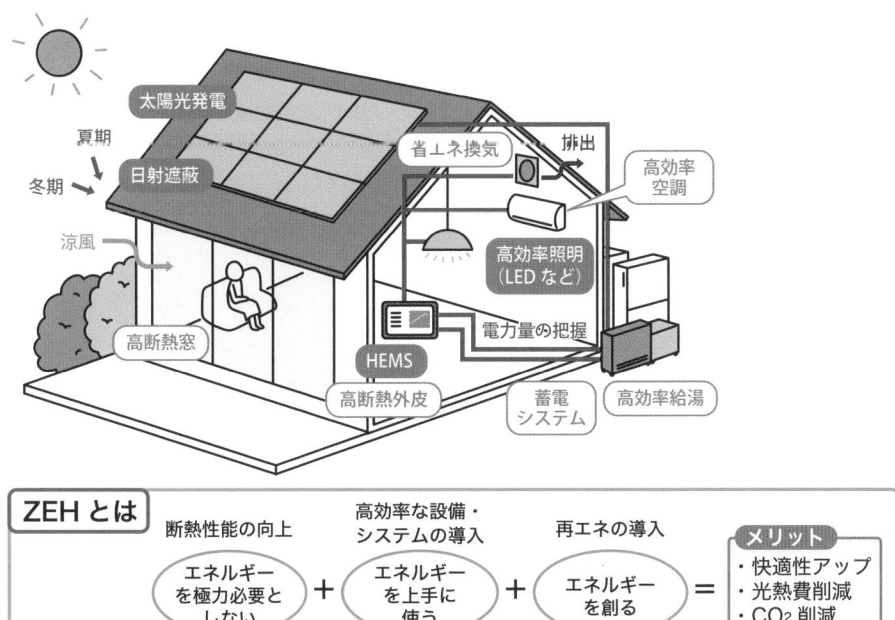

COLUMN 3

ハワード田園都市モデルからの脱却を目指す開発分譲事業

戦後の日本の都市開発に影響を与えた田園都市構想

第二次世界大戦後、高度経済成長期を迎えた日本の都市部とその周辺では不動産開発ブームが巻き起こります。地方から仕事を求めて多くの人口が都市部に流入。その受け皿としての住宅開発が必要とされました。その際に大きな影響を受けたのがイギリスの社会改良家エベネザー・ハワードが1898年に提唱した「田園都市モデル」です。公園や森など自然に囲まれた住宅地で職住近接で自立した小規模都市を形成。都市を運営する会社が賃貸住宅を提供し、その賃貸収入を資金として住民自身による公共施設整備などコミュニティを運営するという構想です。

日本の大都市圏では、田園都市モデルのイメージを保ちつつ実際には遠距離通勤を伴う私鉄沿線のベッドタウンとしての開発が主流となりました。その代表が東急線沿線の田園調布です。さらに多摩ニュータウンなどの大規模コミュニティが続々と開発されました。

2010年ごろからはITを活用した都市構想であるスマートシティの実証実験がスタートしましたが、これも田園都市構想を下敷きにしたモデルです。緑ある街並みと環境負荷を抑える省エネルギー社会の実現がマッチしているからです。

都心部では環境と共生しつつ都市の魅力を発信

一方、田園都市モデルとは別の流れとして都心部で進行中の再開発では環境と共生しつつ都市ならではの利点を楽しむモデルが生まれています。世界的に持続可能な開発目標（SDGs）が叫ばれ、その実現に向けCO_2排出量ゼロ、廃棄物再利用率100%、自然災害による都市機能停滞ゼロ、街の利用者の幸福度最大化などを理念に掲げた開発が隆盛となっています。三菱地所による東京駅周辺、三井不動産による日本橋室町の再開発などが代表例。新型コロナウイルス感染拡大でインバウンドの波が一時的に途絶えたとはいえ、今後も都心部をより魅力的に再構築する流れは止まらないでしょう。

第4章

流通に関連する事業と業務

流通事業には、主に「販売代理業務」「媒介業務」「リノベーション業務」の３つがあります。業務内容だけでなく、今後の展望と本事業に求められる人材までを見ていきます。

流通事業の全体像

Chapter4 01

販売代理業務・媒介業務とリノベーション事業の業務

流通事業には、販売代理業務、媒介業務、リノベーション事業の業務の主に3つの業務があります。また、媒介業務には個人仲介、法人仲介、売買仲介、賃貸仲介があり、細かくグループ分けされています。

効率的にこなす販売代理業務

不動産流通事業には大きく分けて、①販売代理業務、②媒介業務、③リノベーション事業の業務、の3つの業務があります。

①販売代理業務は、ノウハウを持つ不動産会社が不動産の売主に代わり、代理として一般顧客への販売や手続きを行う業務のことです。代表的なのは、新築マンションや数十戸という大規模な新築一戸建て、土地分譲です。売主に広告を打って**モデルルーム**を用意してもらい、購入を検討する一般顧客に接客をして、売買契約までを担当する業務です。似たような不動産を売るため効率がよく、費用は売主持ちで、報酬は売主からの代理業務報酬のみで買主からもらうことはほぼありません。

媒介業務とリノベーション事業の業務

②媒介業務は、一般的には仲介業務といわれ、売主から売却の依頼を受けたら広告などで不動産の情報を顧客に提供し、買主から購入依頼を受けて売買契約を結ぶ業務です。

売主が個人か法人か、不動産が居住用か事業用かで「個人仲介(実需ともいう)」「法人仲介」と区別して呼んでおり、大手不動産会社ではそれぞれに部署を設けて営業しています。法人仲介では、ビルやオフィス、マンションやアパート一棟、その他**特殊な不動産**を扱い、取引金額は億単位になります。

個人仲介は一戸建てやマンションの一室、土地など、主に住まいに関わる不動産を扱います。さらにその中で、売買は「売買仲介」、賃貸は「賃貸仲介」として区別します。**報酬の上限**が決まっていて、その範囲で依頼者から受領するしくみとなっています。

③リノベーション事業の業務とは、売主から不動産を購入し、

モデルルーム
マンションの販売促進のために建築する部屋の見本のこと。室内の間取りや設備、仕様などを一般顧客に公開することが目的で、一戸建ての場合は「モデルハウス」と呼ばれる。

特殊な不動産
ビルやオフィスなどとは別の店舗や倉庫、駐車場などのこと。

報酬の上限
仲介手数料は、売買代金の金額区分ごとに上限が定められており、取引額200万円以下の場合は取引額の5%以内、取引額200万円を超え400万円以下の場合は取引額の4%以内、取引額400万円を超える場合は取引額の3%以内である。

流通事業の全体像

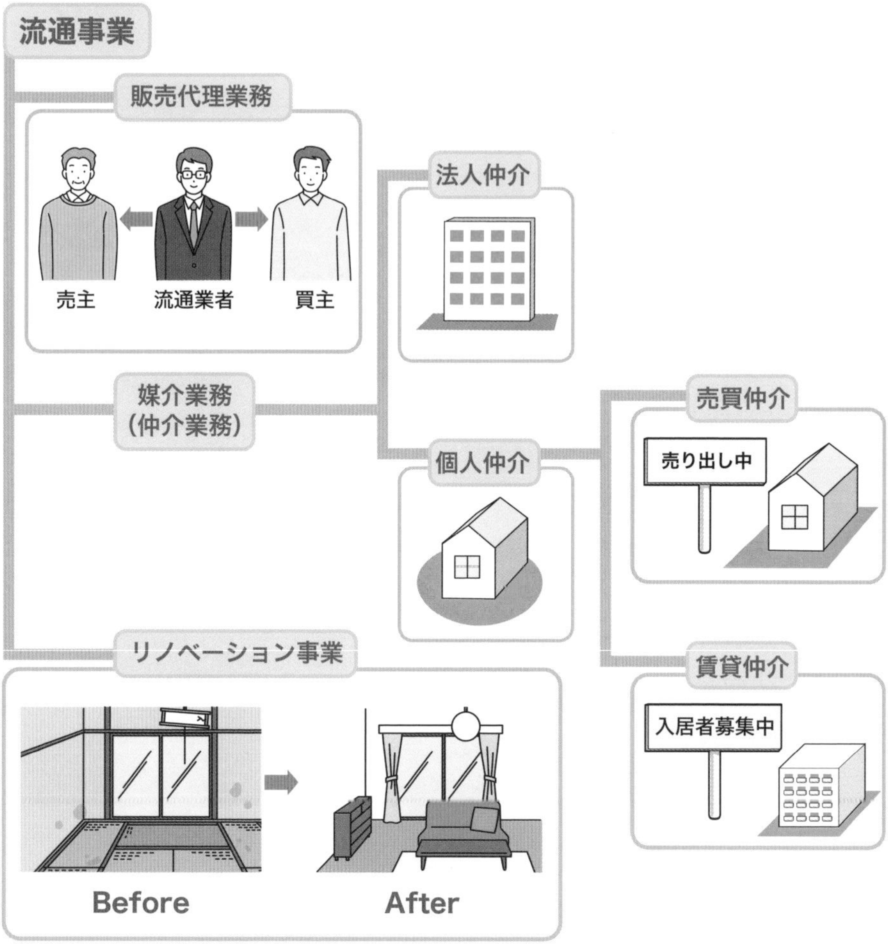

それをリノベーションした上で、買主に売却する業務です。リノベーションとは、買主が住みやすいように建物の構造や設備、内装を大規模に改修することで一新し、価値を高める行為のことを指します。同じような言葉にリフォームがありますが、リフォームは小規模な改修で、かつ現在の住まいを維持するための行為なので、区別して使われています。また、リノベーション事業の業務は開発分譲事業に分類されると思われがちですが、改修はしても建物を造る行為はしないので、本書では流通事業に分類しています。

Chapter4
02

販売代理業務とは

マンション、戸建て、土地区画の販売代行

主に新築マンション一棟、数十戸規模の新築一戸建て、土地区画の販売を行います。長期間にわたって同じ種類の不動産を販売することになるので、一度商品概要を学んだら、ルーチンワークでの業務が多くなります。

販売代理業者に販売を依頼する理由

販売代理業務では、主に新築マンション一棟や数十戸規模の新築一戸建て、土地区画の販売を行います。売主が打った広告で集まった一般顧客に対して、モデルルームや現場の建物で案内や説明を行い、契約まで導き、手続きを行う業務となります。売主が販売代理業務を任せる理由は、受託会社には販売ノウハウや契約手続きの知識、多くの顧客に対応できる人員があり、自社で行うよりも効率的で有利だからです。また、販売代理業務では売主から報酬をもらい、買主から報酬はもらわないのが一般的です。そのため、扱う不動産の数が少ない現場では売主、販売代理事業者双方にメリットが少なく、販売代理業務はあまり生じません。

コツコツと課題を解決し、改善していく

売主とは定期的に販売状況などを打ち合わせます。状況によっては広告を変えたり、値引きなどの対応を決めたりします。あくまでも販売代理ですので、決定権は売主にあり、何でも売主に決めてもらわないといけません。その一方で、顧客に近い立場なので、どのようなニーズがあるか、顧客の声を拾って売主に伝えるのが重要な業務となります。

値引き
販売価格を今より安くすること。顧客の意向や販売状況を鑑みて、一般的には50～100万円、10万円単位で提案することが多い。

この販売代理業務はルーチンワークが中心で、コツコツ仕事をする中で、さまざまな問題を少しずつ改善していく必要があります。販売をしていると、毎回、顧客からさまざまな質問を受けます。たとえば、「構造に問題はないのか」「午後の３時には部屋に日差しが入るのか」などの具体的な質問です。販売開始の時点ではこのような質問の答えが載っている完璧な資料はできていないので、質問にひとつずつ対応して、資料や案内トークを改善して

販売代理業務のしくみ

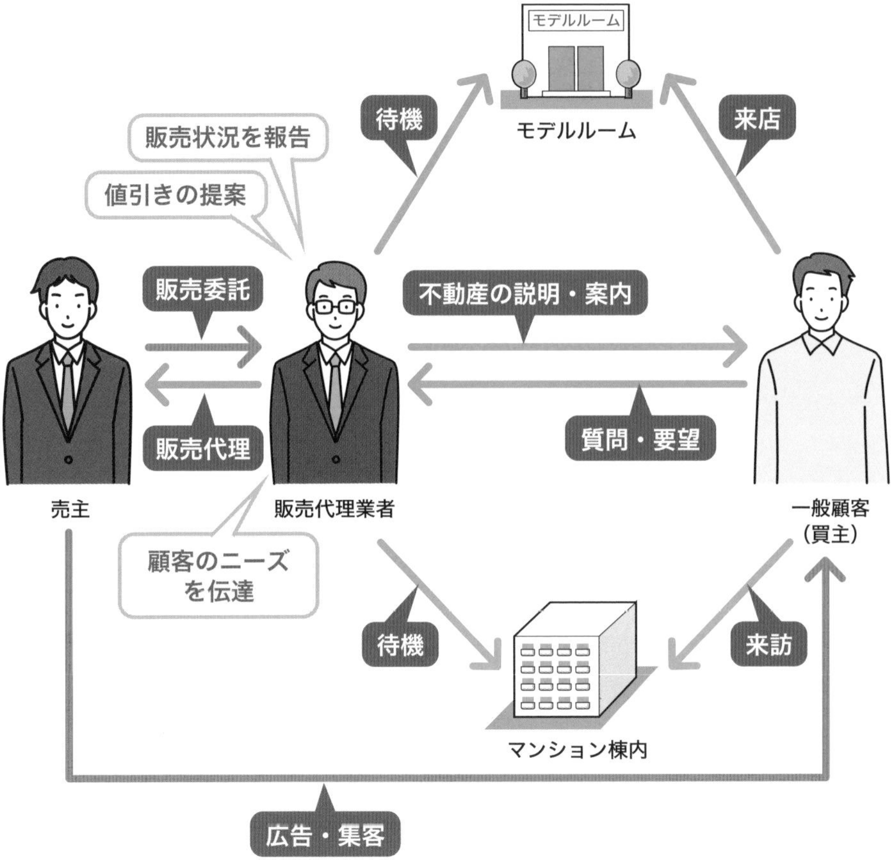

いきます。

顧客が見えない情報を伝える

新築の不動産を扱うことが多いので、商品は最新の構造や設備を備えており、売りやすいといえます。ただ、建物が完成する前に売り出すことが多く、現物が見られないので顧客はイメージがわかず、なかなか購入まで至りません。そこで、日々の顧客からの声を活かし、図面や資料を見せて、まだ目に見えない部分を丁寧に説明することが必要となります。

勤務する現場は物件の現地か、その近くに設けられたモデルルームが多くなります。今まで縁のなかったエリアに行くことも多く、勤務場所が定期的に変わる業務です。

販売代理の５つの業務

Chapter4
03

物件情報の学習から契約・諸手続きまで

販売する不動産の学習と案内資料の作成から始まり、売買契約まで導きます。顧客にとってわかりやすい資料と説明が重要になります。仕事は多いですが、マニュアルがある会社も多く、初めての人でも従事しやすい業務といえます。

顧客へのわかりやすい説明と案内がポイント

販売代理業務で代表的な、新築マンションや大規模新築一戸建ての販売現場での業務を具体的に説明していきます。

販売代理業務の具体的な仕事は、①販売する不動産の学習と案内資料の作成、②集客の手伝い、③顧客への案内と説明、④売買契約、⑤諸手続きの５つです。

①販売する不動産の学習は、モデルルームや販売現地に乗り込んだときに立地や構造、設備、資金計画など不動産の概要を学び、顧客に説明できるように資料を作成したり、案内する際の話し方を訓練したりします。顧客がわかるように説明しなければならないので、自分自身が理解できるまで学習する必要があります。

②集客の手伝いは、売主との広告の打ち合わせ、物件周辺エリアへのチラシの投函、名簿に載っている顧客への連絡などがあります。

③顧客への案内と説明は、モデルルームなどに来た顧客を接客し、不動産を理解してもらうために説明や案内をすることです。モデルルームは広いため、顧客と歩きながらいろいろな話ができます。また、さまざまな**説明ボード**を利用して、知識やスキルがなくても不動産の説明ができます。一方、モデルルームがない場合は説明ボードもないため、知識やスキルが問われ、顧客の興味を引く雑談力も必要になります。この案内と説明が重要なポイントです。

説明ボード
不動産情報をまとめた説明用の資料や案内板のこと。図面や間取り、耐震構造などの基本情報をまとめておくと説明しやすくなる。

④売買契約は、顧客が購入を決めた場合に、申し込みを受け、売買契約を交わすことです。宅地建物取引士の資格を持っていれば個別に重要事項説明を行いますが、大規模物件の場合は多数の契約者を一同に集めて重要事項説明を行うのが一般的です。

販売代理業務の1週間（イメージ）

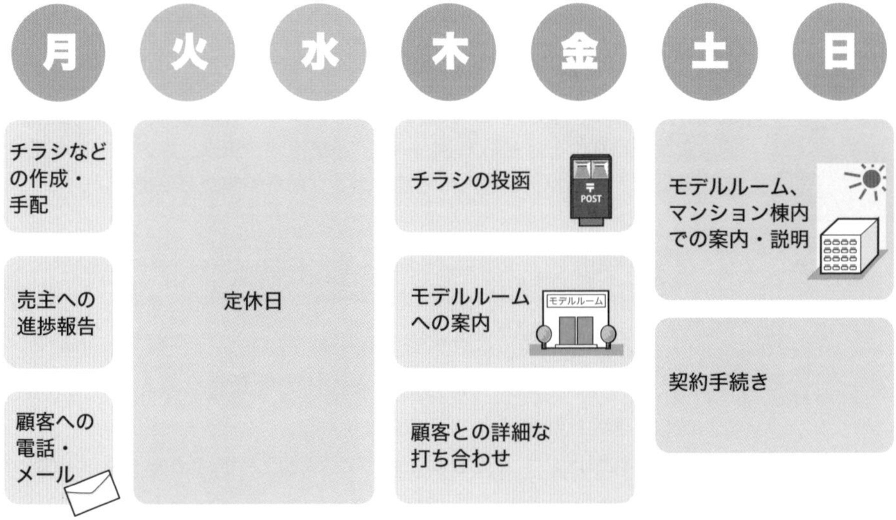

販売代理業務の仕事

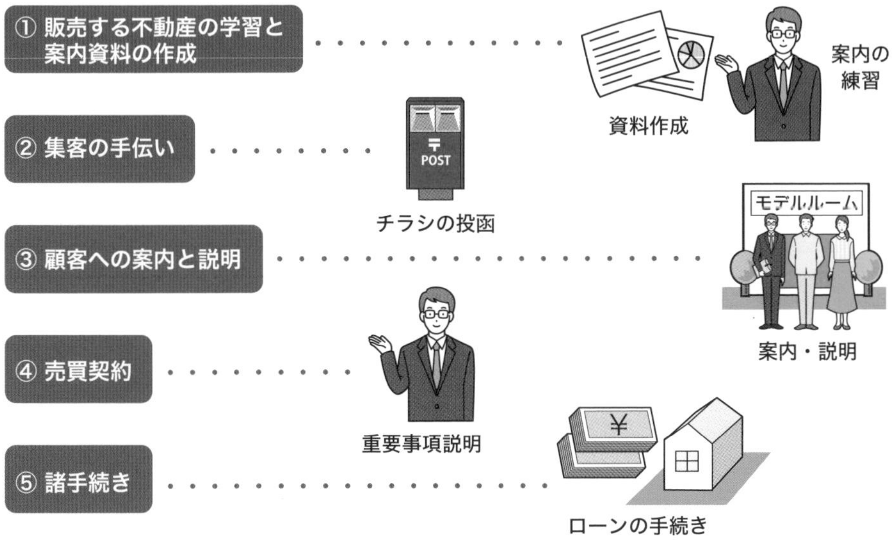

⑤諸手続きは、申し込みから売買契約までの手続き、顧客の住宅ローンの手続きなどを行います。

いろいろな仕事がありますが、マニュアルを準備している会社も多く、従事しやすい業務です。

Chapter4
04

物件で変わる販売代理業務の内容

一戸建てとマンションの分譲で異なる業務

販売戸数が多く、予算規模が大きい新築マンション分譲では、長い期間組織的な営業を行うことが多いです。一方、新築戸建分譲は、戸数も予算も比較的少ないことなどから、個人での営業が多くなる傾向があります。

予算規模による一戸建てとマンション分譲業務のちがい

販売代理業務で扱う代表的な不動産は新築一戸建てと新築マンションです。前節では共通する具体的な業務を紹介しましたが、異なる点も数多くあります。

①モデルルームの有無、②プロジェクト期間の長さ、③組織的営業と個人的営業、④営業教育の多さ、の４つでちがいが見られます。新築マンション分譲は広い敷地で多くの戸数を売るために、予算規模が大きく、顧客に対応できるように多くの人員を集めて組織で活動していくことになります。組織で動くか、個人で動くかによって、一人ひとりの役割のちがいが大きく出てきます。

４つの異なる点

①モデルルームは、新築マンション分譲の現場では設けられるのが一般的です。集客した顧客に効率的に営業するにはモデルルームが必要なので、販売戸数が多いほど設けられる傾向があります。一方で、新築戸建分譲ではモデルルームを設けられる現場は稀です。

②プロジェクト期間は大多数の売却が終わるまで続きます。一般的には建設期間に比例し、新築マンション分譲のほうがより長くなります。100～200戸規模だと、広告掲載から２年近くプロジェクトが続くこともあります。新築戸建分譲では、完成している建物がないと、顧客はイメージがわきにくく、マンションと比べて**青田売り**はそこまで動きません。そのため、建物が完成してからの営業が多くなり、新築マンション分譲と比べてプロジェクト期間は短くなる傾向があります。

③新築マンション分譲では組織的な営業、新築戸建分譲では個

青田売り
建物が完成する前に、新築一戸建てや新築マンションなどの販売を行うこと。トラブルを避けるため、行政の許可を受けてからでないと広告や契約を行ってはならない。

新築戸建分譲業務と新築マンション分譲業務のちがい

	① モデルルーム	② プロジェクト期間	③ 営業方法	④ 営業教育
戸建て	 モデルルームはない場合が多い	 建物が完成してから営業を開始するので短い	 個人的な営業が多い	 営業教育の機会はあまりない
マンション	 モデルルームが設けられていることが多い	 2年近くになる	 チームプレーで多くの部屋が売れるよう調整する	 建物、管理や資金計画、案内方法などについての教育・訓練がある

人的な営業となりやすいです。マンション販売は、同じ部屋に複数の申し込みが入らないようチームで調整し、売りづらい部屋に申し込みが入るように戦略を練るなど、チームプレーが必要です。戸建て販売は、相対的に戸数が少ないため、個人営業で売れる物件から1つひとつ売っていく姿勢が強くなります。

④営業教育の多さとは、会社としてではなく、プロジェクトにおける営業教育の機会を指します。プロジェクト期間の長さ、人員の多さ、組織的営業の観点から、新築マンション分譲のほうが教育を受ける機会は多くあります。プロジェクト当初はモデルルームオープンまで1ヵ月から数ヵ月の間、教育・訓練することが多く、建物について学ぶほか、管理や資金計画、案内方法などを学んでいきます。新築戸建分譲では営業教育を受ける機会は、会社の研修や数十戸ほどの大きな現場以外ではあまりありません。営業教育の機会が多いかどうかは、予算規模にもよるでしょう。

媒介業務とは

個人・法人仲介、売買・賃貸仲介に分けられる媒介業務

媒介業務は4つに分けられますが、基本的な仕事の流れは同じです。売主や賃貸人を探して依頼を受け、広告を打って買主や賃借人を探し、契約を結ぶまでの業務が主になります。

不動産の魅力を伝えるには「熱意」が重要

媒介業務は、一般的には仲介業務と呼ばれます。仲介業務は個人仲介、法人仲介に分けられ、個人仲介はさらに売買仲介、賃貸仲介に分かれますが、基本的な仕事の内容はほぼ同じです。

売主や賃貸人を探し、不動産の売却や賃貸の依頼を受けるところから始まり、広告活動を通して買主や賃借人を募り、不動産の案内をします。そして売買・賃借契約を締結、ローンなどさまざまな手続きを行い、引き渡しまでをサポートする業務です。

流通業務全般で同じことがいえますが、個人の知識・スキル、裁量によるところが比較的大きく、**集客**こそ会社の認知度に頼る面がありますが、それ以降は個人の能力次第で契約できるかどうかの結果も異なってきます。契約に至るまでは、交渉や段取り、手続きなどの知識やスキルが関係しているからです。また、流通業務には熱意が必要です。不動産は価格が高いため、多くの人は不動産を気に入っても、買ったり、借りたりするのに躊躇します。そこで熱意を持って不動産を案内すれば、その**不動産の魅力**が顧客に伝わり、背中を押すことができるでしょう。

集客
ここでは、不動産の売却や賃貸の依頼者を集めることと、物件に対する買主や賃借人を集めることの両面がある。

不動産の魅力
不動産の何を重視するかは顧客によって異なるため、顧客の要望を十分に聞き取り、顧客のニーズに合った提案を行うことが不動産の魅力につながる。

「個人仲介」と「法人仲介」のちがい

仲介業務には「個人仲介」と「法人仲介」がありますが、各々仕事の質が異なります。一戸建てやマンションの一室、土地など、住まいの不動産を扱う「個人仲介」では、顧客が住んで快適かどうかに判断基準が置かれます。そのため、気に入る気に入らないといった顧客の感情を理解することが重要です。不動産は気に入っても、売主と馬が合わないので購入に至らない、という話もよくあります。顧客と売主の間に入り、うまくコミュニケーショ

仲介業務におけるちがい

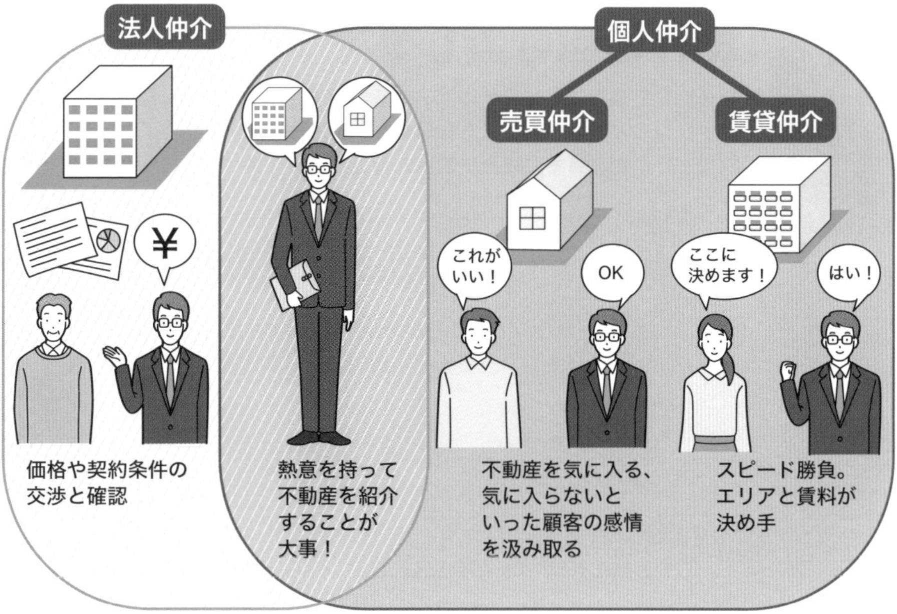

ンを取ることも重要な仕事のひとつです。

一方で、ビルやオフィス、マンションやアパート一棟、その他特殊な不動産を扱う「法人仲介」は、企業を相手にするので、価格などの数字や契約条件の交渉と確認、不動産調査にかける時間が長くなります。そのため、数字に強く、交渉などを粘り強く行う必要があります。

「売買仲介」と「賃貸仲介」のちがい

売買不動産を扱う「売買仲介」、賃貸不動産を扱う「賃貸仲介」によっても仕事にちがいがあります。賃貸仲介のほうが金額が低く、顧客が決断しやすいため、不動産を案内してすぐ契約につながることがあり、スピード感や即応力が求められます。売買では、金額が大きいので案内してすぐ契約ということは少なく、数ヵ月先に契約ということもあります。そのため、何かあったらすぐに動くスピード感は必要ですが、顧客との交渉や話し合いを継続し、フォローしていく能力が求められます。

媒介の７つの業務

Chapter4
06

売主の探索から物件の引き渡しまで

売買仲介の業務は大きく分けて７つあります。その中でも、商品である不動産が少ないと業務が成り立たないので、不動産の売主を探すことがとても重要です。また、買主の視点に立った資金計画も契約への鍵になります。

売買仲介の具体的な業務の流れ

売買仲介における具体的業務は、①売主の探索、②売主からの売却依頼、③広告活動、④案内活動（買主の探索）、⑤売買契約、⑥住宅ローン手続き、⑦引き渡し、の７段階に分けられます。

①売主の探索では、ネットやチラシで不動産を売りたい人を探します。「まずは相談から」という売主の問い合わせを受け、業務が始まります。

②売主からの売却依頼は、問い合わせや相談を受けた後、不動産の調査を行い、不動産がいくらになるのか査定し、その金額で売主が納得した場合に受けます。

③広告活動では、ネットやチラシに広告を掲載し、買主を見つけます。買主の大半はネットを見て問い合わせてきます。

④案内活動では、広告を見て問い合わせしてきた人を不動産の現地に連れて行って案内します。商品や取引の流れの知識がないと説明できないので、事前に該当する不動産の学習をして、現地で滞りのないように準備します。

⑤売買契約は、買主が購入を決めた場合に締結します。案内後すぐに契約することは少なく、売買価格の値引きや契約条件などの交渉があるのが一般的で、案内から１週間後ぐらいを目途に売買契約を結びます。売買契約前には重要事項説明書を書面で説明し、買主に交付します。

⑥住宅ローン手続きでは、買主が住宅ローンを利用する場合に手続きを代行します。

⑦引き渡しは、売買代金を受領した後に**所有権移転登記**を行い、鍵とともに不動産を引き渡すことです。

所有権移転登記
不動産の所有権を売主から買主に移転させるときに行う登記。申請には、売主と買主の連名の登記申請書を提出する。また、登記には、登録免許税がかかる。

売買仲介業務の流れ

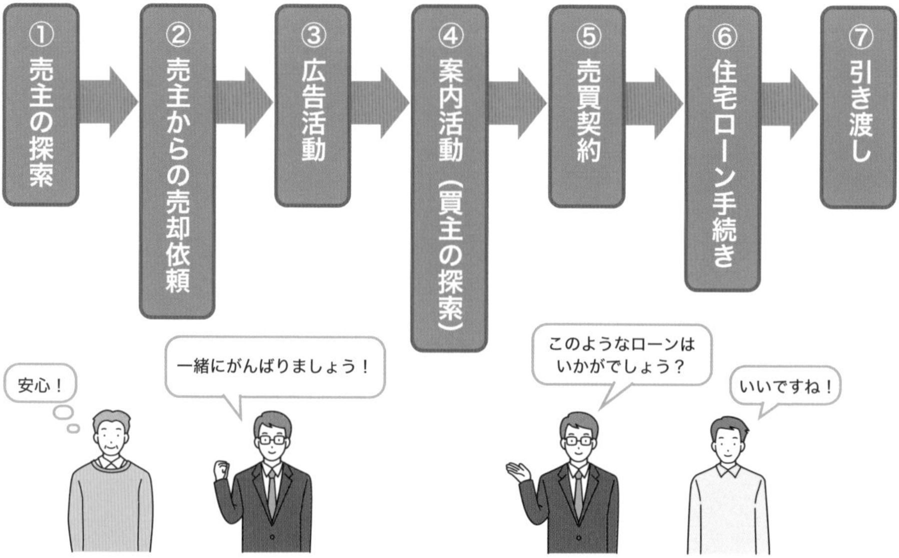

売主側の仲介業務では
売主から信頼してもらう
ことが重要

買主側の仲介業務では
豊富な不動産情報と
有利な資金計画の提供
が重要

売主と買主、それぞれの視点に立つことが重要

売買仲介の仕事で重要なことは、売主からの信頼を得ることと、買主に豊富な不動産情報を提供すること、買主にとって有利な資金計画を立てることです。

売主にとって不動産は大切な財産なので、不動産を売ろうと思ったときは、当然信頼できる不動産会社を選びます。そのため、認知度が高い大手不動産会社ほどチラシなどの反響による問い合わせが多く、認知度が低い中小不動産会社はまったく問い合わせがないこともあります。仲介は商品である不動産がないと仕事にならないので、売主の探索が最も重要で、会社の認知度を補えるような信頼、サービスが必要となります。

一方で、買主は欲しいと思う不動産の情報や、自分が有利となる安い金利の住宅ローン、資金計画を提供してくれる不動産会社を選びます。これらは売主が認知度の高い不動産会社を選ぶ傾向と異なり、個人の努力次第で他社より優位に立つことができます。

媒介業務に必須の情報流通

Chapter4
07

売買仲介業務を支える ネットワークシステム「レインズ」

レインズは、不動産会社が媒介契約を交わす際に情報登録を義務付けられている不動産会社専用の物件情報交換ネットワークシステムです。全国の不動産情報を知ることができる、仲介業務を支えるサイトといえます。

不動産会社が活用しているレインズとは？

仲介業務を支えているものの一つに、インターネットによる不動産情報流通があります。その中で不動産会社が最も活用しているのがレインズです。

レインズとは、Real Estate Information Network Systemの略（REINS＝レインズ）で、会員である不動産会社のための不動産物件情報交換ネットワークシステムです。不動産会社専用の不動産物件情報サイトで、消費者は見ることができません。レインズは「不動産情報の標準化・共有化」を目的に1990年につくられたネットワークシステムで、国土交通大臣の指定を受けた「指定流通機構」である全国４つの公益法人（(公財）東日本不動産流通機構、（公社）中部圏不動産流通機構、（公社）近畿圏不動産流通機構、（公社）西日本不動産流通機構）によって運営されています。

専属専任媒介
売却依頼者はひとつの不動産会社としか契約できず、依頼者自身が買主を見つけて売却する場合も不動産会社を仲介人とする必要がある。

専任媒介
売却依頼者はひとつの不動産会社としか契約できないが、依頼者自身が買主を見つけて売却する場合は不動産会社を仲介人とする必要がない。

一般媒介
売却依頼者は複数の不動産会社と同時に契約でき、依頼者自身が買主を見つけて売却する場合も不動産会社を仲介人とする必要がない。

専属専任媒介、**専任媒介**、**一般媒介**という３つの媒介契約のうち、専属専任媒介、専任媒介で売却依頼を受けた不動産についてはレインズに必ず情報登録をすることになっています。また、一般媒介の場合も任意で登録ができます。そのため、レインズには数多くの不動産情報が集まります。

全国の不動産情報が集まる情報の源泉

このレインズがあることで、PCが１台あれば、全国津々浦々で売却されている不動産情報を知ることができるだけではなく、成約事例（どの不動産がいくらで売れたのか記載されている）も見られるので、相場を知ることができ、査定などに活用できます。まさに不動産会社の情報の源泉といえます。

指定流通機構（レインズ）のしくみ

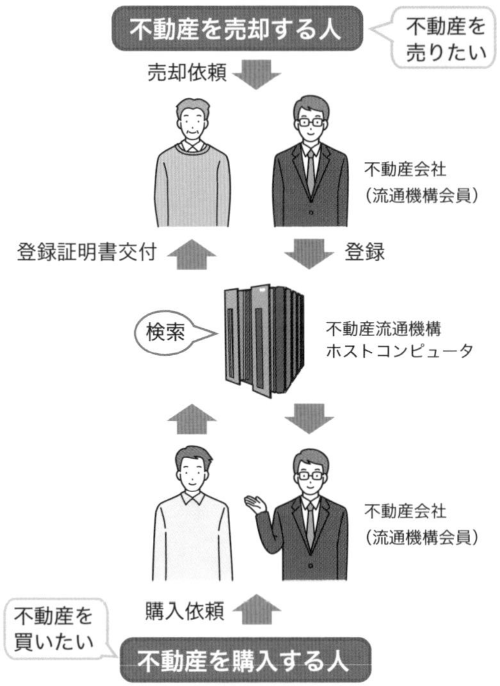

指定流通機構の4法人

土地総合情報システムのホームページ

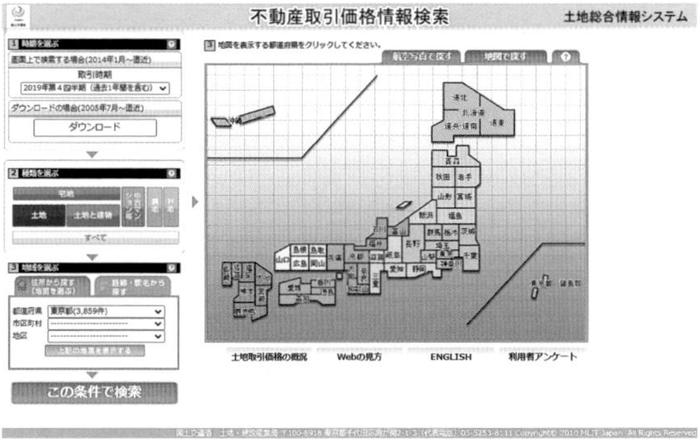

出典：国土交通省 土地・建設産業局

また、不動産の相場を調べるサイトには、レインズ以外に土地総合情報システムもあります。土地総合情報システムは国土交通省が運営していて、不動産の取引価格や地価公示・都道府県地価が閲覧できるサイトです。こちらは消費者も利用できます。

Chapter4
08

高度化する仲介業務

中古住宅の状態や性能を明確にし取引が活性化する時代へ

日本では新築住宅の取引割合が多いのが現状で、中古住宅の取引を活性化させようと国や地方が市場の整備に乗り出しています。その一環として、既存建物状況調査を行い、中古住宅の性能を確認して取引するしくみがあります。

複雑化する中古住宅に関する業務

仲介業務では中古住宅（既存住宅ともいう）も扱いますが、中古住宅の性能などを明らかにするしくみの改変が年々行われており、不動産会社にとっては業務が増え、高度化してきています。

その中で代表的なのが既存建物状況調査です。既存建物状況調査とは、国土交通省の定める講習を修了した建築士が、建物の基礎、外壁など建物の構造耐力上主要な部分や、雨水の浸入を防止する部分に生じているひび割れ、雨漏りなどの劣化・不具合の状況を把握するための調査のことです。簡単にいうと、中古住宅の現在の状況がわかる健康診断のようなものです。

中古住宅の流通を活性化したい理由

この調査は手配や調査自体に時間や手間がかかります。また調査結果の解釈や対応でも時間や費用がかかることから、仲介業務がより複雑になります。それでも調査を行う背景には、日本は既存住宅の流通割合が少ないため、流通をより活性化させようと、国や地方が積極的に施策を行っている現状があります。

データを見てみると、2013年時点で日本の既存住宅流通数の全体に占める割合は14.7％であり、米国の83.1％、英国の87.0％、フランスの68.4％と比べてかなり低い数字となっています。この背景には、日本特有の新築住宅が好まれる市場や、海外の地震が少なくて湿気が低いために傷みにくい中古住宅とのちがいがあります。ただ、それらを考慮しても大きな差があり、中古住宅の状態や性能が消費者にとってわかりづらいことが最大の要因と考えられています。その結果、既存建物状況調査のしくみが導入されました。

スクラップアンドビルド
老朽化したり物理的・機能的に古くなったりした建物や設備を廃棄し、最新のものに置き換えること。「S&B」と呼ぶこともある。

国が公表している既存住宅流通シェアの国際比較

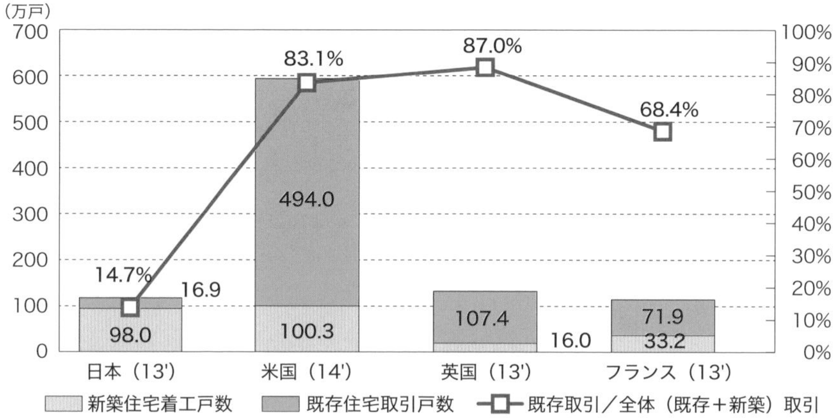

※国土交通省「既存住宅流通を取り巻く状況と活性化に向けた取り組み」を基に作成

既存建物状況調査の様子

【木造戸建て住宅の場合】　【共同住宅の場合】　【検査機器(例)】

「土台・床組、基礎」調査の様子

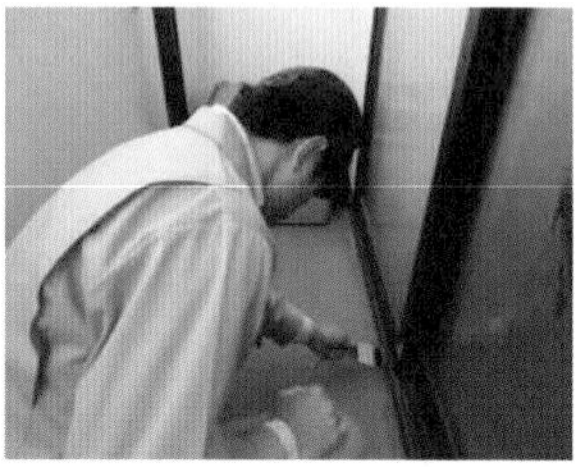
「外部(バルコニー)」調査の様子

「基礎配筋」の調査機器

「小屋組・梁」調査の様子

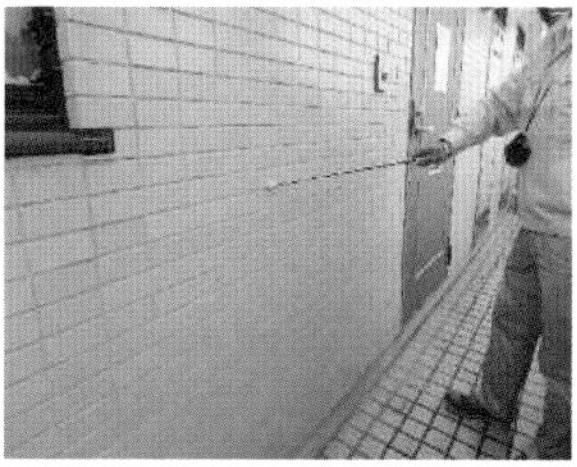
「外部(外壁)」調査の様子

「床の傾きを計測する」調査機器

※建物状況調査は、国土交通省の定める基準に従い、原則として目視・非破壊検査を行う
出典:国土交通省土地・建設産業局不動産業課

また、**スクラップアンドビルド**によるCO_2排出量を抑制する意味でも、既存住宅流通を活性化させたい意向があります。この傾向は今後も続くと思われるので、この流れにどう乗っていくかが今後の流通事業の要点になるでしょう。

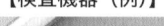

Chapter4
09

品質の説明責任が明確化された契約不適合責任

不動産に問題があった場合の売主の責任が、瑕疵担保責任から契約不適合責任へと変わりました。仲介業務も不動産の品質をより明らかにする調査を行い、買主へ説明しないと損害賠償や契約解除を請求される可能性があります。

瑕疵担保責任と契約不適合責任の違い

2020（令和２）年４月の民法改正により、不動産売却における売主の責任が瑕疵《かし》担保責任から契約不適合責任へと変わりました。

瑕疵担保責任とは、不動産を購入した時点で明らかになっていない「隠れた瑕疵（きずや不具合、欠陥）」に対して、売主が負う補修や損害賠償などの責任のことです。一方、契約不適合責任とは、不動産が「種類、**品質**または数量に関して契約内容に適合しないものであるとき」に発生する責任のことです。「契約内容に適合しないもの」も瑕疵と同様、売主が責任を負わなければなりません。そのため、この２つの責任は一見変わりないように見えますが、実はそうではなく、法律では売主の責任がより広く重くなったといえるのです。

不動産における品質
主に建物の断熱性や耐震性、設備、土地の地盤など、不動産を安心して利用できる性能のことを指す。

ポイントは「契約内容に適合しないもの」という箇所です。売買契約書などに明記した内容と異なる品質の場合、瑕疵でなくても買主は売主の責任を問うことができ、補修や損害賠償、契約解除を請求できるようになりました。「隠れた瑕疵」に限定されていた**瑕疵担保責任**とは異なり、責任を問える範囲が広がったのです。

瑕疵担保責任との法的な違い
瑕疵担保責任は物件限定の責任であり、売主自体の不法行為ではないとされているが、契約不適合責任は「契約内容と異なる不動産を引き渡した」ということで売主の不法行為も含まれる。

仲介業務における契約不適合責任への対応

仲介業務での契約不適合責任は、売買契約書などの書類に不動産の品質などを明記し、価格面も含めて買主の合意を得ることが不可欠となりました。そのため、①不動産を調査し状況を確認。瑕疵があるなら「どこに、どの範囲で、どのような状況なのか」を明記する、②わかりやすく具体的に書類に明記する、③売買契約書の内容を履行する、という３点が重要といえます。契約書などの書類の記載内容が肝要となってくるのです。

契約不適合責任の事例

ケース1

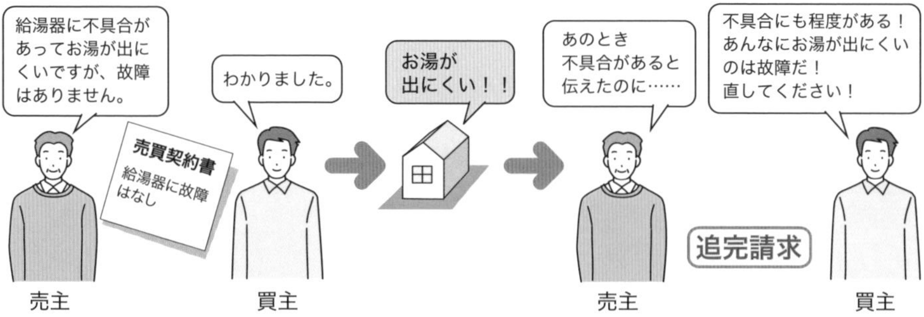
給湯器に不具合があってお湯が出にくいですが、故障はありません。
売買契約書
給湯器に故障はなし
わかりました。
お湯が出にくい！！
あのとき不具合があると伝えたのに……
不具合にも程度がある！あんなにお湯が出にくいのは故障だ！直してください！
追完請求
売主
買主
売主
買主

ケース2

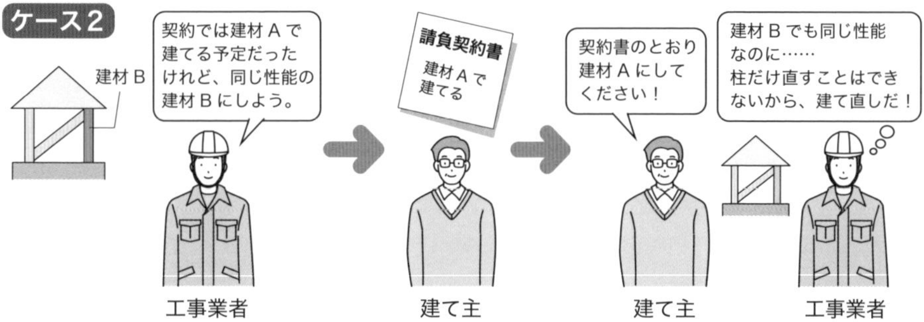
建材Ｂ
契約では建材Ａで建てる予定だったけれど、同じ性能の建材Ｂにしよう。
請負契約書
建材Ａで建てる
契約書のとおり建材Ａにしてください！
建材Ｂでも同じ性能なのに……柱だけ直すことはできないから、建て直しだ！
工事業者
建て主
建て主
工事業者

今後どうすればよいか？

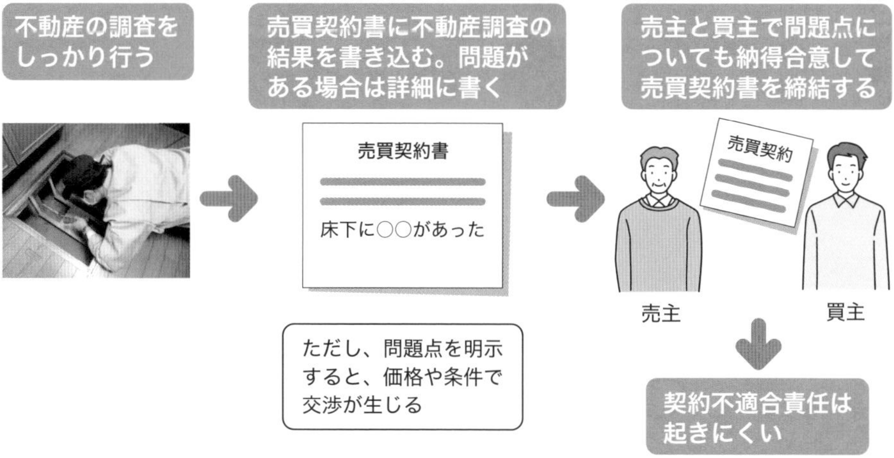
不動産の調査をしっかり行う
売買契約書に不動産調査の結果を書き込む。問題がある場合は詳細に書く
売主と買主で問題点についても納得合意して売買契約書を締結する
売買契約書
床下に○○があった
ただし、問題点を明示すると、価格や条件で交渉が生じる
売買契約
売主
買主
契約不適合責任は起きにくい

Chapter4
10

リノベーション事業の業務とは

利益が大きい分、リスクも高い リノベーション事業の業務

リノベーション事業は、「不動産をリノベーションして商品にすること」に特化した事業で、その業務は多分野にわたります。流通業務のしくみをよく理解することが必須で、決断力や計算力、感性が求められます。

リノベーション事業の業務の流れ

リノベーション事業の業務とは、売主から不動産を購入し、リノベーションした上で買主に売却する業務です。不動産を再生する事業とも考えられ、注目を浴びています。

リノベーション事業を行う不動産会社は「不動産をリノベーションして商品にすること」に特化していて、不動産の売主との交渉や取得、買主への案内や交渉、契約については、別の不動産会社に依頼しています。マンションのリノベーションを手掛けている会社が多く、戸建ては構造を補強したりするために**専門的な知識や費用**が必要なので、マンションに比べて手掛ける会社が少ないのが現状です。

専門的な知識や費用
リノベーションを行う前に建物状況調査により、建物の構造、ひび割れや雨漏りなどの欠陥などを調べ、物件価格とリノベーション費用の概算を出す必要がある。

具体的な業務内容は、まず不動産の売主を探すところから始まり、価格交渉や不動産の見極めなどを行い、購入後は工事業者に依頼してリノベーション工事を行います。そして広告活動を通して買主を募り、物件案内をして、売買契約を締結し、ローンなどさまざまな手続きを行い、引き渡しまでを行います。

リノベーション事業の業務は流通業務に近い活動です。業務は別の不動産会社の協力を得て行いますが、流通業務のしくみや不動産の見極めについての知識は必須といえます。リノベーション用の不動産を買うときは、売却依頼を受けている不動産会社を通じて、売主と交渉します。購入価格は、リノベーションや売却にかかる費用を考えると、市場価格の６～７割で買う必要があります。そのため、たとえば長期間売れていない不動産で、低価格でも売主が納得しやすい状況なのかどうかなど、売主と不動産の状況を把握しないといけません。

リノベーションとは

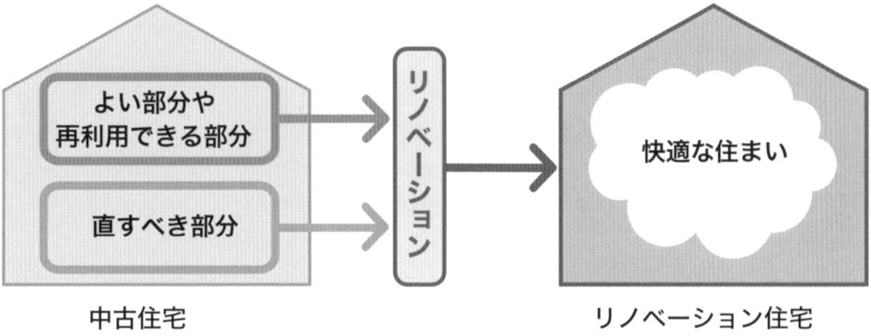

※一般社団法人リノベーション協議会のWebサイトを基に作成

リノベーション住宅の例

リノベーション工事前

昭和46年分譲のマンション。洗面器が付いた在来浴室は、年代を感じる。全体的に薄暗い印象の47㎡の空間。

リノベーション工事後

暮らし方を探りながら、この物件の魅力である眺望を活かしたプランへと再編。

画像提供：株式会社リビタ

利益は大きいがリスクも高いリノベーション事業

リノベーション用の不動産を購入するためには多額の融資を受けざるを得ず、利益は大きいものの、リスクも高いといえます。

この業務では、建物に問題が生じないように構造や設備に関する知識を持ち、内装や相場に関する知識を持っていることは必須です。そして、知識やスキルよりもさらに大事なのが、不動産の購入を決める決断力、リスクを含めて利益を考える冷静な計算力、消費者に買いたいと思わせる商品をつくる感性です。

Chapter4
11

リノベーション事業の具体的な業務

リノベーション前の不動産の見極めが重要な業務

リノベーション業務では、商品内容がよく、利益が出せる価格で購入できる不動産情報を持つ不動産会社への営業が重要です。また、リノベーション工事は年々費用が高くなり、スケジュール調整能力も求められます。

リノベーション業務の具体的な流れ

リノベーション事業における具体的な業務の流れについて説明します。仕事は①売主の探索、②購入の売買契約、③リノベーション工事、④広告・案内活動（買主の探索）、⑤売却の売買契約、⑥引き渡し、の大きく６段階に分けられます。

①売主の探索は、不動産会社や金融機関などに営業をして、購入できる不動産を紹介してもらうことです。事業計画を立て、紹介してもらった不動産で採算が合うか確認したら、室内を見て問題がないことを確認します。

②購入の売買契約では、原則として、不動産に問題があったとしてもプロである買主のリノベーション業者の責任とし、**売主の責任を問わない契約**となります。

③リノベーション工事は、リフォーム会社や工事業者に工事をしてもらいます。築年数が古いと、構造などを残して設備を含めたすべてを取り換える**スケルトン工事**になるので、多額の費用がかかります。工期は簡単な工事で１ヵ月弱、大規模工事だと２～３ヵ月かかることもあります。マンションの場合は管理組合に工事の許可を取る必要があるので、その分の期間を見込みます。

④広告・案内活動（買主の探索）は、不動産会社を通じて行います。不動産の現地に**キーボックス**を設置したり、問い合わせ対応を自動音声やネット予約にしたりと自動化が進んでいます。

⑤売却の売買契約は、別の不動産会社の仲介で行います。売主としての契約なので、後でトラブルにならないように詳しい商品説明をします。設備などは故障の保証を付けます。

⑥引き渡しは、売買代金を受領した後に所有権移転登記を行い、鍵とともに不動産を引き渡すことです。

売主の責任を問わない契約
リノベーション業者が購入する場合は、プロとして不動産の調査ができているものとして、建物の構造的な欠陥、腐蝕、ひび割れ、雨漏りなどが発見されても、売主の責任は問わない契約となる。

スケルトン工事
間取りの変更や設備の取り替えなど、建物の基礎や構造以外の内装をすべて取り換える工事のこと。

キーボックス
暗証番号を押して建物に入れるようにした施錠のこと。鍵の受け渡しが不要で、物件管理がスムーズになる。

リノベーション業務の流れ

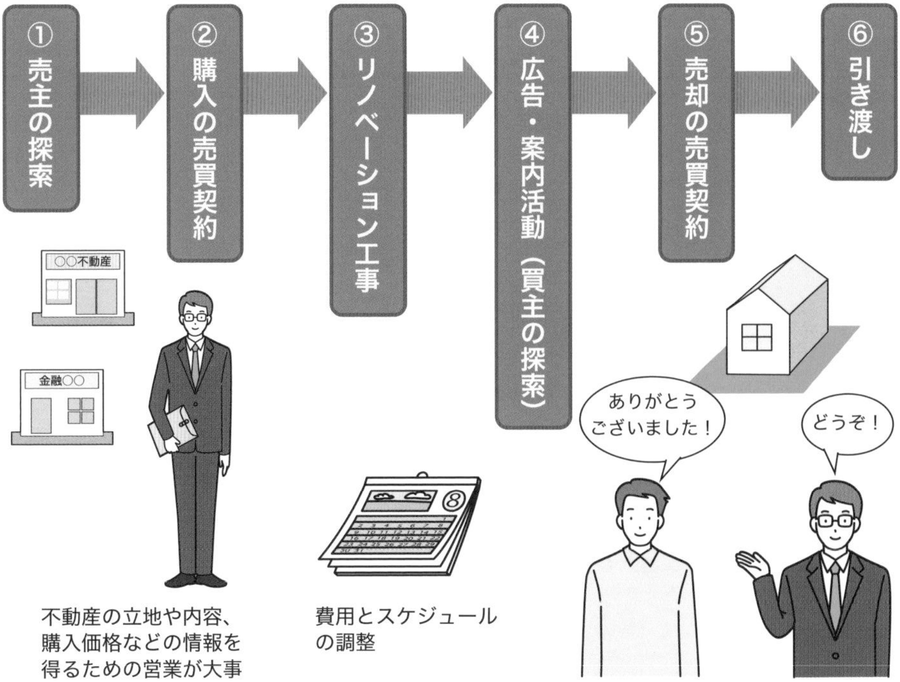

購入する不動産の見極めが鍵

重要なのは、購入しようとしている不動産を、リノベーション工事後に顧客が欲しいと思う商品にできるかどうかの判断です。資金が潤沢にあるなら別ですが、多くの会社はそうでないため、購入した不動産が売れないと次の不動産が買えなくなります。そのため、不動産の立地や商品内容、購入価格などが大事で、その情報を得るためには情報を多く持っている不動産会社や金融機関への営業が欠かせません。

また、すべての活動において別の不動産会社に依頼することも多いので、流通に関する一定の知識は必要で、こちらの意図どおりに動いてもらえるように意思疎通を図ることも重要です。さらに、近年はリノベーション工事の業者（大工）が不足しているため、工事費用は年々上昇しており、費用とスケジュールの調整能力も求められます。

Chapter4
12

リノベーション事業の活性化策

「安心R住宅」制度で中古住宅のマイナスイメージを払拭

「安心R住宅」は既存住宅流通の活性化のために創設された制度です。3つの要件を満たし、許可を得た不動産は「安心R住宅」という標章を広告などで使用することができます。

「安心R住宅」で既存住宅流通の活性化を図る

リノベーション事業では「安心R住宅」が注目されています。

国や地方自治体は既存住宅流通の活性化に向けてさまざまな施策を行っており、その一環で、国土交通省は2017年12月に安心R住宅という制度を創設しました。

既存住宅の流通促進に向けて、「不安」「汚い」「わからない」といった従来の「中古住宅」のマイナスイメージを払拭し、「住みたい」「買いたい」既存住宅を選択できる環境の整備を図るのが、この制度の目的です。

中古住宅のイメージを刷新する「安心R住宅」

リノベーション事業者も「中古住宅」のマイナスイメージを払拭することは利益につながるため、この制度を積極的に活用したいと考えています。安心R住宅の具体的な内容は次のとおりです。

①耐震性などの基礎的な品質を備えている

②リフォームを実施済み、またはリフォーム提案が付いている

③点検記録などの保管状況について情報提供が行われている

建物状況調査などで①を確認し、リノベーション工事で②を、その記録や保証を行うことで③を担保します。なお、②は必ずしもリノベーション工事をしていなければならないわけではなく、リフォームのイメージ図などでも対応できるようになっています。

この3つの要件をクリアした不動産のみ、**特定の不動産団体**に審査を要請し、許可を得た場合に安心R住宅という標章を広告などに利用してもよいことになっています。まだ消費者の認知度は低いですが、既存住宅の活性化に一石を投じたこの制度は注目に値します。

特定の不動産団体
「安心R住宅」の標章使用を許諾し、事業者の指導や監督を行う団体。住宅リフォーム工事の実施判断の基準や、事業者が標章使用の際に守るべきルールを決定する。(一社）日本住宅リフォーム産業協会（JERCO）などがある。

安心R住宅とは

安心R住宅

安心R住宅

「不安」「汚い」「わからない」といった従来の「中古住宅」のマイナスイメージを払拭するため、耐震性があり、建物状況調査などが行われた住宅で、リフォームなどについての情報提供が行われる既存住宅に対し、国が商標登録したロゴマークを事業者が広告時に使用することを認める「安心R住宅」制度を創設。
【2018（平成30）年4月1日標章使用開始】

安心R住宅の登録の意味

従来のいわゆる「中古住宅」

・品質が不安、不具合があるかも
・古い、汚い
・選ぶための情報が少ない、わからない

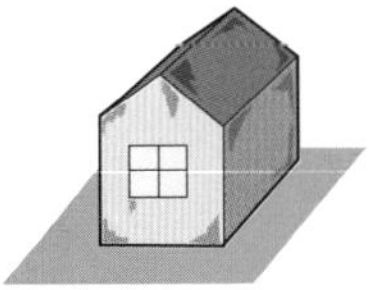

→

「安心R住宅」〜住みたい、買いたい既存住宅

安心R住宅

耐震性あり	建物状況調査済
現況の写真あり	リフォームなどの情報あり

安心R住宅を使うまで

国
標章・要件の設定

→ 団体を審査・登録、標章の使用を許諾 →

事業者団体（一般社団法人など）

団体事務局
・住宅リフォーム工事の実施判断の基準
・事業者が遵守すべき事項

→ 標章の使用を許諾／指導・監督 →

事業者
（売主／仲介）

↓ 広告時に標章を使用　安心R住宅　一般社団法人○○協会

住宅購入者

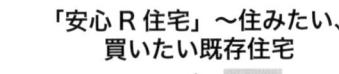

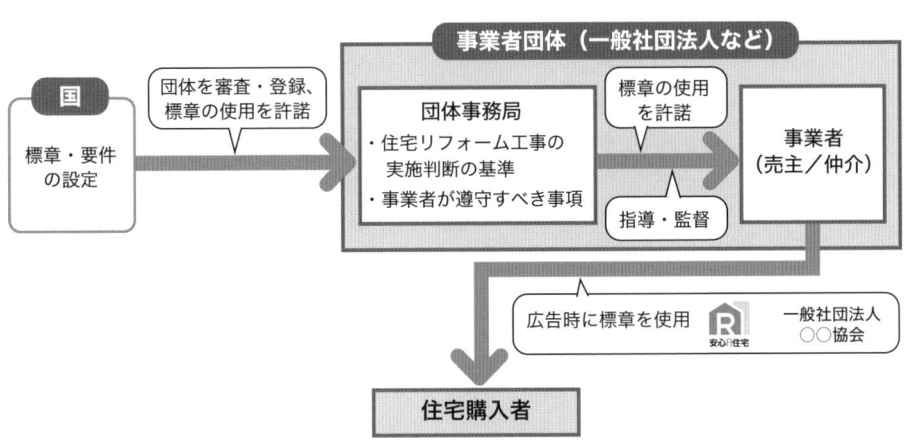

Chapter4
13

付加価値・周辺サービスの拡充・業務シェアがポイント

流通事業では、人口減少による市場の縮小や成熟化、高齢者市場の到来と働き手の減少という背景から、今後はさらにサービスの充実を図り、周辺業務にも手を広げ、さまざまな業務をシェアする流れが見られます。

事業を継続するための３つの方向性

流通事業の今後の展望はどのようなものになるでしょうか。2022年現在で見えているのは、次の３つの方向性です。

①サービスを充実して付加価値を高めていく

②顧客の窓口として流通事業の周辺業務もすべて行う

③さまざまな業務をシェアしていく

流通におけるサービスを充実して取引の付加価値を高めていく流れは、流通事業の王道ともいえます。過去には**仲介手数料などの割引サービス**がありましたが、それは取引の質を高めることはありませんでした。その後、既存建物状況調査（**4-08**参照）が導入された過程や消費者意識の変化により、不動産会社では、取引の安全性の調査や、不動産に瑕疵があった場合の保証、**住宅履歴情報**の提示など、取引の質を追求するさまざまなサービスが始められました。今後は人口減少に伴って流通市場は縮小するという予測もあるため、まだ市場が拡大している今のうちに各社で競争力を高める動きが強まるものと思われます。

顧客の窓口として流通業務以外の周辺業務も行う流れは各社とも力を入れています。中でも代表的なのが相続業務です。第１章でも紹介しましたが、日本人の資産の約６割は不動産です。相続業務を手掛ければ、相続された不動産の売買や賃貸、不動産活用の仕事につながる可能性があります。そのため、相続に関係する士業と連携し、相続関連の知識を深めることで、顧客から相談が寄せられるようにしているのです。

流通事業では、さまざまな業務をシェアしていく流れがあります。もともと不動産業は、他の事業や会社と業務をシェアしやすい構造がありました。たとえば仲介業務では、不動産の売主側と、

仲介手数料などの割引サービス
仲介手数料を割引もしくはもらわないことで売主・買主の売買に伴う経費を安くするサービスのこと。ただし、その分活動費を安くしなければならないので、広告活動やアフターフォローをしないといったことがある。

住宅履歴情報
住宅の維持管理・活用をしやすくするのに必要な設計や施工、リフォーム、権利に関係する情報のこと。近年この情報の有無が注視されている。

中古住宅購入時に求めるサービス

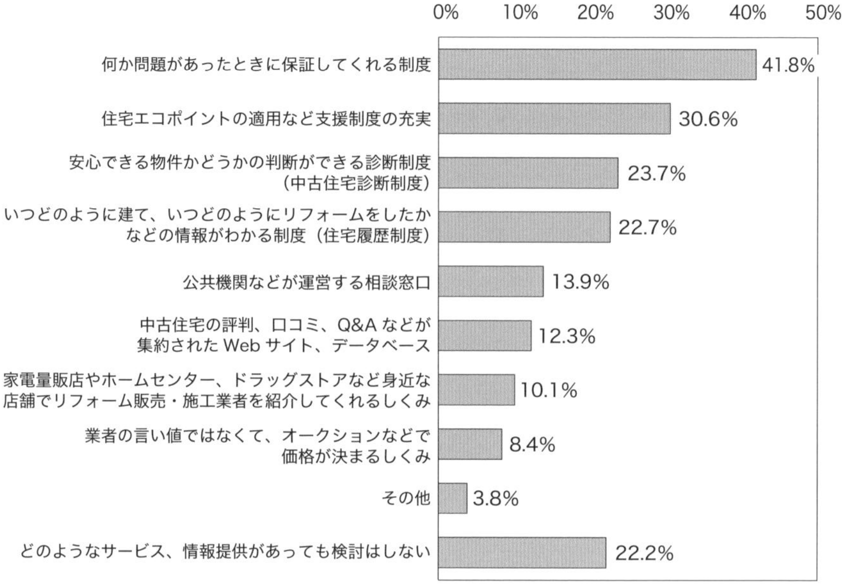

※外部モニターに対するインターネット調査。(2010年10月実施)
※この調査は、中古住宅・リフォームトータルプラン検討会のために日経BP社において行ったもの（補助事業により公募・実施）
出典：国土交通省 中古住宅・リフォームトータルプラン参考資料（データ、制度概要等）

買主側の顧客情報のシェアは日常よく行われています。そして、ここ数年は特定分野の質を上げてコストを下げるためのシェアがよく見られるようになりました。たとえばリノベーション工事のシェアです。需要の高まりに対して大工の数は十分でないため、工事対応が遅くなり、費用が高くなりがちです。そこで、他社と提携したり、自社のフランチャイズ事業者とリノベーション工事をシェアしたりすることで、仕事の数を確保して大工を囲い込み、コストダウンを図っています。

流れに乗り、柔軟に対応できる人材が必要

3つの方向性を見てきましたが、これらはすべて、人口減少による市場の縮小や成熟化、高齢者市場の到来と働き手の減少など、共通の要因があります。この流れは今後さらに強まることが考えられます。流通事業を発展させるためには、この3つの方向性に柔軟に対応できる人材が必要です。

COLUMN 4

流通事業に必要な行動経済学と心理学

人はいつも合理的な判断をするのか？

営業を担当するなら、何が人の購買行動に影響するかを知ることが大切です。人は必ずしも合理的な判断をするとはかぎりません。消費者の心理状態が消費行動に与える影響について研究するのが行動経済学。2002年にノーベル経済学賞を受賞した米プリンストン大学のダニエル・カーネマン教授らの研究が有名です。研究からわかっている基本的な事象を紹介しましょう。

• アンカリング効果

最初に印象的な数字や情報を見せ、それを基準として意思決定に影響を与えること。たとえば「通常価格から50％割引」と言われるとつい買いたくなる現象が該当する。

• プロスペクト理論（損失回避性）

数量限定、期間限定で販売される商品には、「今買わないと損する」と思わせる効果がある。

• サンクコスト（埋没コスト）

すでに投資してしまったコストや時間を無駄にしたくないと思う気持ちで、たとえば入場料を払ったものの映画が面白くなかったとき、途中で帰るのはもったいないので最後まで見る行為が該当する。

• おとり効果

わざと見劣りする商品や価格の高いものを比較対象として見せることで、ターゲットの商品を魅力的に見せる効果のこと。松竹梅の3ランクあると竹を選ぶ人が多くなる傾向がみられる。

不動産業界でも使われていたおとり効果

現在のように、ネットで顧客自ら物件情報を検索できるようになる以前の不動産業界では、顧客に物件の紹介をする際、あえて最初に古くて暗いお得感もない物件を見せてから別の物件を紹介すると、後から見たほうが魅力的に見えて、決断を促しやすくなることが知られていました。行動経済学でいう「おとり効果」です。

顧客の決断に影響を与える行動経済学と顧客の心の動きを知る心理学は勉強しておいて損はないでしょう。

第5章

賃貸管理に関連する事業と業務

街で見かける不動産会社の多くが行っている賃貸管理事業。不動産の情報が集まったポータルサイトの重要性が増しているなか、IT化がどのように影響しているかを含めて押さえておきましょう。

Chapter5
01

不動産業の基幹事業、賃貸業務と管理業務

賃貸管理事業は不動産会社の全事業所のうち7割強を占めており、街で見かける不動産会社の多くはこの賃貸管理事業を行っています。不動産という社会インフラを支える基幹事業ともいえます。

賃貸業務と管理業務の密接な関係

賃貸管理事業には賃貸と管理の2つの業務があります。不動産会社が賃貸借の当事者なら大家業、当事者ではなく賃貸・管理を業として営むなら賃貸管理業となります。

賃貸と管理はコインの表と裏のような関係で、相互に強い結び付きがあります。賃貸物件に空室があると賃料が入らないので、管理手数料も入ってきません。そこで、空室を埋めるために賃貸業務を行います。その結果、賃借人が入り、今度は管理手数料が入るようになります。このように賃貸と管理は循環している関係にあるため、賃貸事業は本来、流通事業ともいえますが、管理との連動性から、本書では賃貸管理事業の一分野として扱います。

大家業
入居者の募集から退去に至るまでの入居者の管理、共有部の清掃や設備のメンテナンスなどの物件の管理、家賃の徴収や修繕費の積み立てなどの資金の管理が主な大家の業務。

街の不動産会社の7割は賃貸管理事業者

街でよく見かける不動産会社は、この賃貸管理事業を主に行っていることが多いです。2016（平成28）年の不動産業の総事業所数は323,958ですが、「不動産賃貸業」「貸家業、貸間業」「不動産管理業」を合わせた事業所数は230,240で、全体の71％にもなります。このデータによると不動産会社4社のうち3社が賃貸管理事業を行っているということになるので、賃貸管理は、不動産という社会インフラを支える基幹事業であるともいえます。

また、管理事業はトラブルなどがなければ毎月一定の手数料が入ってきます。そのため、管理戸数が多くなるほど経営も安定します。これが街の不動産会社が長く続いている理由でしょう。このように経営が安定しやすいことから、流通事業と比べて勤務時間が短く、ノルマが比較的厳しくない会社が多いため、管理事業を行う会社は女性が長く勤務する傾向がみられます。

賃貸管理事業の全体像

賃貸管理事業者の分類

① 賃貸管理事業
- 大家業（当事者）
- 賃貸管理業（第三者のため）

賃貸管理業の業務内容の分類

② 賃貸管理業
- 賃貸借業 →5-02
  - 賃貸借（媒介）→5-03
    - 元付 →5-02
    - 客付 →5-02
  - 転貸借（サブリース）→5-02
- 管理業 →5-04, 05

不動産業における事業所数と従業者数の構成

区分	事業所数	構成比（%）	従業者数（人）	構成比（%）
不動産業	323,958	100.0	1,178,108	100.0
建物売買業、土地売買業	16,585	5.1	112,659	9.6
不動産代理業・仲介業	46,691	14.4	209,001	17.7
賃貸管理事業	230,240	71.1	770,580	65.4
その他	30,442	9.4	85,868	7.3

※公益財団法人不動産流通推進センター「2022不動産業統計集（3月期改定）1 不動産業の概況―（3）⑤民営の一事業所あたり平均従業者数」を基に作成

賃貸事業と管理事業の関係

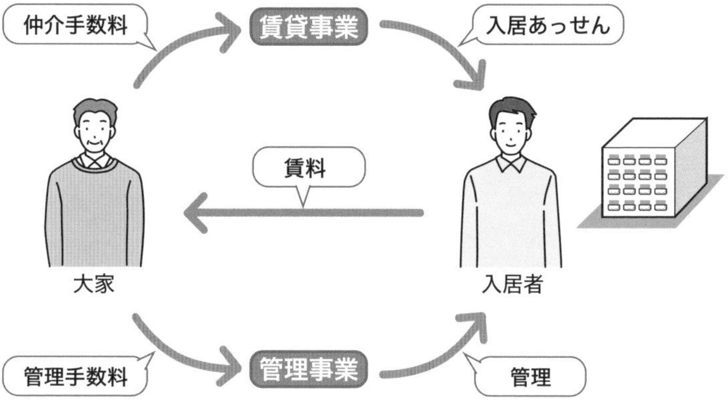

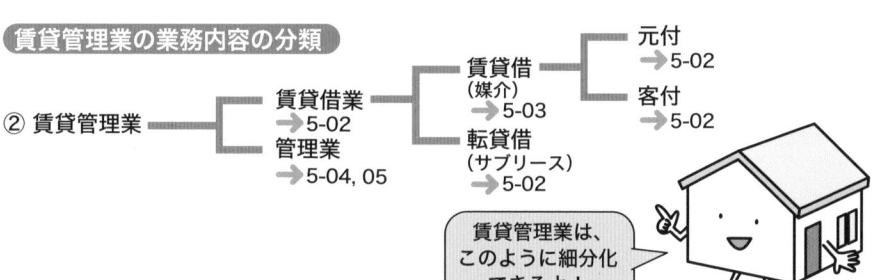

Chapter5
02

賃貸借（媒介）業務と転貸借（サブリース）業務

賃貸借業は賃貸借業務と転貸借業務（サブリース）の２つに分けられます。賃貸借業務と転貸借業務は、宅地建物取引業法の制約を受けるかどうか、高い営業力を要するかどうかで、それぞれメリット・デメリットがあります。

元付・客付に分かれる賃貸借業務

賃貸借業には、賃貸借（媒介）業務と転貸借（サブリース）業務の２つがあります。

賃貸借業務は、貸主から不動産の賃貸依頼（媒介業務）を受け、借主との間で賃貸借契約を締結させ、物件の引き渡し、契約期間中の管理、退去時の状況確認までをサポートする一連の活動です。

さらに、賃貸借事業者の中でも、貸主側の**元付**《もとづけ》、借主側の**客付**《きゃくづけ》に立場が分かれることがあります。その場合は元付が広告や借主の入居審査、貸主との調整、賃貸借契約などの手続き一切を行います。客付は広告活動を行うほか、不動産の案内をして、借主からの申し込み受付までを担います。新しくて人気のある不動産はすぐに入居が決まるため、客付の活動はあまり必要性がなく、元付は客付からの顧客紹介を断るケースもあります。逆に築年数が経過していて設備が古い不動産の場合は入居希望者が少ないので、借主を探してくれる客付の立場は強くなります。

賃貸借業務の報酬である**仲介手数料**の上限は、「依頼者から家賃の0.5ヵ月分＋消費税」ですが、依頼者の承諾がある場合に限り、「１ヵ月＋消費税」と宅建業法で定められています。

元付
不動産の賃貸借の仲介において、不動産の貸主から直接、賃貸依頼を受ける仲介業者のこと。

客付
不動産の賃貸借の仲介において、不動産の借主を見つける仲介業者のこと。

仲介手数料
不動産の賃貸借の取引の際、貸主と借主の間で条件の交渉や契約書類の作成などを行う仲介業者に支払う手数料のこと。契約が成立して初めて支払うことになる。

営業力が鍵となる転貸借（サブリース）業務

転貸借（サブリース）とは、いわゆる「又貸し」のことで、不動産取引では、不動産会社が部屋を借り上げて賃貸人として賃借人に部屋を貸すことを指します。部屋を借り上げるときには相場より安く借り受け、賃借人には相場の賃料で貸して、その差額で利益を生むしくみです。賃貸借業務は宅建業法の制約を受けますが、転貸借業務は貸主となり、当事者になるため、宅建業法の制

賃貸借業務の全体図

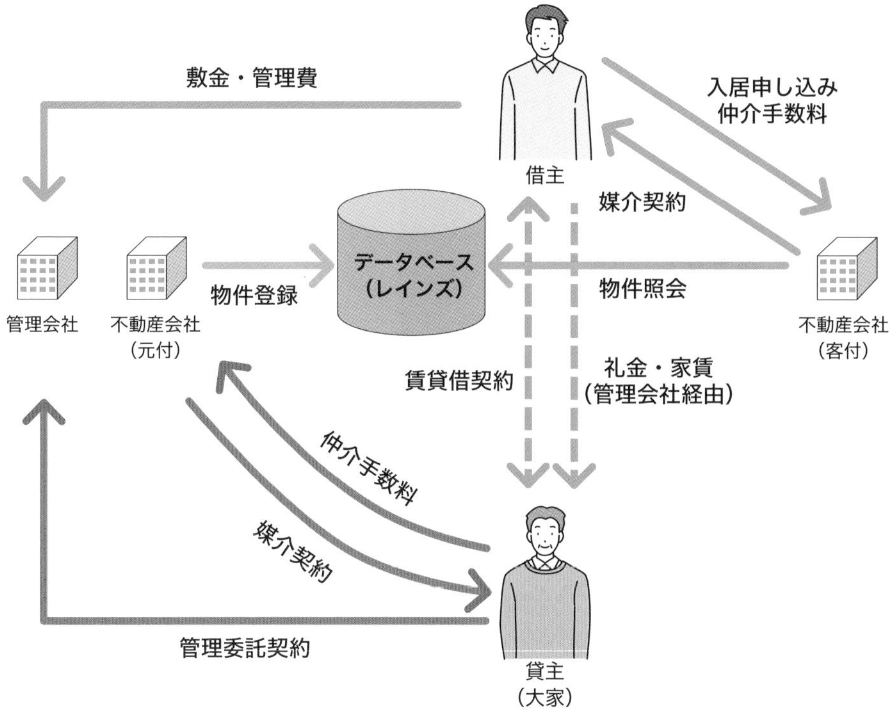

約はほぼ受けず、賃貸借業務のような報酬の制限はかかりません。ただ、借り上げた部屋が空室のままだと賃料がかかる一方になってしまいます。賃借人を見つけて契約する力が問われるので、営業力がない不動産会社では転貸借業務の採用は厳しく、一方で営業力のある会社では採用する傾向があります。

賃貸業務は不動産業務の基本

賃貸業務の報酬は高くても数十万円単位なので、数をこなす必要があり、多くの人手がいります。また、賃借人が店舗に来たりネットで問い合わせたりしてきた当日に部屋を案内することが多く、フットワークの軽さと即応力が求められます。ただ、他事業よりも必要な知識やスキルは多くないため、不動産業界に入って最初に行う業務としては最適といえます。

Chapter5
03

賃貸借の５つの業務

入居者募集から鍵の引き渡しまで

賃貸借（媒介）には大きく分けて５つの業務があります。そのすべてを１日で行うときもあり、スピード感が求められる業務といえます。いつ何をすればよいのかを熟知して、段取りよく業務に取り組むことが重要です。

賃貸借（媒介）の具体的な業務

賃貸借（媒介）業務の具体的な流れは、①入居者募集・受付、②物件紹介・案内、③入居申し込み・契約当事者の確認（入居審査の手続きや受付）、④重要事項説明・賃貸借契約締結、⑤鍵の引き渡し、となります。

①の入居者募集・受付は、賃貸条件を定めて入居者の募集受付をすることです。賃料などの賃貸条件が厳しいと反響が少なくなるので、このままでは入居者が集まらないと判断した場合は、すみやかに貸主に伝えて賃貸条件の変更を検討します。

②の物件紹介・案内は、広告や店頭で物件紹介を行い、希望者が現れたら部屋を見せる（内覧する）ことです。問い合わせから内覧までの日時を空けないことで成約率が高まるので、問い合わせがあればすぐに対応するのが原則です。インターネットでの問い合わせが多いのが特徴的です。

③の入居申し込み・契約当事者の確認（入居審査）は、入居希望の申し込みを受け付けた後、本人確認をして入居審査を行うことです。申し込みで賃料交渉がある場合は、すぐ貸主と対応を協議して返答します。また、部屋を犯罪に使われないために本人確認は年々重要となっています。入居希望者本人と会い、何の目的で借りるのかを確認していきます。

入居審査は本来大家が行うものですが、元付（→P.114）や管理会社が行うことが多いです。とても重要な業務で、借主が賃料を毎月支払い続けることができるか、入居後トラブルを起こさない人なのかを見ます。

④の重要事項説明・賃貸借契約締結は、宅地建物取引士（**8-04**参照）から借主に不動産の重要事項を説明し、書類の交付をして、

入居審査
借主が安心して貸すことができる人物か判断するため、家賃の支払い能力があるか、連帯保証人の保証意思はあるか、トラブルを起こす心配がないかなどの観点で審査が行われる。

内覧
賃貸物件を選ぶときに、実際に現地を訪れ、物件の外観や間取り、内装、設備などを見学すること。「内見」も同じ意味で使われる。

賃貸借業務の流れ

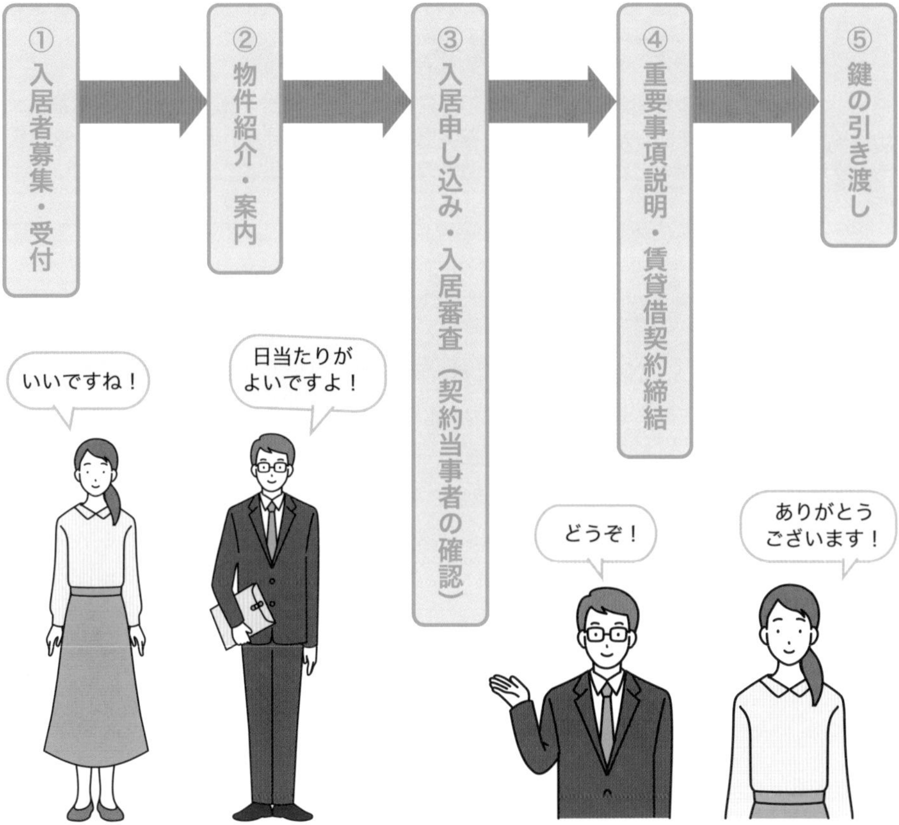

借主との間で賃貸借契約を結ぶことです。特に入居中や退去時のルールをしっかりと確認することが重要です。

⑤の鍵の引き渡しは、賃貸借契約が済んだ後、敷金などを受領したら借主に鍵を渡すことです。ハウスクリーニングなどがあればスケジュールを調整します。

スピードが求められる

この一連の業務は、1〜3月の繁忙期などでは1日で行うこともあり、スピード感が求められます。段取りよく1つひとつ終わらせるために、規模が大きい会社の場合は流れ作業で処理できるしくみが用意されています。

Chapter5 04

賃貸の管理業務とは

入居審査、維持管理、空室対策提案の3つで構成される業務

賃貸の管理業務には入居者の審査業務と維持管理業務、空室対策提案業務があります。本来は空室対策提案業務に時間をかけたいところですが、維持管理業務などにマンパワーが必要なのが現状で、効率化が課題となっています。

借主の対応の効率化が課題

賃貸の管理業務には、入居者の審査業務と維持管理業務、空室対策提案業務の3つがあります。

入居者の審査業務は、優良な入居者を確保することが目的です。審査は、①賃料を滞納する可能性、②トラブルを起こす可能性、の2つの可能性があるかどうかを判断するために行います。①と②両方の可能性があれば入居を断るのが望ましいですが、空室が続いている場合は安易に断れず、難しい判断を迫られます。貸主と常に相談しながら業務に取り組んでいくことになります。

維持管理業務は、建物の維持管理と借主の対応の2つの業務に分かれています。建物の維持管理は資産価値の管理でもあり、修繕が必要な箇所を見つけて建設会社に依頼して対応します。借主の対応では、退室や更新対応、賃料滞納、トラブル対応が主な業務です。特に退室対応は借主との間でトラブルになりやすく、国民生活センターには毎年約1万2,000件の相談があります。原状回復に高額な費用を請求されたという相談が多く、今後、原状回復の範囲や費用を明示することが検討されています。

賃料滞納の割合は、月初滞納率が4～5％台と借主20人に1人ぐらいの水準ですが、管理戸数が多いと毎月何人も滞納している計算となり、対応に追われます。滞納者への対応にはマンパワーをとられるため、本来行うべき業務ができないという声も多く、効率化が課題になっています。

空室対策の提案業務は、その他の管理業務に追われてなかなか手がつけられないのが現状です。ただ、空室が増加している場合は、貸主が本来求めている業務とも言えるでしょう。

退室対応
賃貸借契約の終了や解約により退室する際は、一定期間前までに解約申告の受理、解約通知書の発行、敷金の精算、原状回復費用の徴収などの対応が必要となる。

原状回復
賃貸借契約の終了や解約により退室する際に、物件を入居時の状態に戻すこと。

月初滞納率
月末の家賃の支払いがなく、翌月の初旬までに支払いがされていない割合。

管理業務の全体像

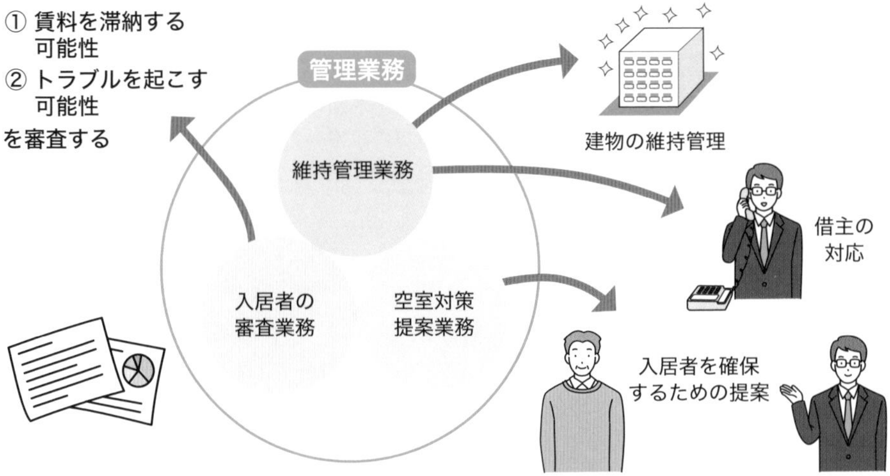

賃貸住宅の敷金・原状回復トラブル

PIO-NET（全国消費生活情報ネットワークシステム）に登録された相談件数の推移

年度	2016	2017	2018	2019	2020	2021
相談件数※	13,905	13,209	12,497	11,799	12,061	8,759 (前年同期8,071)

相談件数は2021年12月31日現在（消費生活センターなどからの経由相談は含まれていない）
※ここでは「借家」「賃貸アパート」「賃貸マンション」「間借り」などを「賃貸住宅」としている
出典：独立行政法人国民生活センター　賃貸住宅の敷金・原状回復トラブル（各種相談の件数や傾向）

家賃滞納率の推移

月初全体の滞納率（滞納が１ヵ月未満）

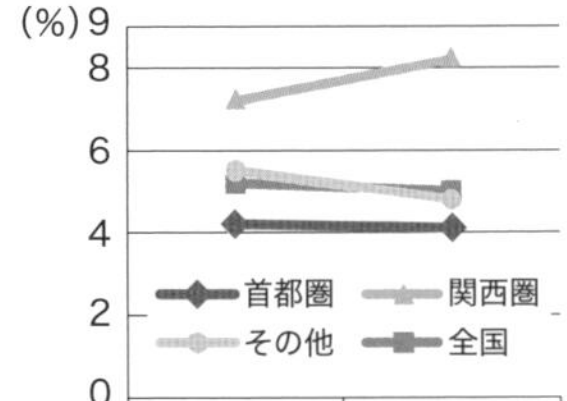

	2020上期	2020下期
首都圏	4.2	4.1
関西圏	7.2	8.2
その他	5.5	4.8
全国	5.2	5.0

月末での１ヵ月滞納率（滞納が１ヵ月以上）

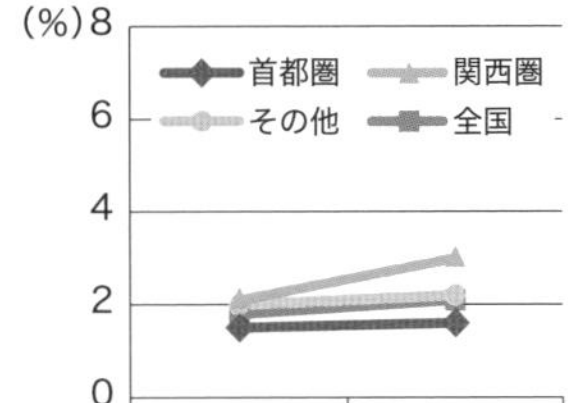

	2020上期	2020下期
首都圏	1.5	1.6
関西圏	2.1	3.0
その他	2.0	2.2
全国	1.8	2.1

月末での２ヵ月以上滞納率（滞納が２ヵ月以上）

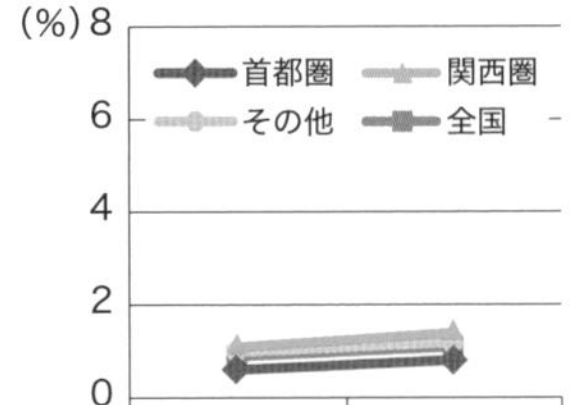

	2020上期	2020下期
首都圏	0.6	0.8
関西圏	1.1	1.4
その他	1.0	1.2
全国	0.9	1.1

出典：公益財団法人日本賃貸住宅管理協会日管協総合研究所第25回賃貸住宅市場景況感調査『日管協短観』9.入居率・滞納率

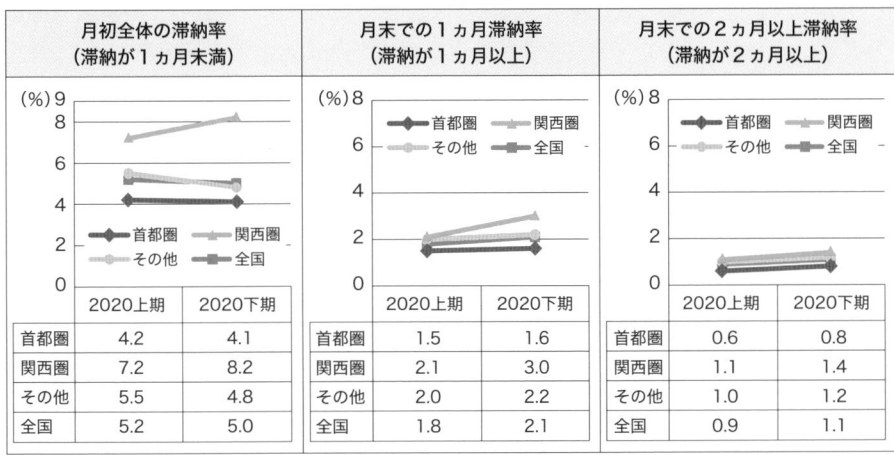

Chapter5
05

管理の委託から空室提案まで

管理業務には、建物や設備などのハード面の管理と、入居者などのソフト面の管理があります。維持管理では自然災害への対応、退室業務では原状回復に関する知識が必要になります。

管理の受託契約から始まる賃貸管理業務

賃貸管理業務の具体的な流れは、①管理業務受託、②維持管理業務、③契約更新業務、④退室業務、⑤空室提案業務となります。①から⑤は、１つひとつが独立した業務になっています。管理業務を受託した後に入居者募集も依頼されることがありますが、その点は賃貸借業務の節（**5-03**）を参照してください。

①の管理業務受託は、貸主との間で不動産の管理を受託契約することです。賃貸不動産の建物や設備といったハード面の管理と、入居者や契約期間についてなどのソフト面の管理をどの程度行うかを契約書に明記して締結します。ともに資産性の維持および向上のための管理です。

建物の維持管理から空室提案まで

②の維持管理業務は、賃貸借契約中の入居者の対応や、建物の維持管理を行うことです。主に賃料滞納者に対しての督促業務が多く、悪質な滞納者には退去を踏まえた内容証明便を送るので、一定の法律知識が必要となります。また、近年は自然災害が多いため、台風の季節は建物の修繕などの保守管理の業務も多くなっています。修繕では建設会社に至急の対応を依頼するため、建設会社とは普段から信頼関係を築いておくことが大切です。

③の契約更新業務は、契約期間満了に伴う契約更新の業務のことです。満了期日の数ヵ月前（一般的には６ヵ月前）に借主に連絡を取り、更新の意思を確認します。更新の希望があれば、郵送などで更新契約を締結します。なお、賃料滞納などで信頼関係が崩れているようなら、退室督促を含めて検討します。

④の退室業務は、契約終了時の退室管理と原状回復、鍵の返還、

保守管理

エレベーターの保守、非常ベルや消火器などの消防設備の点検、外壁や廊下の修繕、給排水設備やガス設備、電気設備の交換など多岐にわたる。

契約更新

賃貸借の契約期間は主に２年間で、２年に１度、更新が行われる。更新の際には更新料が必要とされ、契約内容が見直されることもある。

賃貸管理業務の具体的な流れ

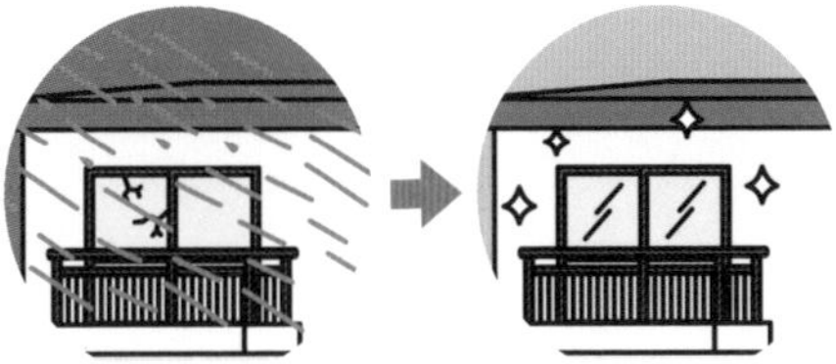

台風で破損した窓の修繕などの
保守管理

契約満了期日の数ヵ月前に、
借主に更新の意思を確認

敷金の精算を行います。国土交通省のガイドラインを指針として原状回復費用を明示し、それに伴って敷金から清算して残額を借主に返還します。**5-04**でも書いたとおり、退室業務は最もトラブルが多い業務なので、費用の根拠などは明示しておくのが望ましいでしょう。入居者が退室したら、新規募集に伴う原状回復もしくはリフォームの工事を行います。

⑤の空室提案業務は、空室時の維持管理および入居者を確保するための提案です。空室は借主（市場）が求めている賃料と部屋の状況が一致しないときに増えます。そこで、借主と日常的に接している賃貸管理業者が、その不動産をどう改善すれば入居者が現れるのかを貸主に提案していきます。

敷金
入居前に担保として預けるお金のこと。家賃を支払えなくなったときや退室時の原状回復費用などに使われる。基本的に退室時に返金される。

国土交通省のガイドライン
退室時の原状回復にかかる契約関係、費用負担などのルールのあり方を明確にし、賃貸借契約の適正化を図ることを目的としたガイドライン。

Chapter5
06

集客に重要な不動産情報サイト

不動産情報をインターネットで検索し、掲載された情報を検討してから問い合わせや会社訪問をする顧客が多くなっています。賃貸管理業務を行う上で、不動産情報サイトの重要性が増しています。

不動産探しに欠かせなくなった不動産情報サイト

IT化が進むにつれ、顧客はインターネットで不動産情報を検索し、賃借したい不動産を決めてから、その情報を掲載している不動産会社の店舗へ訪問して契約をするという流れが多くなりました。今や目的の不動産もなく店舗を訪問して、その場で不動産を紹介してもらい、賃借を決めるケースはほとんどありません。

日本賃貸住宅管理協会が会員会社に行った2020年度下期のアンケートによると、回答のあった217社のうち、不動産の情報が集まったポータルサイトでの反響（問い合わせなど）は56.4％、自社のホームページでは33.7％と前年と比べてインターネットでの問い合わせが増加したとの回答でした。SNSでの反響も10.9％で、ITツールでの集客が年々増えていることが見て取れます。

不動産の情報が集まったポータルサイト
代表的なものは、SUUMO（スーモ）、LIFULL HOME'S（ライフルホームズ）、アットホームなど。特定の物件や地域に特化して不動産の情報を集めるポータルサイトが増加している。

ネットで情報を選別してから来店

また、不動産情報サイト事業者連絡協議会が公表したデータでは、賃貸物件を契約した423人中、問い合わせをしたのは１社のみという回答が21.3％、２社は25.8％となっています。合わせて50％ほどになり、契約者のほぼ半数が、不動産情報をある程度選別してから問い合わせをしていることがわかります。「１社」と回答した21.3％の人は、問い合わせをした会社でそのまま契約をしていることになります。

また、不動産会社への訪問数で見ると、賃貸物件を契約した378人中、36.2％の人が訪問した会社数は１社と回答しており、２社という回答は30.2％、つまり全体の７割近い人が、多くの不動産会社を訪問するよりも、不動産情報サイトなどで情報を選別して、かなり絞った上で不動産会社の店舗に来訪しています。

媒体別の反響効果

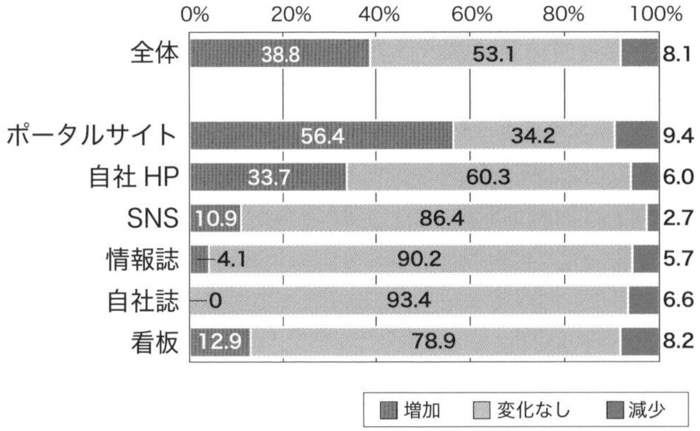

出典：公益財団法人日本賃貸住宅管理協会日管協総合研究所第25回賃貸住宅市場景況感調査『日管協短観』2. 反響効果(2020年度下期)

訪問した不動産会社の接客について満足だったこと（賃貸）

満足だったこと	(人)	
問い合わせに対するレスポンスが早かった	271	64.1%
内見をさせてくれた	219	51.8%
言葉遣いや対応が丁寧だった	203	48.2%
物件の提案や追加の連絡などをしてくれた	186	44.2%
物件まで同行してくれた	162	38.5%

※423人の回答によるもの
※2021年10月不動産情報サイト事業者連絡協議会（RSC）を基に作成

問い合わせへの迅速な対応で安心感を

この結果から、不動産情報サイトの充実やその情報の正確さが賃貸管理業務を行う上でかなり重要であることがわかります。

また、訪問した不動産会社の接客について満足だった理由の1位は「問い合わせに対するレスポンスが早かった」で全体の64.1%でした。顔の見えないネット時代だからこそ、問い合わせがあったらすぐに対応することで安心感を与えることも大切です。

Chapter5
07

個人大家業の始まりと現状

個人大家業は、相続税対策として始めた第一世代の地主から始まり、現在は第三世代のサラリーマン大家を経て、第四世代の個人事業主に移り変わってきています。第四世代は、不動産に付加価値を与えて収益を得る形態です。

節税対策から始まった個人大家業

個人大家業とは、個人で不動産を購入して、賃貸や管理の意思判断を自身で行い活動することです。賃貸管理業を当事者として行う場合は、「大家」、第三者のために行う場合は賃貸管理事業者となります。大家業では、細かい業務は管理会社に任せるものの、賃貸や管理の状況を自らチェックし、場合によっては自分自身で業務を行います。

個人大家の第一世代は地主から始まり、相続税対策を目的にアパートなどを建てて賃貸管理を行いました。土地を担保に金融機関からお金を借り、相続税対策が目的のため賃貸管理への関心や学習意欲はそこまで高くなく、賃貸管理は金融機関や不動産会社、建設会社が主導で意思決定してきた経緯があります。

第二世代は医師や弁護士といった士業の人たちです。主に節税対策のため副業として大家業を始めました。賃貸管理への関心や学習意欲はあるものの、本業が忙しいため、あまり力を入れることができなかった経緯があります。

学習意欲の高い第三世代

これらに続いて現れたのが第三世代であるサラリーマン（給与所得者）の人たちです。不動産の賃料で収入を増やす目的で投資用不動産を購入しました。サラリーマン向けの投資用ローンの拡大も追い風になり、賃貸管理への関心や学習意欲があった第三世代はどんどん増え、中には専業大家になる人も出てきました。現在では、個人大家というと、この第三世代を指します。

個人大家業の世代交代

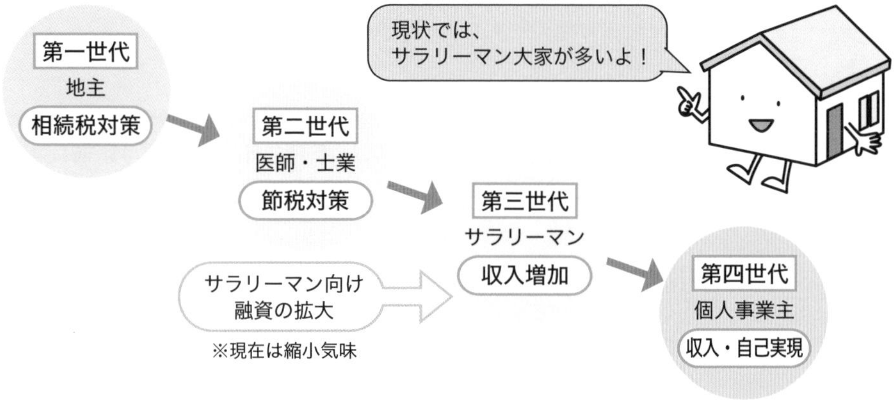

不動産賃貸物件オーナーの職業

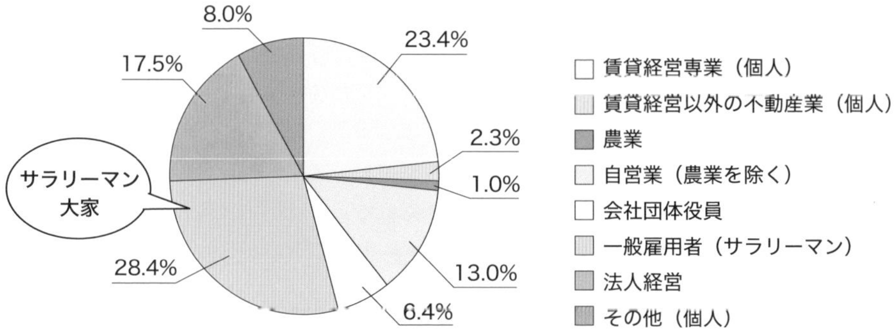

出典：令和元年6月公益財団法人日本住宅総合センター「民間賃貸住宅の供給実態調査―供給主体やサブリース事業者の関与などを中心に―報告書」

不動産に付加価値を付ける第四世代

　しかし、2018年に起きたかぼちゃの馬車事件によって、金融機関がサラリーマン向け投資用ローンの審査を厳しくしたことから、第三世代も終わりつつあります。そして第四世代として、個人事業主らが時間や労力をかけて、民泊など不動産に付加価値を付けて収益や自己実現を図るタイプの個人大家が出てきています。しかし、2019年の公益財団法人日本住宅総合センターの調査によると、個人大家の職業は1位が一般雇用者（サラリーマン）で、現状ではまだサラリーマン大家が多いことがわかります。

かぼちゃの馬車事件
スマートデイズが提供していた女性用シェアハウスを「かぼちゃの馬車」という。このシェアハウスのサブリース事業が破綻し、物件オーナーへのサブリース賃料が未払いとなった事件のこと。**7-05**参照。

Chapter5
08

個人大家の5つの業務

不動産情報の仕入れから空室対策まで

個人大家は賃貸管理業務を自らの費用と責任で行います。投資家として不動産を購入し、賃借人の集客と不動産の維持管理を行っていきます。時には不動産会社に業務を依頼します。

個人大家の業務はさまざま

個人大家の具体的な業務は、①不動産情報の探索（仕入れ）、②不動産の購入、③リフォーム工事、④集客と賃貸借契約、⑤維持管理、⑥空室対策です。

①不動産情報の探索（仕入れ）は、収益性が高い不動産の情報を探す活動です。不動産情報サイトを利用することが多いものの、懇意にしている不動産会社からの紹介も一定数あります。自らが買主となるので、時間をかけて判断できますが、収益性が高い不動産の情報があった場合は、素早い対応が必要となります。

②不動産の購入は、リフォーム工事などで付加価値を付けることで価値が上がる不動産を見極めて購入します。購入するかどうかは融資をしてくれる金融機関と相談の上、決定します。**金融機関とのパイプづくり**は個人大家業として重要な業務になるので、積極的に取り組む人が多いです。

金融機関とのパイプづくり
日頃から訪問や電話などで接点を持ち、信頼を得て、融資を受けるときには、力になってもらう活動のこと。

③リフォーム工事は、コストパフォーマンスを考慮しながら、空室を満室にするための視点を持って行います。できる範囲の工事は自分でやることもありますが、設備工事などは建設会社や個人の大工などに依頼します。リフォームでの差別化により集客率が変わるので、対象顧客が何を望んでいるのかマーケティングすることが重要です。

④集客は、自ら広告することはなく、不動産会社を通して広告や店頭紹介をしてもらいます。そのため、不動産の賃貸用資料をつくり、不動産会社の店舗を訪問します。

⑤維持管理は、自ら建物を見回り、状況を確認して、必要であれば補修などを行います。また、賃借人からの連絡を直接または管理会社経由で受け、何か問題があれば解決していきます。賃料

個人大家業務の具体的な流れ

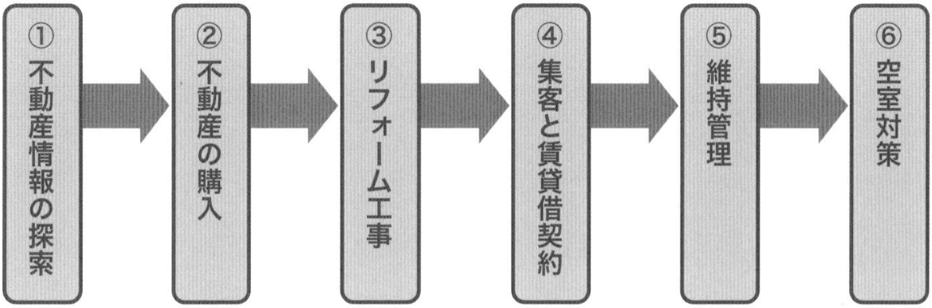

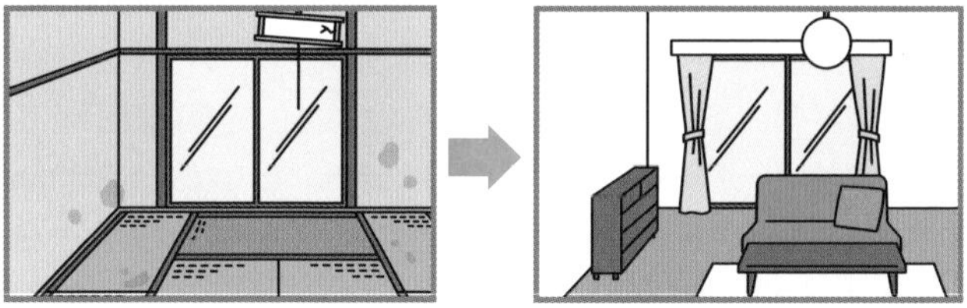

コストパフォーマンスを考慮してリフォームを行う

を維持するために必要な業務です。

⑥空室対策は、空室とならないようにリフォーム工事を行ったり賃料を変更したりすることです。賃料を増やすために必要なことなので、ここに力点を置いている個人大家はたくさんいます。

個人大家業に必要な素質

個人大家の業務は情報収集から契約、融資、リフォーム工事、集客やマーケティングなど、多岐にわたります。そのため、不動産の知識やスキルを幅広く学べば失敗は少なくなります。学習意欲が高く、学んだことを業務に活かすことを継続し、労力を惜しまないことが重要です。また、よい不動産をためらうことなく購入できる決断力も必要です。

COLUMN 5

IT業界からの参入とIT重説・電子契約

得意技術を活かした IT業界からの参入の増加

不動産業界の中でも賃貸管理業は他業種からの参入が比較的多いことが知られています。その理由として、賃貸や管理は開発や売買に比べて、法律や手続きが複雑ではないため、求められる専門知識がさほど多くなく、経験がなくても軌道に乗せやすいなど、参入ハードルが低いことが挙げられるでしょう。

その中で多く見受けられるのがIT業界からの参入です。得意とするITシステムを利用し、人手がかかる賃貸管理業務の効率化が図れて、かつ不要な人手を省くことで利益を上げられると踏んでいるのです。

代表的なITシステムにスマートロックがあります。スマートフォンで部屋の鍵を開閉するシステムで、スマートフォンを暗証番号で認識させれば、誰でも自由に物件に出入りできるようになります。わざわざ鍵の授受や管理に、人手や時間を割かずに済むため、賃貸管理会社にとっては効率化できる大きな武器になっています。

IT重説と電子契約が 今後は主流になる

2022年5月にデジタル改革関連法整備の一環として宅地建物取引業法が改正されました。この改正により、売買契約書など不動産売買において宅地建物取引業者が交付する書面に押印が不要となり、かつ紙ではなく電磁的な方法による契約（電子契約）ができるようになりました。すでに2017年から導入された「IT重説（インターネットを介した重要事項説明）」も本格運用されているため、これでインターネット上でオンライン会議システムを活用しながら不動産の重要事項説明を行い、そのまま賃貸借契約などの締結までできるようになりました。顧客と会わずに契約締結できるようになったのです。

コロナ禍は不動産業のIT化をより進化させました。賃貸管理業務はITによる「新しい日常」に適応することが求められるとともに、私たちもそれに適応しなければなりません。

第6章

ビル・マンション管理に関連する事業と業務

ビルやマンションの入居者へのサポートが重要な業務のひとつとなるこの事業では、法律やコミュニケーション力といった知識や対人スキルも必要となります。業務内容と合わせて理解しておきましょう。

Chapter6
01

建物の管理に比重を置く管理業務

ビル管理業は、テナントの満室入居とその長期維持を目的に行う業務で、マンション管理業は、管理組合を専門技術面でサポートし、資産価値の向上や維持を目的とする業務です。

入居率、資産価値の維持向上を目指す

不動産の管理業務形態は、建物管理業務と賃貸管理業務の２つに分けられます。前者は建物の規模が大きいため、建物の管理に比重を置いているのに対して、後者は建物の規模が小さく、賃借人への対応に比重を置いている点にちがいがあります。本書では、ビル・マンション管理業を前者として取り扱います。

ビル・マンション管理業にはオフィスビルを管理するビル管理業と、分譲マンションを管理するマンション管理業があります。

ビル管理業は、ビルの所有者から委託を受けて運営や建物維持を行います。所有者が最も関心を寄せるのはテナントの満室入居なので、その長期維持を目的に、設備更新による入居率の維持向上を目指し、利用者が長時間快適に過ごせる環境の維持を行います。なお、商業施設など床面積が3,000平方メートル以上のビルの場合は「建築物における衛生的環境の確保に関する法律（ビル管理法）」によって利用者が快適かつ衛生的に過ごせるよう、空気環境や給排水などで一定の質を維持する管理方法が定められています。

マンション管理業は、マンション所有者の代表者（理事）たちによるマンション管理組合から委託を受けて、運営や建物維持などの管理事務を行うものです。資産価値の向上や維持が目的で、「マンションの管理の適正化の推進に関する法律（マンション管理適正化法）」（**1-03**参照）により、業務として行うには**国土交通省への業者登録**や、事業所ごとの**管理業務主任者**の設置が必要です。

国土交通省への業者登録
マンション管理業を行う場合は、国土交通省の管理業者登録簿に登録をしなければならない。登録の有効期限は５年と定められている。

管理業務主任者
マンション管理組合の運営や管理に関して、相談に応じ助言や指導などを行う国家資格。管理委託契約に関する重要事項の説明や管理事務の報告なども行う。

本書でのビル・マンション管理業の位置付け

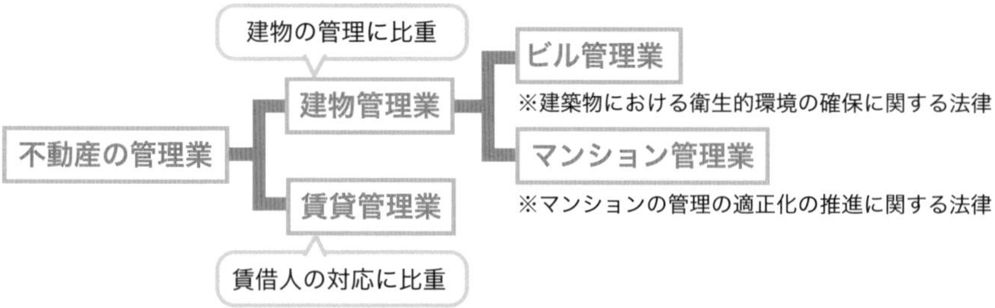

「系列系」のしくみ

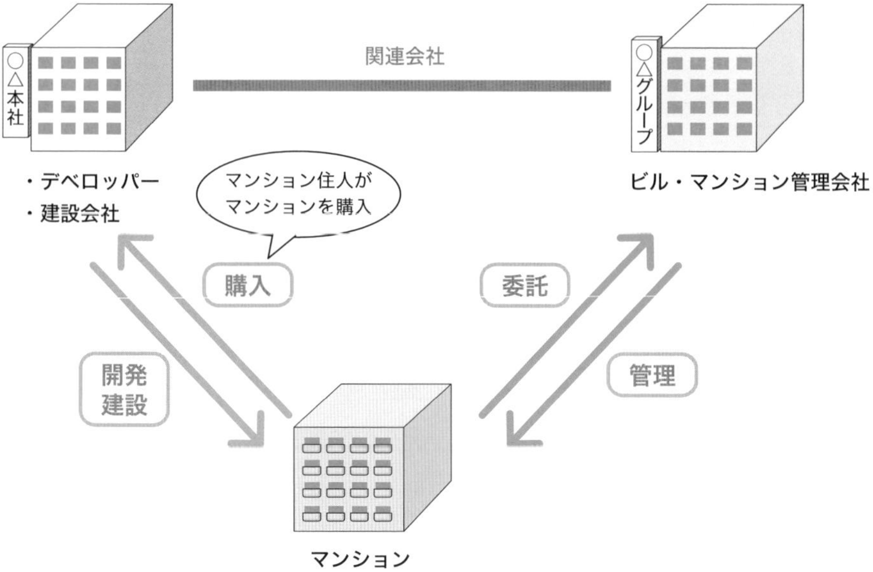

系列系と独立系のちがい

管理会社は、親会社がデベロッパーや建設会社で、それらが開発や建設した不動産を管理する「系列系」と、建設経緯とはまったく関係がなく、独立した管理会社として業務をしている「独立系」の2つに分けられます。サービスの品質は会社によって異なりますが、系列系のほうが建設経緯がわかる分、高コストですが適切な管理方法はよくわかっています。一方で独立系はサービスに対してコストパフォーマンスに優れる面があります。

Chapter6
02

ビル管理業の具体的な業務

プロパティマネジメントから バリューアップ工事まで

ビルの管理業は資産価値の維持に直結するビルメンテナンス業務を基本とし、プロパティマネジメントとしてテナントの入退室管理、予算内での原状回復工事、収益性改善のためのバリューアップ工事を行っていきます。

資産管理と資産価値の維持に関わる業務

ビル管理業務は①プロパティマネジメント、②ビルメンテナンス、③原状回復工事、④バリューアップ工事の流れで行われます。

①のプロパティマネジメントは不動産の資産管理の業務を指します。具体的にはビル運営や会計の企画立案、テナントの募集や対応、建物維持管理、入出金の管理や対応、警備や防災といったソフト面についてビル所有者に提案したり、サポートしたりする業務です。ビル所有者はこの提案をもとに管理を依頼するので、管理会社はビル賃貸市場を把握し、計画どおりにビルの修繕を行い、管理コストをコントロールすることが必要です。また、クレームを含むテナントへの対応も所有者の代理で行います。

②のビルメンテナンスは、電力や空調、給排水など設備の保守管理を行うことです。日常の定期的な点検で不具合や故障を発見した場合は補修を行い、突発的な修理にも24時間対応します。大型のビルでは**専門技術者**を24時間常駐させ、「エレベーターが動かない」「空調が止まってしまった」などのトラブルにも早急に対応できるようにしています。

専門技術者
電気設備や空調設備、配管設備などの専門知識とスキルをもつ技術者のこと。設備の管理や保守、突発的なトラブルに対応する。

不具合や故障、トラブルの対応は早ければ早いほど、テナントの評価を高め、空室を防ぐことができるので、資産価値を維持するために重要な業務です。そのため、ビルメンテナンスはビル所有者が最も望む仕事といえます。

費用の交渉や説明が求められる

③の原状回復工事とは、テナント退出後に元の状態に復旧させる工事のことです。テナントと費用を交渉し、その予算内で行っていきます。また、次のテナントを待たせないために工期期限な

ビル管理業の流れ

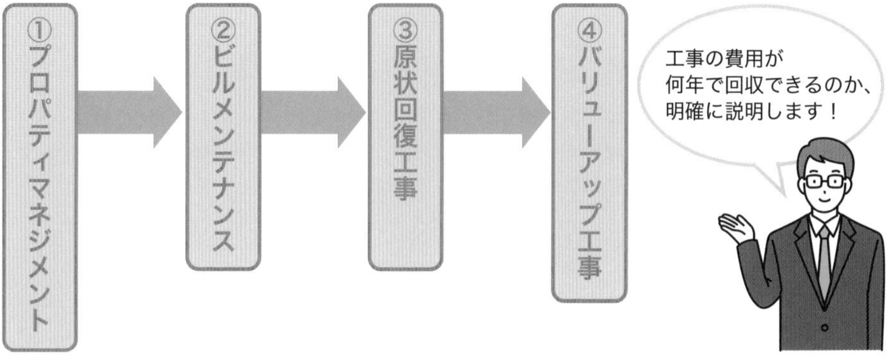

大型ビルの24時間受付体制

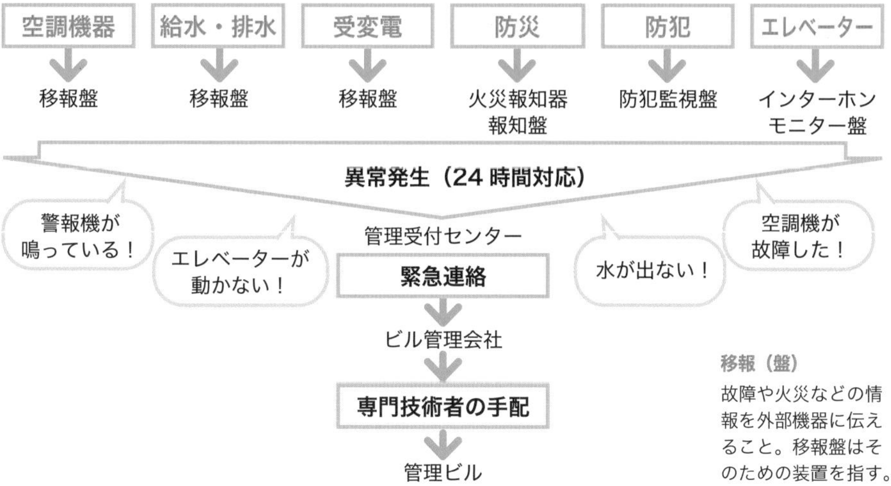

移報（盤）
故障や火災などの情報を外部機器に伝えること。移報盤はそのための装置を指す。

ども意識する必要があります。

④のバリューアップ工事は、今の賃借需要に応えた耐震性、設備の導入、内装などに変更する工事のことです。収益性を改善するためには必須の工事ですが、費用が高額になるので、ビル所有者は及び腰になります。そのため、かかった費用を何年で回収できるのかなど、明確な説明をすることが求められます。特に耐震性が低いビルでは、安全性の低さから入居率も低くなり、賃料が取れないことがあるため、現在の耐震基準にするための耐震補強工事は必須です。しかし、費用がかかることを理由にビル所有者から工事の承諾を得られないことはよくあります。

Chapter6
03

管理業で特に重要なビルメンテナンスの仕事

建物の維持管理は依頼があればすぐに対応しなければならないため、人手が必要な労働集約型の業務といえます。不具合や故障は早期の対応が肝心で、普段から丁寧に保守管理を行うことが重要です。

建物の知識とビルメンテナンスが大事な管理業

6-02で紹介したビル管理の4つの業務の中でも、ビルメンテナンスの仕事はとても重要です。ビル所有者の関心は建物の維持管理にあり、また、ビル運営の企画立案や支出入の管理をするプロパティマネジメントは、ビルメンテナンスの具体的な業務を理解していないとできないからです。

ビル管理の仕事は突発的な設備の故障の対応などがあり、大規模なメンテナンスを行う場合は夜間に工事が行われることが多く、人手が必要となります。また、近年では人手不足と賃金上昇により、現場従業員でなくとも対応を求められることがあります。そのため、管理業に関わる場合は建物の知識が一定以上必要で、今後は**建物関係の資格**取得も必要となってきます。

建物関係の資格
第8章を参照。

現場従業員の確保が課題

労働集約型の業務でありながら、ビルメンテナンス業務での悩みごとの1位は「現場従業員が集まりにくい」で77.8%もあり、「賃金上昇が経営を圧迫している」が58.5%と半数を超えています（ビルメンテナンス情報年鑑2022より）。大事な資本である人材が不足しているにもかかわらず、賃金も上昇しているため増員しづらく、一人の従業員が複数の業務に対応する必要が出てきます。人材不足により、ビルの所有者自身も建物関係の資格を持ち、日常的な点検や細かいメンテナンスは自ら行う機会が多いようです。

建物の不具合や故障は、早期に対応できれば建物の寿命が延び、補修費用も安く済ませることができます。そのため、毎日丁寧に保守管理をすることが重要です。

ビルメンテナンス業務での悩みごと推移

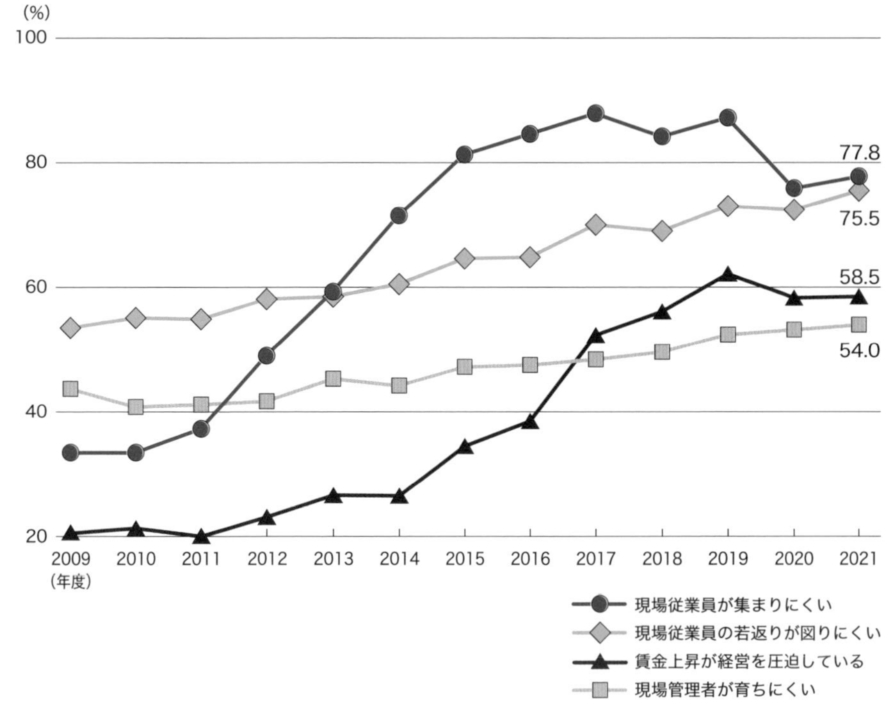

※公益財団法人 全国ビルメンテナンス協会「ビルメンテナンス情報年鑑2022」を基に作成

ビルメンテナンスの仕事

マンションの管理業務とは

Chapter6 04

マンション管理業の根幹は基幹事務

マンション管理業はビルと比べて建物の設備数が少なく、故障が起きやすい設備も少ないため、ルーチンワークに近いといえます。ただ、受け持つマンションの管理戸数や組合数が多いため、効率よく業務を行う必要があります。

都市型業務であるマンション管理

マンション管理の主な業務は①事務管理、②**管理員業務**、③清掃、④建物・設備管理の４つです。①事務管理のうち基幹事務（管理組合の支出入の調定、出納、マンションの維持修繕に関する企画と実施）は、マンション管理の根幹ともいえる業務で、マンション管理適正化法（第74条）によって、一括しての再委託は禁止されています。

管理員業務
入居者との対応や変わったことがないかの確認や、各種手続きや手配など、管理員が行う業務のこと。

分譲マンションの**ストック総数**は約686万戸（2021年末・国土交通省）、マンション管理業登録業者数は1,934社（2021年度・国土交通省）となっています。一般社団法人マンション管理業協会のデータでは、首都圏での管理戸数は半数に近い約339万戸（49.4％）、近畿で約142万戸（20.7％）となっており、全体の70.1％が都市に集中している都市型業務です。

ストック総数
国内に建築されている既存の住宅全部を合計した数。

マンション管理は効率のよさが求められる

マンション管理の仕事は土日に管理組合との打ち合わせを、平日に建物・設備管理を行う流れがあり、ビルと比べて建物の設備数や不具合が起きやすい空調や電気関係の設備が少なく、突発的な故障などが起きにくいため、規則的な業務になります。ただ、従業員一人当たりが受け持つ戸数、管理組合は多いので、それぞれのマンションの課題をきちんと把握し、解決していく必要があります。作業の手配を効率的に行うなど、プロジェクト管理の高い能力が求められます。

大手管理会社の日本ハウズィングでは、正社員2,157名（2022年３月末）に対して管理しているマンションは10,116棟（478,240戸）で、正社員一人当たり4.7棟、222戸となっています。

受託経緯と受託先（2021年）

受託経緯		
受託経緯	棟数比	戸数比
新築物件受託	64.4%	65.3%
既存物件受託	35.6%	34.7%
既存物件※の内訳		
他社管理物件	(57.9%)	(60.1%)
自主管理物件	(8.9%)	(7.3%)
事業譲渡・合併	(21.0%)	(20.9%)
不明・未回答	(12.2%)	(11.8%)

※既存物件…すでに建てられている分譲マンションのこと

受託先		
受託先	棟数比	戸数比
系列企業物件	44.3%	47.8%
非系列企業物件	52.7%	49.2%
自社分譲物件	3.0%	3.0%

※一般社団法人 マンション管理業協会の資料を基に作成

管理組合の理事は法律や建物などについて専門的な知識を持たない人が大半です。その理事に、今後の修繕や手続きについてわかるように説明する必要があります。また、理事や区分所有者（マンション住民）など、関係する人が多く、さらに専門技術者や管理員、清掃員など手配する関係者も数多いため、人の管理や対応が重要です。

受託の半数は系列会社のため競争は激しくない

なお、毎年約10万戸の新築分譲マンションが供給されているため、新築物件の受託率が64.4％と、既存物件の受託率（35.6％）の２倍近くとなります。また、系列系の親会社からの分譲マンションの管理受託は44.3％と半数を切っています。独立系も半数以上の受託を見込めるため、競争はあってもそこまで厳しくならない傾向があります。

Chapter6
05

マンション管理事業の具体的な業務

管理組合との打ち合わせから区分所有者の対応まで

マンション管理は管理組合の窓口となるフロント業務が基本で、管理組合との打ち合わせ、管理組合総会での司会進行、区分所有者（マンション住民）の対応などを行います。

専門知識を活かし、組合理事をリード

マンション管理事業の具体的な業務は、①管理組合との打ち合わせ（管理組合総会など）、②事務管理、③管理員や清掃員からの報告受付、④建物・設備管理、⑤区分所有者（マンション住民）の対応があります。

①は、実際の業務には管理組合の窓口となる**フロント業務**、管理を受託する**受託業務**、建物や設備の管理をする**技術業務**がありますが、ここでは基本となるフロント業務を紹介します。

管理組合との打ち合わせは、平日に仕事がある理事が多いため、土日もしくは平日の夜に行います。現在起こっているマンションの問題や建物の維持管理について協議し、解決案を理事に求めますが、マンション管理についての専門的な知識を持つ理事は少ないため、解決案を先に出してリードしていきます。建物の維持管理などの重要な話以外にも、夜間の騒音やタバコの吸い殻、ペットの管理などへの対応も話し合い、議事録を作成します。

区分所有者が参加し、重要な決議を行う管理組合の総会では、司会進行役も行います。参加者が多いためさまざまな意見が出ますが、うまく意見をまとめて、マンションを維持するにあたって有益な結論が得られるようにします。

フロント業務
マンション住民と管理組合をつなぐ役割として、管理組合のサポート、打ち合わせや総会の進行などを行う。

受託業務
管理組合をサポートする上で発生する問題への対応や解決策の提案、新規依頼事項への対応などを行う。

技術業務
電気設備や空調設備、配管設備、消防設備などを定期的に点検し、安全に利用できるように管理を行う。

効率的な事務管理、早めの修繕が鍵

②事務管理は、建物の維持管理における費用の出納や、管理費や修繕積立金の支出入の管理、滞納者への督促や対応、打ち合わせ時に必要な書類の作成や、管理組合総会の準備などを行います。

細々とした業務のため他の業務と比べて滞りがちで、効率よく行うことが重要です。また、10～12年に一度はマンションの大

マンション管理の具体的な業務

① 管理組合との打ち合わせ（管理組合総会など）

② 事務管理

③ 管理員や清掃員からの報告受付

④ 建物・設備管理

⑤ 区分所有者（マンション住民）の対応

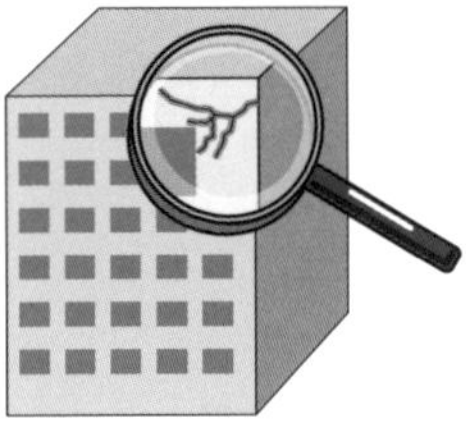

規模修繕が必要で、その計画も、人件費や建材費を考慮して調整し、その都度策定していきます。

③管理員や清掃員からの報告受付では、日常でのマンションの変化を把握します。また、売買や引っ越しなどで区分所有者の動きも把握します。

④建物・設備管理では、故障や不具合があった箇所に専門技術職員を派遣して調査点検を行い、必要であれば工事会社を手配して直します。コンクリートのひび割れやタイルの剥落などは、点検で見つけることができる場合もあります。見逃すと大きな事故につながるので、早めの対応が求められます。

⑤区分所有者の対応は、最も大変な業務です。「共用部の照明がつかない」といった本来の業務に関する相談以外にも、「鍵が見当たらないので来てほしい」「ペットの調子が悪いので相談したい」といったものまであり、必要性を見極めて対応していくことが重要です。

法律の知識と対人スキルが必須

マンション内で起こるトラブルの半数は管理会社に相談が寄せられており、トラブル対応の重要性は高くなる一方です。相談の多くは居住者間の問題で、区分所有法の知識を活用し、双方を納得させることで解決に導きます。

マンション管理業務に必要な知識

マンション管理業務に必要な知識は法律、会計、建築の３つですが、会計と建築は専門職がいるので一定程度の知識があれば十分です。法律は、「建物の区分所有等に関する法律（区分所有法）」と、マンション管理適正化法を理解する必要があります。

区分所有法は、区分所有者の権利について定めた法律で、マンション内でしてもよいこと、してはいけないことを定めた法律です。マンション管理適正化法は、マンションの管理業について定めたもので、仕事の範囲を理解する上でこの法律の知識が必要です。この２つの法律を理解していれば、仕事上で何か問題があっても、法律に基づいた的確な判断を下すことができます。

マンション管理業務に必要なスキル

マンション管理で必要なスキルは、管理組合や区分所有者からの相談にきちんと対応できるコミュニケーション・スキルです。区分所有者からの相談は多く、国土交通省の「平成30年度マンション総合調査結果」によると、マンション内でのトラブルは、「マンション管理業者に相談をした」という回答が46.5％と半数近くでした。トラブルの内容の１位は「居住者間のマナー」で55.9％となっており、その内訳は「生活音」38.0％、「違法駐車・駐輪」28.1％、「ペット飼育」18.1％となっています。

トラブルが起きるのは権利や利用方法の解釈のちがいや無理解が原因です。これらは区分所有法や**管理規約**に定められているため、この知識があれば的確なアドバイスができます。また、当事者は感情的になっていることが多いため、話し方にも気を配り、双方を納得させるコミュニケーション・スキルが重要です。

管理規約
マンションの管理や使用に関する事柄について定めたもの。マンション住民の共同の利益を増進し、良好な住環境を確保することを目的としている。

トラブルの処理方法

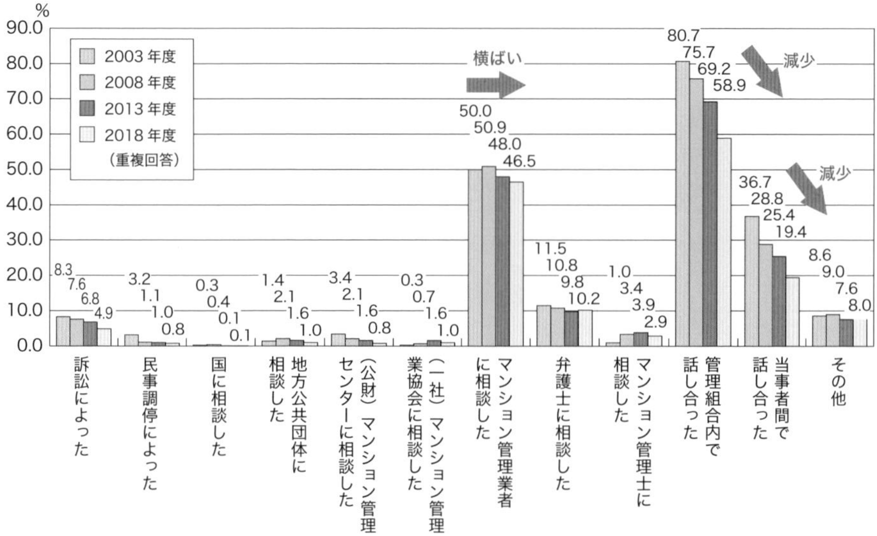

トラブルの発生状況

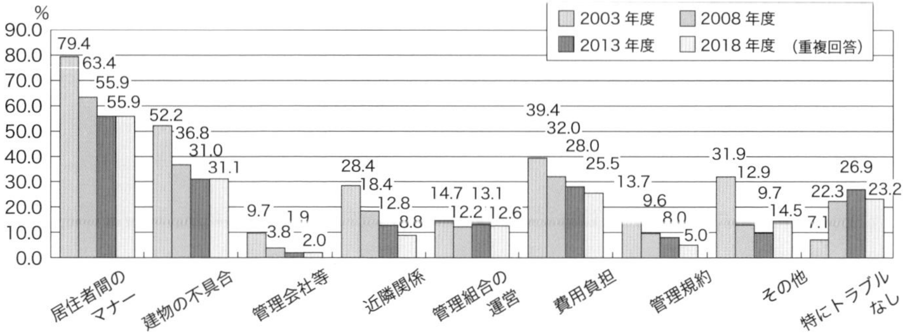

居住者間のマナーをめぐるトラブルの具体的内容

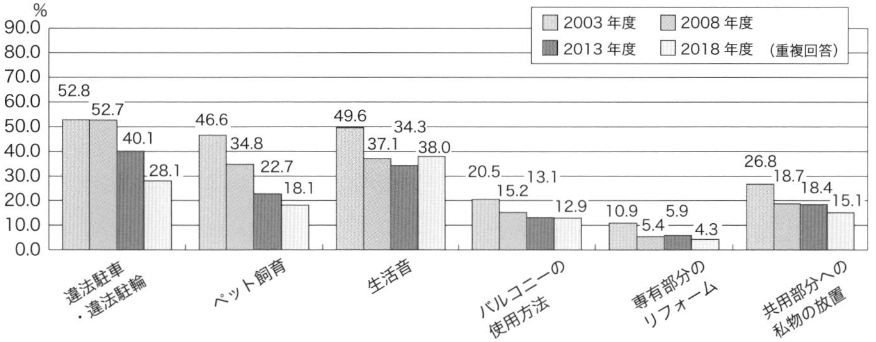

※国土交通省「平成30年度マンション総合調査結果」を基に作成

必要とされる老朽化対策

分譲マンションの29%は築年数30年以上の古いマンションですが、築年数が古いほど必要とする大規模修繕工事ができていないのが現状です。そこには修繕積立金の不足などの要因があります。

マンション管理における老朽化問題

マンション管理の課題はいくつもありますが、その中で最も大きな課題は、マンションの老朽化への対応です。老朽化が加速する背景には、築年数が古いマンションの増加、耐震性や修繕積立金の不足、専門家の不在があります。老朽化を放置しておくと、建物が倒壊する危険性だけではなく、空室が増え、**犯罪の巣窟**になるなどの問題も生じます。そのため、老朽化への対策は今後避けては通れない課題といえます。

犯罪の巣窟
空室が増えることでスラム化や犯罪者の隠れ家に利用されるといった問題も生じている。

築年数が古いマンションほど工事ができていない

国土交通省「マンションの管理適正化に関する調査検討業務(平成28年)」によると、分譲マンション約686万戸のうち築年数が30年以上（1989年以前）のものは約200万戸（29%）、その中でも古い耐震基準（旧耐震基準）で建てられたのは約103万戸（15%）です。老朽化を避けるために12年に1回の大規模な修繕や改修工事は必須なのですが、築年数が古いマンションほど工事ができていません。2016年の国土交通省の調査では、1993年から2004年築のマンションで標準回数（12年に1回大規模修繕工事を行った回数）を下回ったのは12.3%であるのに対して、1969年から1980年築のマンションでは44.7%と約4倍になっています。築年数が古いほど、本来必要な大規模修繕工事ができていないのが実態です。その要因のひとつは、修繕積立金の不足が考えられます。修繕工事の計画に対して現時点で資金が不足しているとの回答は34.8%もあり、また築年数が古いほど多くの工事が必要なのにも関わらず、築年数に応じて修繕積立金を多く取る「**段階増額積立方式**」を採用している割合は少なくなります。

段階増額積立方式
段階的に徴収する金額を増やしていく方式。そのほかには、必要とされる修繕費用の総額を計画期間の月数で割った額を徴収する「均等積立方式」や大規模な修繕工事のように多額の費用を要する場合に一時金を徴収する「一時金徴収方式」などがある。

分譲マンションのストック戸数

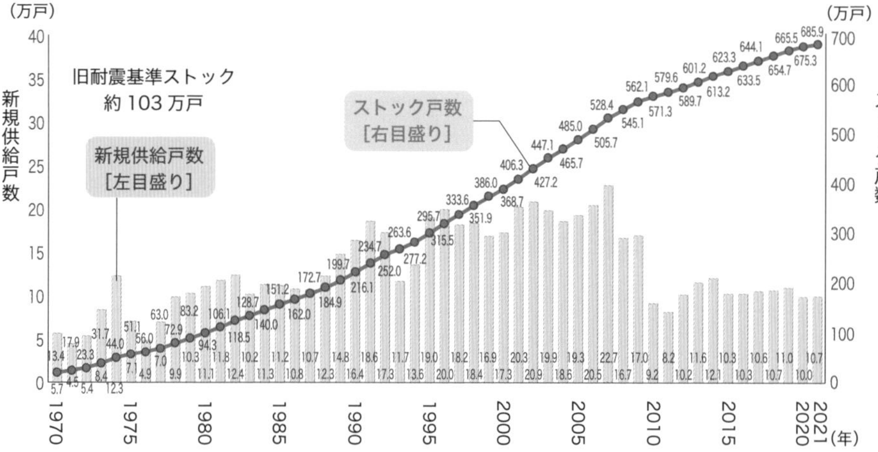

○現在のマンションストック総数は約 685.9 万戸（2021 年度末現在）
○これに令和 2 年国勢調査による 1 世帯当たり平均人員 2.21 をかけると、約 1,516 万人が居住している推計となり、これは国民の約 1 割に当たる

＊国土交通省ホームページ「分譲マンションストック戸数（2021 年度末現在／2022 年 6 月 28 日更新）」を基に作成

大規模な修繕・改修工事の実施回数

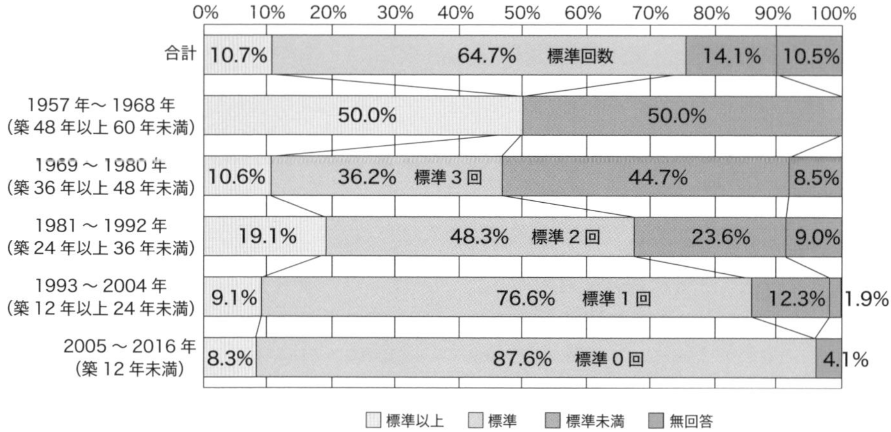

資料：国土交通省調査（平成 28 年 12 月）
※国土交通省「マンションの管理適正化に関する調査検討業務（平成 28 年）」を基に作成

今後、建材費や人件費が上がる中で修繕工事費がますます増えていくことを考えれば、各戸からの修繕積立金を増額するしかありません。管理組合や区分所有者との綿密な相談と、将来を見据えた長期修繕計画の策定が求められています。

COLUMN 6

どうなる？　マンションの管理組合運営

複雑な課題を抱える管理組合

憧れの新築マンションを購入しても、いずれ修繕が必要になるときが来ます。地震などの災害によって建物がダメージを受ける場合もあります。玄関、廊下、エレベーターなどの共有部分の改修やマンション全体の建て替えなどが必要になることもあります。

そのようなとき調整・意思決定するのがマンションの管理組合です。管理組合は区分所有者全員で構成されます。重要な役割を担う管理組合ですが、近年、構成員の高齢化や役員のなり手不足、建材や人件費の高騰による修繕積立金の値上げへの対応などさまざまな課題を抱えています。特に所有者が専有部分を民泊として活用する場合への対応など、課題は複雑化しています。

主な課題をまとめると①共同生活に対する意識の相違、②多様な価値観を持った区分所有者間の意思決定の難しさ、③利用形態の混在による権利・利用関係の複雑さ、④建物構造上の技術判断の難しさなどです。

どれも素人には手に負えない事柄が多いために、管理会社に管理を委託する管理組合がほとんどです。しかし、それでも課題解決は容易ではありません。

外部の専門家と連携して透明で公正な運営が求められる

マンション管理に関する専門家として国家資格のマンション管理士が2001年に創設されましたが、まだ十分に活用されているとは言いがたい状況です。マンション管理士は法律や会計面でのサポートが主業務で、管理組合が直面している建築物の安全性確保や改修工事などの問題への対応は専門でないことも活用が進まない理由かもしれません。

修繕工事についてアドバイスをする設計コンサルタントという職種もありますが、改修業者と癒着して実際より高い工事費からキックバックを受けていたケースもありました。今後は管理組合と管理会社をつなぎ、透明性を保って業務を遂行する存在も必要となってくるでしょう。

第 7 章

不動産証券化・投資その他に関連する事業と業務

証券化・投資事業は、国が市場の整備を進めており、今後成長が見込まれる事業です。業務の具体的な内容から投資判断のポイント、税金の知識などを押さえておきましょう。

Chapter7
01

不動産を取得し、投資家に販売・配当する事業

不動産証券化・投資事業は、投資市場の整備に伴った成長が見込める事業といえます。投資家が購入したくなるような不動産を仕入れることができるかどうかが事業成功の鍵です。

不動産証券化・投資事業の業務のちがい

不動産証券化・投資事業の業務は、不動産証券化業務と投資業務の２つに分けられます。ともに不動産を購入（信託）し、リノベーション（**4-10**参照）や維持管理の効率化を図るなどして収益価値を高めてから、投資家に売却して利益を得るしくみです。２つのちがいは、証券化業務では所有者（オリジネーター）が不動産を証券化して、その証券を投資家に販売するのに対して、投資業務では所有者が不動産そのものを売却する点です。

信託
第三者（受託者）に自分の持つ財産の所有権を移転させて、管理・運用してもらうこと。

オリジネーター
不動産の証券化において、保有する不動産や債権などの資産を、譲渡・信託して資金を調達する者のこと。

今後成長が見込める証券化・投資事業

賃料収入を得る目的で所有される不動産を「収益不動産」と呼び、その市場は2017年のデータで約224兆円になります。そのうち証券化市場は約33兆円、投資市場は約191兆円、不動産全体の市場は約2,606兆円もあるので、国が投資市場の整備を進めていることからも、まだまだ成長の余地が残されています。

不動産証券化業務は、まず不動産の元の所有者（オリジネーター）から希望を聞き、その希望をベースに特別目的事業体（SPV）を設置した上で、不動産の購入や信託をして名義を移転します。そして証券会社や銀行、信託銀行などの証券化業務の専門家がその不動産を小口の証券にして投資家に販売し、賃料などの利益を配分します。SPVは不動産の所有と運用、資金調達が目的の事業体であり、事業形態としては特別目的会社（SPC）や合同会社といった法人、または投資信託などの形があります。

特別目的事業体（SPV）
資産・債権の証券化を目的とする事業体。SPVのうち、法人格を有するものは特別目的会社（SPC）と呼ばれる。

元の所有者から見たメリットは、単純に不動産を売却する場合、不動産が高額なため買い手が少なく、競争力がないのでその分不動産価格が低くなってしまうところを、証券化することで小口に

不動産証券化のしくみ

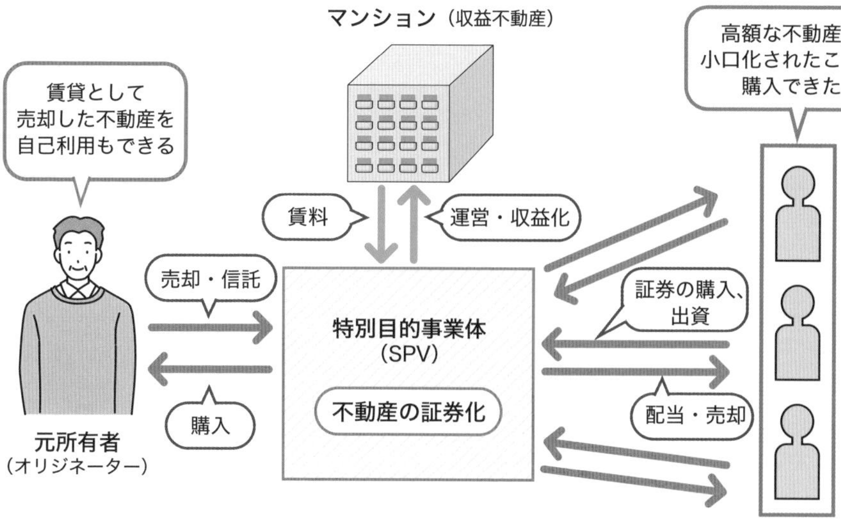

分割しているため投資家が購入しやすくなり、価格を維持しやすいといったことがあります。また、自社で不動産を所有するよりも不動産価格の下落などのリスクを回避でき、SPVとの契約内容次第では自社での不動産の利用や、将来買い戻しもできるなども挙げられます。一方で、業務を営む上でのデメリットは、証券化や運営のコストがかかる、投資家が利益を得られるような優良物件しか証券化できないため不動産を選別する業務が発生するといったことがあります。

投資業務は、事業主となり賃貸マンションなどを建設したり購入したりするか、仲介として投資家に販売する業務です。不動産を仕入れる業務のほかにも、リノベーションなどをして収益価値を高める業務、購入する投資家を集める業務などがあり、賃貸マンションやアパートなどの１棟、マンションの１室や区分所有されたオフィスビルなど、さまざまな不動産を扱います。

証券化業務は、複雑なスキーム（しくみ）を利用し、金融や法律などの専門的な知識が必要であることから、大手が資本を投入して組織として行うのに対し、投資業務は融資を受けることができれば個人でも行える業務です。

不動産証券化業務とは

Chapter7
02

アレンジメント、アセット、プロパティの3つで構成される業務

証券化商品をつくり、投資家に販売する業務をアレンジメント業務、賃料収入の管理などを行う業務をアセット業務、建物の運営管理を行う業務をプロパティ業務といいます。

不動産の証券化を行うアレンジャー

不動産の証券化業務は、①証券化を行う業務（アレンジメント業務）、②運用期間中に不動産の運用管理を行う業務（アセット業務、プロパティ業務）に分けられます。

アレンジメント業務とは、まず不動産の所有者の希望を満たすような証券化の全体像をつくり、他の不動産の賃料収入（キャッシュフロー）と合わせて、投資家のニーズに応じた証券化商品をつくります。その上で、特別目的会社（SPC）などを設立し、所有者の不動産をその会社に譲渡させ、証券を小口にして投資家に販売します。これらの業務を行う人や機関をアレンジャーといい、証券会社や銀行、信託銀行が行います。さまざまな関係者の利益調整を行うことから、不動産以外にも金融や法律、税金などの幅広い知識が必要で、証券化業務の中核プレイヤーとなります。

SPC
1-10参照。

賃料収入の管理を担うアセットマネージャー

アセット業務は、アレンジャーが不動産を証券化した後に、SPCなどの経営を担う業務で、その業務範囲は広く、収益の最大化を目的に賃料収入の管理や不動産の追加購入、売却、リノベーションなどの資産価値の増大を行います。また、投資家への利益分配や、説明のための資料作成もします。特に重要なのは、この業務は最終的に不動産を売却して利益を確定させるため、売却するタイミングや方法を検討する点です。このアセット業務を行う人や機関をアセットマネージャーといい、不動産に関する知識やスキルが必要です。

不動産証券化業務とは

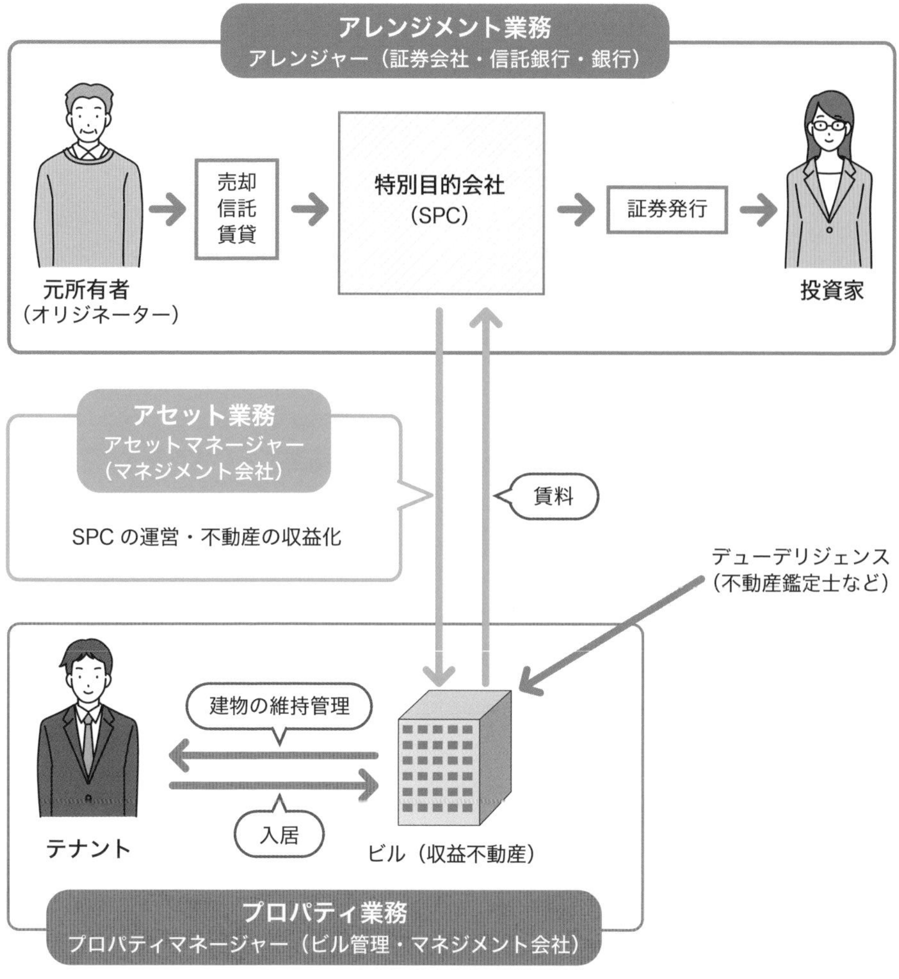

建物の運営管理を行うプロパティマネージャー

プロパティ業務は、アセットマネージャーの指示を受けて建物の運営管理・資産保全、テナント入居（**リーシング**）などを行い、優良テナントの確保をして建物の維持管理によってテナントの満足度を向上させ、優良テナントが流出しないようにします。プロパティ業務を行う人や機関をプロパティマネージャーといい、建物や設備についての一定程度の知識が必要です。

リーシング
店舗やオフィスなど、商業用不動産の賃貸をサポートする業務のこと。

収益不動産の仕入れが重要

不動産の投資業務は収益不動産の仕入れをして、仕入れた不動産の収益力を向上させ、投資家に販売します。投資家が欲しがる収益力のある不動産を仕入れられるかどうかが重要です。

流通事業やビル・マンション管理の知識が必要

不動産の投資業務は、主に収益不動産の仕入れ業務、収益力向上業務、販売業務の３つに分かれます。

7-01で紹介したように、投資業務は事業主として行う場合と仲介として行う場合がありますが、事業主として業務をする場合も仲介として取り組む場合も大きな流れは同じです。また、業務によって担当者が分かれる証券化業務とちがい、一人がすべての業務を担当する場合もあります。そのため、流通事業やビル・マンション管理事業の知識やスキル、経験があり、その不動産が売れるか売れないかをスピード感をもって判断できる人材が求められます。

収益不動産の所有者探しから始まる

収益不動産を仕入れる際、借金の返済や相続トラブルなどの個人的な問題や、空室が多いなど不動産に関する不満を不動産所有者が持っていない限りは、収益不動産の売却は検討されません。そのため、そうした問題を抱える不動産所有者を探すことから業務が始まります。また、開発事業と同じで、投資事業を行う不動産会社が土地にマンションを建設して投資家に販売を行うことがあります。代表的なのは**ワンルーム事業**で、開発事業主だと開発費用の負担があり、不動産に関する責任は重くなりますが、販売しきれば利益は大きくなります。ほかの事業者が建設した不動産を仲介して販売する場合は、負担する費用は少なく不動産への責任も重くありませんが、利益は事業主の場合と比較して小さくなります。

ワンルーム事業
ワンルーム（居室が１部屋）をメインとする一棟のマンションを開発・建設し、一部屋ずつ投資家に販売する事業。

不動産の投資業務

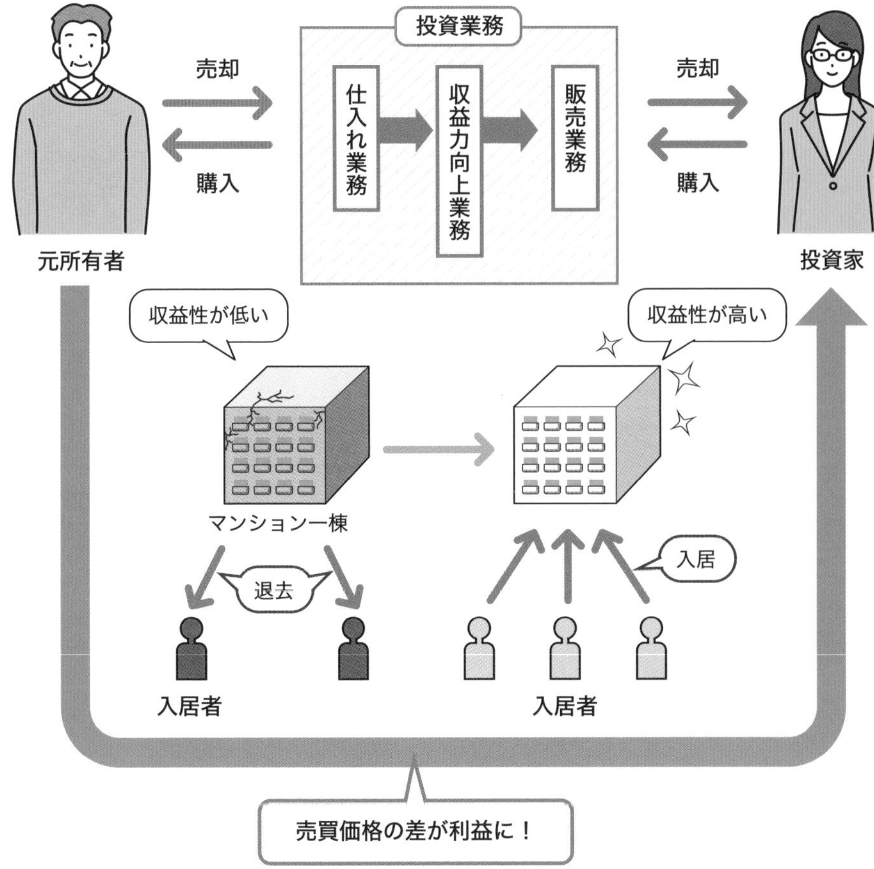

リノベーションや建て直しで収益力を上げる

収益力向上業務は、空室があればそれを埋めて満室にし、リノベーションを行って賃料が回収できる部屋にするための業務です。空室があったり、賃料が低いのは、不動産としての魅力が欠如しているためなので、リノベーションなどで魅力を高めることが重要です。場合によっては入居者を退去させ、建て直すこともあります。

販売業務は、投資家に不動産を販売する業務です。収益力のある不動産であればすぐに売れるのが実情で、仕入れ業務がとても重要といえます。

不動産投資の具体的な業務

Chapter7
04

不動産の仕入れから引き渡しまで

投資家のニーズを汲んで不動産を仕入れ、収益化を図ってリノベーションなどを行い、収益不動産専門サイトや顧客リストを使って投資家に不動産を販売し、資金計画のサポート、不動産の引き渡しまでを行います。

仕入れから販売活動のポイント

不動産投資業務の具体的な流れは、①不動産の仕入れ、②収益化活動（リノベーション・入居促進など）、③販売活動、④資金計画・融資付け、⑤売買契約、⑥引き渡し、となります。

①の不動産の仕入れは、金融機関や不動産流通会社、不動産のオーナーなどを訪問して売却を検討している収益不動産の情報を仕入れます。査定して、オーナーが金額に納得すれば売却の依頼を受けます。オーナー側にすぐに不動産を売りたい事情がある場合は直接買い取ることも検討します。買い取る際は不動産の調査を行い、問題がなければ購入します。このとき、一般的な買い取り価格は相場の6～7割ほどになります。

②収益化活動とは、仕入れた不動産を高く売るためにリノベーションや耐震工事、修繕工事などを行うことです。リフォーム会社、建設会社から見積もりを取り、得られる賃料を考慮して工事を行います。高い賃料が得られるよう不動産の状態を維持することで、満室に近づけ、入居者が退去しないようにします。また、事業主である場合は売主として不動産への責任が発生するため、建物の瑕疵などは必ず修繕して無くしておく必要があります。

③販売活動は「楽待《らくまち》」「健美家《けんびや》」といった**収益不動産専門サイト**や、「SUUMO（スーモ）」「LIFULL HOME'S（ライフルホームズ）」といった**一般のポータルサイト**に情報を掲載して行います。また、自社の投資家リストに載っている人や付き合いのある投資家に直接営業もします。居住用不動産の場合は買主がその不動産を気に入るか気に入らないかが購買の判断に大きな影響を与えますが、収益不動産の場合は利益がどれぐらい得られる不動産な

収益不動産専門サイト
一棟売りのアパートや賃貸マンション、テナントビルなど、家賃収入を得ることを目的とした不動産を専門に紹介するサイト。

一般のポータルサイト
インターネットを利用して不動産情報を得る際に、入り口や玄関となるようなサイトで、さまざまなサービスや情報が集約されている。

不動産投資業務の具体的な流れ

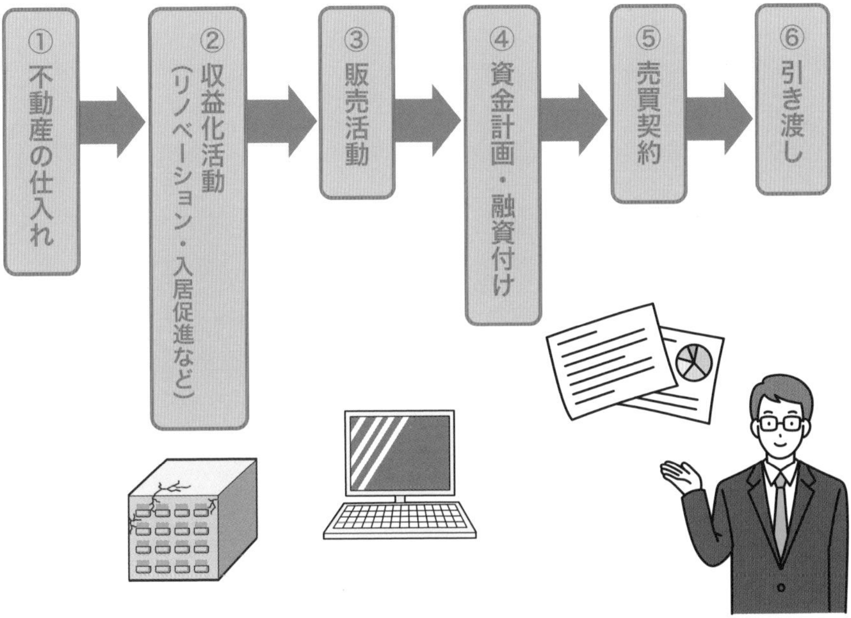

のかが判断基準なので、販売活動業務に関わる人は利回りや税金などの知識が必要です。また、建物の維持修繕状況は、投資家にとって収益を維持するための費用に関係し、質問が多くなるので、答えられるように準備することが大切です。

資金計画から引き渡しのポイント

④資金計画・融資付けは、購入検討者が実際に不動産を購入できるのか、またどの金融機関から融資を受けられるのかを確認します。投資家は融資が組めたら購入に至ることが多く、どれだけ安い金利で長期間の融資が得られるかがポイントになります。

⑤売買契約では、売主と買主の条件をまとめて書面で行います。売買価格やそれに付随する諸条件が多いので、整理して、あいまいな部分がないように行います。

⑥引き渡しは、不動産とともに賃借人との賃貸借契約などの関係書類一式を買主に引き渡すことです。

Chapter7
05

社会問題となったサブリース契約に関する事件

厳格化したサブリース契約の規制と登録、収益不動産の融資審査

2018年、女性専用シェアハウス「かぼちゃの馬車」のサブリース事業を巡り、悪質な運営会社、サブリース、融資審査についての３つの問題が明るみに出ました。この事件により、不動産投資の融資審査は厳しくなっています。

「かぼちゃの馬車事件」とは

不動産投資で近年問題となったのが「かぼちゃの馬車事件」です。「かぼちゃの馬車」というのは女性専用シェアハウスのブランド名で、このシェアハウスの運営会社である株式会社スマートデイズのサブリース事業が破綻したことで物件に投資したオーナーへのサブリース賃料が未払いになり、ローンで購入したオーナーがローン支払いに窮する事態が続出しました。この事件の背景には、スマートデイズのずさんなビジネスモデルと、それを知りながら不正に融資したスルガ銀行の存在がありました。

おいしい投資話は危険

スマートデイズは、2017年３月期には売上高約316億円まで急拡大していましたが、同年10月、オーナーに対してサブリースで借りていたシェアハウスの賃料減額を通知。翌2018年の説明会では１月以降の賃料の支払い自体が難しいことを明らかにしました。ただ、オーナーの大多数はスルガ銀行などの金融機関から融資を受けており、その返済はサブリース契約による30年間保証された賃料が財源であったため騒動となりました。

サブリースとは「転貸」のことで、事業者は、賃借人からもらう賃料とオーナーに支払う賃料の差額が利益になります。オーナーにとっては、空室があっても事業者から賃料が支払われることから、返済計画が立てやすいメリットがあります。ただ、将来の賃料減額などのリスクを隠しながら、10〜30年の長期一括借り上げ保証を餌として、スマートデイズのように不動産オーナーを建物建設や売買へ勧誘する悪質業者が後を絶ちませんでした。

「かぼちゃの馬車事件」の全体像

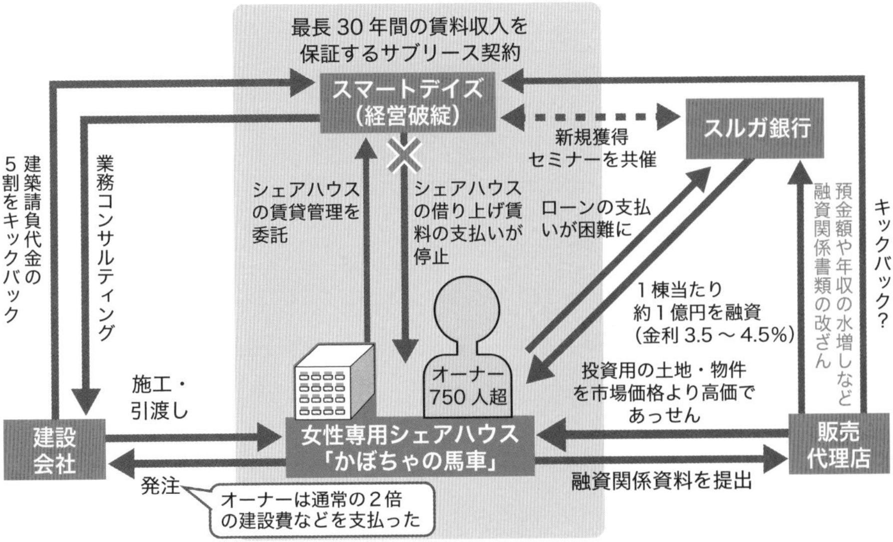

サブリース事業の関係図

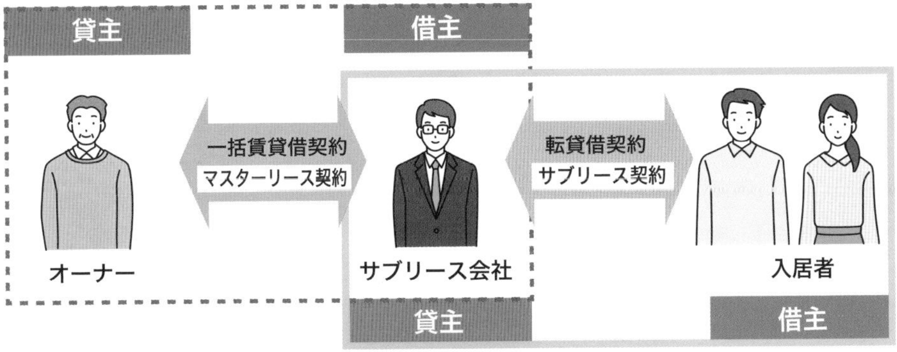

政府がサブリース規制を強化

そこで、政府は2020年３月にサブリース規制や賃貸住宅管理業の登録制度などを盛り込んだ、「賃貸住宅の管理業務等の適正化に関する法律案」を閣議決定しました。登録制とすることで悪質業者の排除を目指し、将来の賃料変動リスクについて書面での説明や交付を行うことで、今回のような問題の再発を防ぐ構えです。また、融資審査書類の改ざんも問題になっており、2019年ごろから金融機関の収益不動産への融資は厳格化されています。

Chapter7
06

キャッシュフローを重視

プロの不動産投資事業者は売却益の見通しよりもキャッシュフローの見通しを重視し、不動産を長期保有する傾向があります。一方で長期修繕費は重視度が低く、建物の維持は若干軽視していることがうかがえます。

キャッシュフローを重視し、長期保有を計画

投資事業専門で事業を展開しているプロの不動産投資事業者は、収益不動産のどの点を見て投資判断をしているのでしょうか。国土交通省が2020年５月に発表した「不動産市場に関する国内不動産投資家アンケート調査」を見てみましょう。

右の表は不動産投資判断における各要素の重視度を表していて、①から④は事業収益などに関する項目です。①の**キャッシュフロー**の見通し（インカムゲイン）を「大いに重視した」という回答が74.3％と高くなっています。事業継続のためには毎月毎年の収益が不可欠なため、当然といえます。一方で、投資事業では最終的に不動産を売却して利益を確定させますが、②の物件の売却益の見通しは30.9％と比較的小さい値となっています。売却益よりもキャッシュフローを重視する割合のほうが圧倒的に多いことから、プロの不動産投資事業者は、長期間保有して利益を得ることに関心があると考えられます。

不動産投資におけるキャッシュフロー
家賃などによって得られた収入から、経費やローンなどの支出を引いて手元に残る資金の流れのこと。

その他、投資判断で大いに重視する要素

他に「大いに重視した」という回答で40％を超えているのは⑩⑬⑰⑱の４つです。⑩正確な地籍情報の整備状況は、不動産の取引範囲を明確にし、資産価値を図る意味で重要です。⑬土壌汚染の有無やその処置等の状態を重要視する理由は、土壌汚染があると土の入れ替えなどで多額のコストが生じるためです。⑰周辺地域の他の取引における不動産取引価格等の情報は、相場を見て適正額を判断するのに重要です。この３つはプロでなくても重視するので当然ですが、一方で、売却益の見通しを重視していないとみられる回答が６割ほどあり、長期保有を見越しているにもか

不動産投資判断における諸要素の重視度

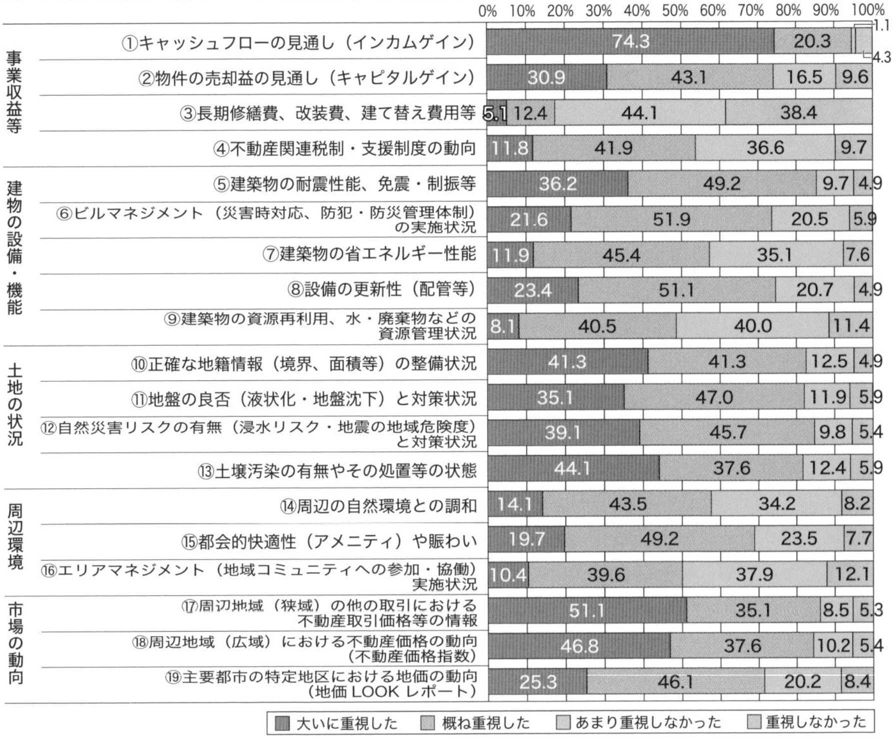

※国土交通省「国内不動産投資家アンケート調査（令和２年５月）」を基に作成

各地域への今後の不動産投資姿勢

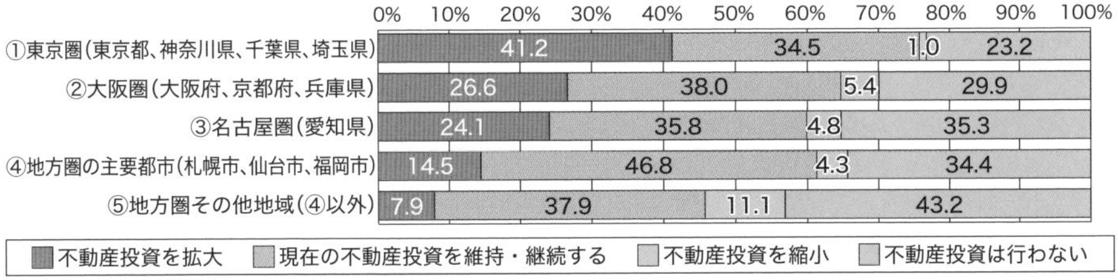

※国土交通省「国内不動産投資家アンケート調査（令和２年５月）」を基に作成

かわらず、③の長期修繕費、改装費、建て替え費用等を「大いに重視した」が5.1％と、工事費用が増大する中で維持費を重く見ていない回答者が多いようです。

エリア別では「不動産投資を拡大」と回答しているのは東京圏（東京都、神奈川県、千葉県、埼玉県）で41.2％となっています。地方圏と比べて２～５倍以上の大きな差があります。

Chapter7
07

不動産関係の税金

必要不可欠な 不動産に関わる税金の知識

不動産関係の税金は、不動産を取得したとき、売ったとき、持っているとき、貸しているときの４つの状況で課税されます。特例や控除によって税額が大きく変わるため、一定の知識が必要です。

証券化・投資事業では税に関する知識が不可欠

不動産の利回りは節税も含めないと高くはならない―。これは、ある不動産投資家の言葉ですが、実際にそのとおりです。東京都内の収益不動産は年利回り５％前後であることが多いのですが、相続税や所得税・住民税が節税できれば、実質年利回り10％以上となる場合もあります。そのため、不動産全般でいえることですが、不動産に関係する税金については知っておく必要があります。特に不動産証券化・投資事業では、節税や税金の考え方次第で、事業が成立するかどうかの判断が分かれる重要な知識といえます。

しかし実際は、「顧客からの税務相談には原則、税理士又は税理士法人でない者（税務署を含める）は、有償無償を問わず受けてはいけない（税理士法第52条）」とされているため、税金の知識があっても、顧客の対応は税理士などに任せることになります。

相続税
亡くなった人から財産を相続したときなどに課される税金。

所得税
個人の一年間の所得に課される税金。

住民税
住んでいる都道府県、市区町村に納める税金。道府県民税と市町村民税を合わせて「住民税」と呼び、一括して市区町村に納める。

特例や控除を利用することが重要

不動産の税金は取得したとき、売ったとき、持っているとき、貸しているとき、の４つの状況で課税されます。

取得したときにかかる税金で複雑なのは贈与税で、住宅取得資金贈与、相続税清算課税制度、暦年贈与など、さまざまな贈与方法があり、これらの制度を利用して世代間で贈与すれば、本来かかる贈与税が非課税になります。また、相続税にはさまざまな節税方法があります。

売ったときにかかる税金では、個人で売った場合の譲渡所得税にさまざまな特例があります。居住用財産の特別控除（通称3,000万円控除）が代表的な特例で、通常は購入したときよりも

贈与税
個人から財産をもらったときに課される税金。

譲渡所得税
譲渡所得とは、所有している土地や建物、株式、貴金属などを売って得た利益のことで、これには所得税や住民税がかかる。これらを総称したもののこと。

不動産の税金一覧

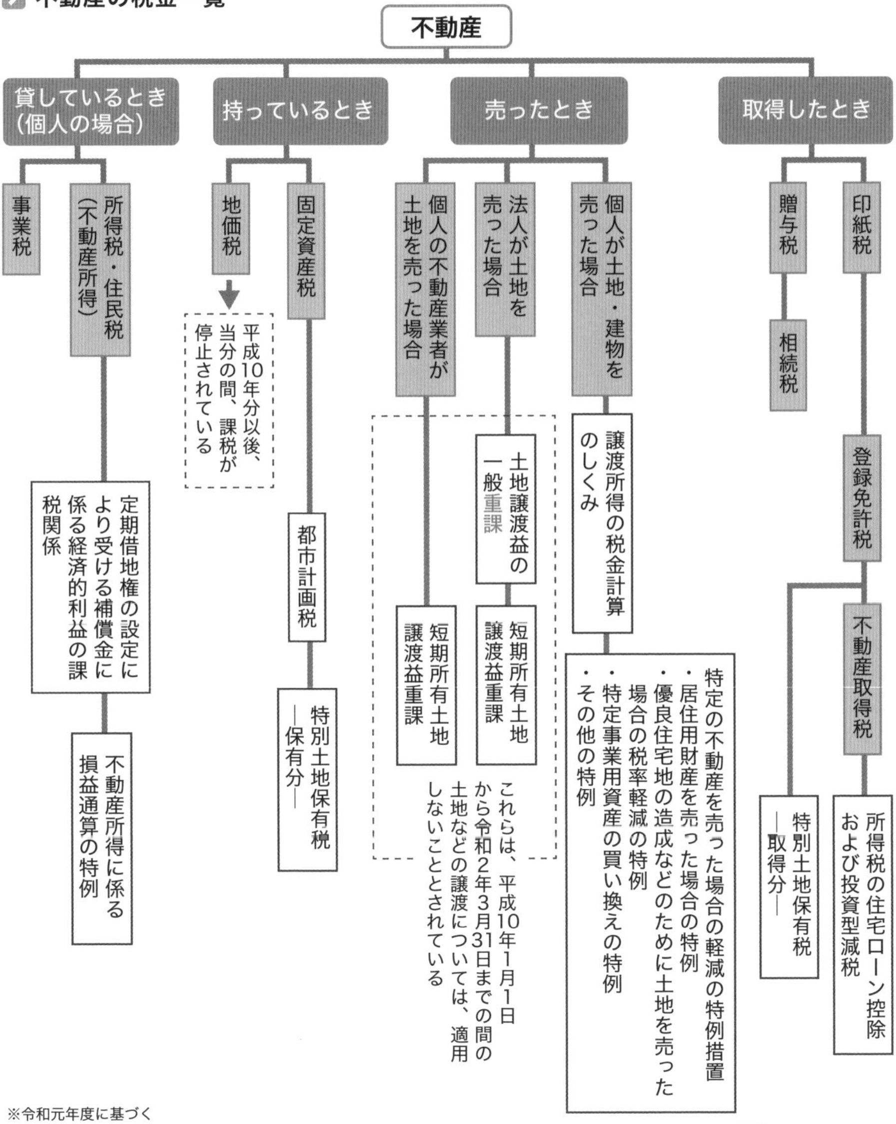

※令和元年度に基づく

高く売却した場合に、その利益に対して20〜40％ほどの税金がかかりますが、自身で住んでいたのなら、利益から3,000万円を差し引くことができます。つまり、利益が3,000万円までなら譲渡所得税はかからないことになります。

　このように、税金にはさまざまな特例や控除があり、それを利用することが重要です。

重課
付け加えて課する重い税金のこと。

COLUMN 7

江戸時代も不動産投資は盛んだった？

江戸時代の大家は楽な商売だった？

不動産投資はすでに江戸時代から盛んでした。落語や時代劇によく出てくる長屋を思い浮かべると、大家さんが店子から賃料を徴収して住まわせるスタイルは、現代の賃貸アパートと同じです。鷲崎俊太郎氏による論文では、天保年間（1840年ごろ）の江戸京橋地区（現在の東京駅近く）における地主の8割はそこに居住せず投資の対象として所有していたようです。表通りは商店、裏通りは長屋にして賃貸し、かなりの利益を上げていたとのこと。物件管理も店子の自治に任せて、荒稼ぎだったようです。

ただ、江戸時代でも初期と後期では収益率も大きくちがったようです。人口流入が激しかった江戸初期は、貸家を建てればすぐに入居者がつき、収益率は７％と高かったのですが、後期になると２％まで落ち込みました。収益率下落の要因は、江戸の名物といわれた火事や天保の改革の一環（1842年）の「地代店賃引下げ令」（土地や家賃を引き下げて庶民の生活を改善するための法律）、1820年代から物価の上昇が長期にわたって続いたことによる賃料の相対的価値下落、金融市場における利子率の低下などが影響したようです。

不動産投資ローンの登場で個人も参入しやすくなった現代

現代の不動産ビジネスが江戸時代と大きくちがう点は、不動産投資ローンの登場です。江戸時代はもともと資金のある富裕層による経営でした。現代は、一般のサラリーマンでも不動産投資ローンを活用して物件の確保が可能になりました。資金が潤沢になれば不動産投資は活性化します。ただし買い手が増えて不動産価格も上昇し、賃貸経営の利回りは低くなります。そのような構造がある中で、どのような方法で有利な状況をつくり出すかが現代の不動産投資で大切になることです。

人口減少、リモートワークの普及、大都市一極集中の解消などの動きを見据え、今後不動産投資がどのように推移するかが注目されます。

第8章

不動産業界で必要とされるスキルと資格

不動産業界では、建築や法律、経済についての基本的な知識だけでなく、コミュニケーションを円滑にする力や交渉力、さらにはコストや予算を組み立てる能力が求められます。

トラブルなく仕事を進めるための基礎知識とスキル

不動産業界では、建築、法律、経済の３分野の基礎知識を広く習得し、その知識を活かした交渉やコミュニケーション、予算などの数字を組み立てるスキルを身につけることが重要です。これは各事業共通で求められます。

建築、法律、経済の知識が必須

不動産業の各事業において、会社が従業員に最低限求める基礎知識とスキルがあります。ここでいう基礎知識とは、事業をスムーズに進めるための知識のことで、知らないと仕事でトラブルを引き起こしてしまう可能性があります。具体的には、不動産を構成する３要素─建築、法律、経済の３つに関わる知識で、たとえば建物の構造や工法、コスト、建築基準法・宅地建物取引業法・マンション管理適正化法などの法律、好況や不況などの市況の動き、ローンや税制に関する知識などのことです。

この３つは相互に影響を与えており、どれかひとつでも知識が欠けると他の２つにも支障が出ます。たとえば、建築基準法での違法建築についての知識が欠如していると、建築の安全性が保障できなかったり、不動産を購入する際の住宅ローンが組めなかったりします。また、この３要素のうちひとつでも疎かにすると大きな損害が生じます。2013年に発覚した高級マンション「ザ・パークハウス　グラン南青山高樹町」の事例では、工事の不具合が発覚し、マンションの販売中止・契約解除という事態になりました。原因は、工事の不具合を開発会社と建設会社がともに見逃してしまったことにあります。工事の不具合は、完成まで残り４ヵ月という時点で、第三者の指摘で発覚しました。全86戸のうちほとんどが契約済だったため、違約金は数億〜十数億円になるとみられています。関係者に建築についての知識が十分にあれば、このような事態は避けられたでしょう。

求められるスキル

不動産業界で必要なスキルとは、知識をベースに成果へ導くた

不動産業界で求められる基礎知識とスキル

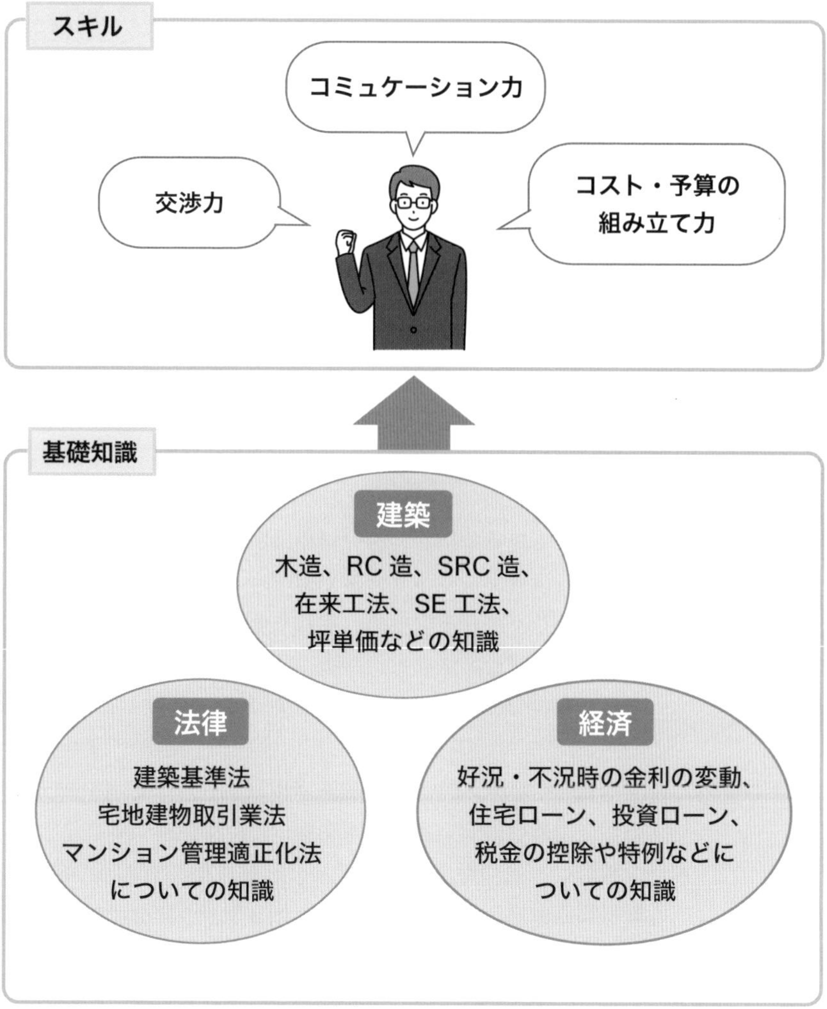

めの能力のことで、不動産所有者などとの交渉やコミュニケーション、利益を出す予算の組み立てやコストの管理など、数字に関するスキルを指します。不動産は他に同じものがない唯一無二のもので、ビジネスチャンスがあったときに素早い判断ができなければ、その不動産が他の人の手に渡り、二度と取り戻せないことがあります。そうならないように、条件の交渉、所有者と信頼関係をつくるコミュニケーション力といったスキルが必要です。

Chapter8
02

最も必要なのは金融と法律の知識

消費者は、常に安く安全に不動産の業務が行われることを求めています。顧客に安心して売買や取引を進めてもらうためにも、不動産に関わるお金の知識と、契約に伴う法律の知識は必ず習得する必要があります。

お金に関する知識は重要

8-01では不動産会社の視点から求められる知識とスキルを紹介しましたが、ここでは消費者から求められることを紹介します。

消費者は、不動産に関わるお金の知識と、契約に必要な法律の知識を求めています。この２つは前の節で紹介した基礎知識のうち、経済と法律の分野に当たります。建物については建設業を専門家と見ているためか、深い知識は求めていないようです。

不動産は売買に限らず賃貸や管理、また修繕などでも高額な費用がかかります。そのため、それらを安く済ませる方法や、低利のローンを組む方法など、お金に関する知識が求められます。代表的な場面は、不動産を購入するときです。融資額3,000万円、期間35年でローンを組むとして、金利が1.0％か1.1％なら、わずか0.1％ちがうだけでも総返済額は約60万円*も変わります。当然、消費者は安い金利情報を持っている企業に集まります。

*ローンの返済方法が「元利均等」の場合の金額。

実際に、住宅購入者へのアンケート（2021年度全国宅地建物取引業協会連合会調べ）の結果を見ると、不動産を購入するときのポイントの１位は「購入金額」が23,349人中13,052人で半数以上であり、消費者は不動産の金額に関心が強いことがうかがえます。

契約に関する知識は必須

次に必要なのは法律の知識です。売買や賃貸、管理をするときは契約を結びますが、そこで「契約書に書いていなかった」「そうは思っていなかった」というトラブルが起きやすいという実態があります。実際に流通業務において2020年度に公的機関に寄せられた消費者からの苦情のうち、法律に関係するものは「重要

2020年度 主要な原因別紛争の相談件数

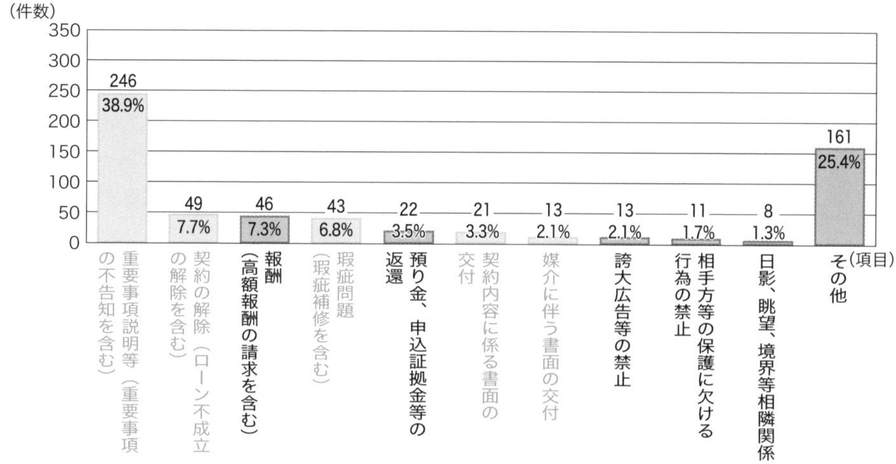

※緑字は法律に関係するもの

※公益財団法人不動産流通推進センター「2022不動産業統計集（3月期改訂）1不動産業の概況（4）⑦e」を基に作成

住宅を購入するときのポイント

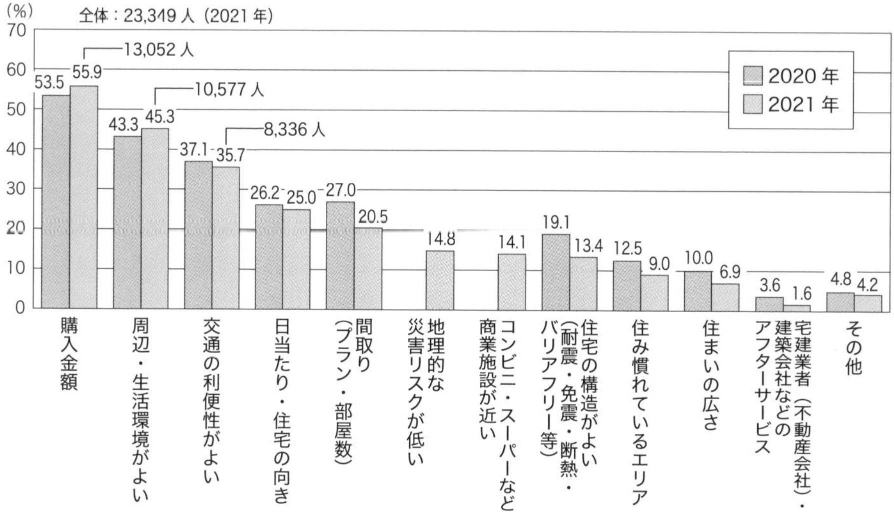

出典：公益社団法人 全国宅地建物取引業協会連合会、公益社団法人 全国宅地建物取引業保証協会「住居の居住志向及び購買等に関する意識調査」（2022年2月）を基に作成

事項説明等」「契約の解除」「瑕疵《かし》問題」「契約内容に係る書面の交付」「媒介に伴う書面の交付」があり、合計で372件、苦情全体の633件のうちの約59％と、過半数を超えています。この結果からみても、法律の知識は必須といえます。

Chapter8
03

国家資格や公的資格のほか、さまざまな民間資格がある

不動産の資格は国家資格、公的資格、民間資格など、多種多様なものがあります。取得することで独占的に業務を行うことが認められる資格や、名乗ることを許される資格、事業所で一定数登録する必要のある資格があります。

不動産業界の代表的資格「宅地建物取引士」

日本の不動産に関する資格は、**国家資格**、**公的資格**、**民間資格**などさまざまな種類があります。そのうち、国家資格には**業務独占資格**や**名称独占資格**があります。また、義務管理者の要件を満たすものもあります。

不動産に関する資格の中で最も人気が高いのは「宅地建物取引士」です。毎年約20万人も受験している業務独占・**必置の国家資格**です。不動産の取引の際に、不動産の重要事項説明を行うにはこの宅地建物取引士の資格が不可欠です。不動産業界で働く人にとって影響力の大きい資格です。

その他の不動産に関する資格

「不動産鑑定士」も業務独占の国家資格で、世界的には稀な不動産の鑑定評価を行う資格です。鑑定士の資格を持たないものが鑑定評価を行うと刑事罰の対象となります。

「マンション管理士」は、マンション管理組合のコンサルタントとして必要とされる一定の専門知識を有していることを証明する資格で、第三者の立場からアドバイスをする国家資格です。「管理業務主任者」はマンション管理会社の立場からアドバイスをする専門家の資格です。

そのほかにも不動産のさまざまな業務と関係する「建築士」や、公的資格の「公認不動産コンサルティングマスター」「ビル経営管理士」「不動産証券化協会認定マスター」、民間資格では、ライフプランから不動産をアドバイスをする「ファイナンシャル・プランナー」、度重なる自然災害から不動産を守るプランをつくる「損害保険募集人」などがあります。

国家資格、公的資格、民間資格

法律に基づいて、国や国から委託された機関が実施するものが国家資格。国の基準に基づいて公益法人などが実施し、国が認定するものが公的資格。公益法人などの各種団体や民間企業などが実施や認定をするものが民間資格。

業務独占資格、名称独占資格

医師や弁護士など、その資格を所持している者でなければ一定の業務や特定作業に従事できないものが業務独占資格。保育士や管理栄養士など、その資格を所持している者でなければその名称を名乗ることができないものが名称独占資格。

必置の国家資格

企業や事業所などに配置することが、法律で義務付けられている国家資格。主なものに衛生管理者、ケアマネジャーなどがある。

不動産に関する資格

国家資格

資格名	資格の根拠法	認定試験機関
宅地建物取引士	宅地建物取引業法	(一財) 不動産適正取引推進機構
不動産鑑定士	不動産の鑑定評価に関する法律	国土交通省　土地鑑定委員会 (国土交通省 土地・建設産業局 地価調査課 不動産鑑定士係)
マンション管理士	マンションの管理の適正化の推進に関する法律	(公財) マンション管理センター
管理業務主任者	マンションの管理の適正化の推進に関する法律	(一社) マンション管理業協会
ファイナンシャル・プランニング技能士	職業能力開発促進法	(一社) 金融財政事情研究会および日本ファイナンシャル・プランナーズ協会
土地改良換地士	土地改良法	農林水産省 農村振興局整備部土地改良企画課 換地係
土地区画整理士	土地区画整理法	(一財) 全国建設研修センター

公的資格

資格名	資格の根拠法	認定試験機関
公認　不動産コンサルティングマスター	不動産特定共同事業法	(公財) 不動産流通推進センター
ビル経営管理士	不動産投資顧問業登録規程	(一財) 日本ビルヂング経営センター
不動産証券化協会認定マスター	不動産特定共同事業法	(一社) 不動産証券化協会
賃貸不動産経営管理士※	賃貸住宅の管理業務等の適正化に関する法律	(一社) 賃貸不動産経営管理士協議会

※認定試験機関は国家資格としているが、根拠法に名称等の定めがないため、本書では公的資格と取り扱う

民間資格

区分所有管理士、CFP®、AFP、再開発プランナー、住宅ローンアドバイザー、不動産仲介士、相続アドバイザー、住宅販売士、敷金診断士、競売不動産取扱主任者、マンション建替士、シックハウス診断士、地盤品質判定士、敷金鑑定士、損害保険募集人

資格の根拠法とは、
その資格の基盤と
なっている法律の
ことだよ！

Chapter8
04

主な不動産関連資格①

宅地建物取引士は不動産取引の法務の専門家

宅地建物取引士は、不動産取引の法務の専門家の資格であり、不動産の取引の際になくてはならない資格です。不動産業界全体で取得を求められている傾向があるので、就職前に取得しておくことが望ましいです。

宅地建物取引士とは

不動産取引の法務
不動産取引での法務とは、不動産の売買、賃貸、媒介などを扱う法務のこと。

宅地建物取引士は、不動産取引の法務の専門家です。不動産の取引に求められる資格ですが、取引をあまり行わない会社も含めて不動産業界全体で資格取得を求められるケースが多く、就職前に取得しておくことが理想です。

宅地建物取引士は略して「宅建士」といいます。過去には「宅地建物取引主任者（宅建主任者）」という名称でしたが、不動産購入者などの利益保護の徹底や、コンサルティングによる土地建物の円滑な流通を目的に、士業として責任を明確にしたことから2015年4月に現在の名称へと変更されました。

宅地建物取引士となるには、都道府県知事の委任を受けた一般財団法人不動産適正取引推進機構が実施する試験に合格した後、都道府県知事への資格登録を行い、当該知事の発行する宅地建物取引士証の交付を受ける必要があります。

試験は年齢・性別・学歴・国籍などの制限はなく、誰でも受験でき、例年10月の第3日曜日に行われます。2021年の受験者数は約23万5,000人、合格者数は約4万2,000人、合格率は約18%となっています。

この資格が必要な理由

宅地建物取引士の資格があることで、不動産取引の際にしなければならない宅建業法第35条に定める重要事項の説明と、重要事項説明書への記名押印、同第37条に定める書面（契約書など）への記名押印を行うことができるようになります。

また、宅地建物取引業者は、その事務所などごとに、事務所などの規模、業務内容などを考慮して国土交通省令で定める数の成

宅地建物取引士ができること

① 重要事項（権利関係、法令上の制限、取引条件、その他の事項など）の説明
② 重要事項説明書への記名押印
③ 契約内容書面への記名押印

↓

不動産の取引ができる！

宅地建物取引士の試験内容

- 土地や建物の形や構造、種別に関すること
- 土地や建物についての法令上の制限に関すること
- 土地や建物についての権利に関する法令
- 宅地や建物についての税に関する法令

のほか、不動産取引や宅建業者の業務内容、不動産に関わる税金などが、民法や宅建業法、不動産に関する法律から出題される

資格を取得すると……

不動産およびその取引に関する各種法律や民法、税制などの知識が身につく。また、不動産業界だけでなく、不動産に関連するあらゆる業種（金融、保険、証券、建設、小売など）で役立つ

宅建士は
ぜひ取得したい
資格だよ！

年者である専任の宅地建物取引士を置かなければならないとされています（宅地建物取引業法第15条第1項）。そのため、主な業務が不動産取引の会社では必須の資格であり、創業する場合にも必要です。

Chapter8 05

主な不動産関連資格②

不動産鑑定士は適正地価を判断する不動産価格の専門家

一物四価といわれ、さまざまな評価がある不動産は、個人や法人の重要な資産であり、取引や納税のためには適正な価格を判断できる不動産鑑定士が不可欠です。この資格は三大難関国家資格のひとつに数えられています。

不動産鑑定士とは

不動産鑑定士は、不動産の適正地価を判断する不動産価格の専門家です。不動産は個人・法人を問わず資産の多くを占めるものであり、取引や納税の対象となります。ただ、不動産は一物四価といわれる価格を導く4つの評価基準（実勢価格、公示価格、相続税評価額、固定資産税評価額）があるので、一般人には適正価格がわかりづらくなっています。そのため、不動産をどのように活用したら価値が最も高まるかを判定し、適正な価格を判断する専門家として不動産鑑定士は必要とされています。

この資格の独占業務は不動産の鑑定評価です。不動産鑑定士以外の者が不動産の鑑定評価を行うと、刑事罰の対象となります。宅地建物取引業者が不動産の売買時に行う不動産の査定は実勢価格の判断であるため、鑑定評価とは別なものとされています。

不動産鑑定士の主な業務は、公示地価や相続税評価、訴訟時における国や都道府県、裁判所から依頼される公的な鑑定評価と、売買の参考や抵当権設定時における民間法人から依頼される鑑定評価です。

不動産鑑定士になるには

不動産鑑定士となるには、国土交通省土地鑑定委員会が実施する2段階の試験に合格した後、公益社団法人日本不動産鑑定士協会連合会の実務修習を受け、修了考査で修了確認を受けて登録します。

試験は年齢・性別・学歴・国籍などの制限はなく、誰でも受験でき、例年5月に短答式試験を、8月に論文式試験を行います。2021年の短答式試験の受験者数は1,709人、合格者数は621人、

一物四価
土地の価格を評価する際の4つの評価基準のこと。実勢価格、公示価格、相続税評価額、固定資産税評価額がある。

実勢価格
実際に土地を売買する際の価格のこと。相場ともいう。

公示価格
地価公示法に基づき、国土交通省土地鑑定委員会によって公表される土地の価格のこと。

相続税評価額
相続税や贈与税の計算の際に基準となる評価額のこと。

固定資産税評価額
固定資産税の計算の際に基準となる土地価格のこと。

不動産鑑定士ができること

①鑑定評価業務（独占）

国や都道府県、市区町村などの依頼で、国内の地域・区画ごとに定められた標準的な地価や、土地にかかる税額を決めるために行われる鑑定評価

②コンサルティング業務

対象となる不動産をさまざまな角度から調査・分析し、その結果を踏まえて顧客のニーズに合わせた的確なアドバイスを行う

不動産の評価ができる！

不動産鑑定士の試験内容

1次（短答式）：①不動産に関する行政法規（土地基本法、不動産の鑑定評価に関する法律、地価公示法など）
②不動産の鑑定評価に関する理論

2次（論文式）：①民法 ②経済学 ③会計学 ④不動産の鑑定評価に関する理論

不動産に関する各種法律のほか、不動産鑑定評価の実務知識、さらに民法、経済学、会計学から幅広く出題される

資格を取得すると……

司法試験、公認会計士試験と並ぶ三大難関国家資格なだけに、取得すれば不動産鑑定事務所やコンサルティング会社のほかにも不動産の評価が必要な金融・証券会社、官公庁、監査法人などで幅広く活躍できる。また、独立・起業も可能

合格率は36.3％となっており、論文式試験の受験者数は809人、合格者数は135人、合格率は16.7％となっています。２つの試験を通した最終合格率は約7.9％と低いため、その試験形式なども含めて三大難関国家資格のひとつといわれることもありますが、取得のメリットは非常に大きいです。

Chapter8
06

マンション管理士、管理業務主任者はマンション管理の専門家

マンション管理士は第三者として、管理業務主任者は管理会社の立場から、マンション管理についてアドバイスを行う資格です。マンション管理業に就職するなら取得を目指したい資格です。

マンション管理士とは

マンション管理士は、マンション管理組合に対して運営や維持管理のコンサルティングを第三者の立場で行うマンション管理の専門家です。具体的な業務は、管理組合内の協議や総会などに出席して、運営や大規模修繕を含む維持管理について、区分所有法や関連する専門知識を活かしてアドバイスを行うことです。

独占業務はなく、マンション管理組合に対するアドバイス自体は資格を持たない者でもできます。しかし、マンション管理士以外の者がマンション管理士の名称や紛らわしい名称を使用することは禁止されている名称独占資格となっています。

マンション管理士の試験は年齢・性別・学歴・国籍などの制限はなく、例年11月の最終日曜日に行われています。2021年の受験者数は12,520人、合格者数は1,238人、合格率は9.9%となっています。

管理業務主任者とは

管理業務主任者は、管理会社の立場からマンションの諸問題を解決するマンション管理の専門家です。

資格保持者の設置義務があり、管理会社は国土交通省へ業登録の際に、事務所ごとに30管理組合に一人以上の成年者で専任の管理業務主任者を置かなければなりません。また、独占業務として、マンションの管理委託契約に関する重要事項説明および重要事項説明書（72条書面）への記名押印などがあります。

試験はマンション管理士と同様に誰でも受験でき、例年12月の第１日曜日に行われています。2021年の受験者数は16,538人、合格者数は3,203人、合格率は19.4%となっています。

マンション管理士・管理業務主任者ができること

マンション管理士

- マンション管理のコンサルタントとして「マンション管理士」と名乗れる（名称独占）

管理業務主任者

- 委託契約に関する重要事項説明および重要事項説明書（72 条書面）への記名押印
- 管理委託契約書（73 条書面）への記名押印
- 管理事務の報告（77 条）

マンションの管理ができる！

マンション管理士の試験内容

- **マンションの管理に関する法令と実務**
- **管理組合の運営の円滑化について**
- **マンションの建物、付属施設の構造と設備**

などが出題される

資格を取得すると……

老朽化マンションの増加、入居者の高齢化などのさまざまな問題を法律や会計のコンサルティングにより解決するマンション管理士の需要増加が見込まれるので、不動産管理会社をはじめ、行政書士事務所、建築事務所などでも活躍できる

管理業務主任者の試験内容

- **管理事務の委託契約について**
- **管理組合の会計の収入と支出の調定、出納について**
- **建物と附属設備の維持・修繕に関する企画・実施について**
- **マンションの管理の適正化の推進に関する法律に関すること**

などが出題される

資格を取得すると……

マンション管理士と同様に、今後の需要増加が見込まれる。学習分野も重複している部分が多いため、両方の資格取得でスキルアップもできる

主な不動産関連資格④

Chapter8
07

不動産業界で近年注目されている公認 不動産コンサルティングマスター

公認 不動産コンサルティングマスターの受験には、宅地建物取引士、不動産鑑定士、一級建築士のいずれかの資格登録が必要で、登録には５年以上の実務経験を要することから、不動産業界内でのキャリアを示す資格といえます。

公認 不動産コンサルティングマスターとは

公認 不動産コンサルティングマスターは、不動産の有効活用や投資・相続対策などに関する専門家です。もともとは「不動産コンサルティング技能登録者」という名称でしたが、2013年に現在の名称に変更されました。不動産に関するさまざまな問題や悩みを解決するために設けられている資格であることから、近年、注目されています。

国家資格ではありませんが、（公財）不動産流通推進センターが主催する国土交通大臣の認定資格（公的資格）であり、**不動産特定共同事業法**、**不動産投資顧問業登録規程**、**金融商品取引法**における不動産関連特定運用業を行う場合の必須資格として位置付けられています。

資格を取るメリット

有資格者は、一定の基準を満たせば、不動産コンサルティング業務の報酬を顧客から受領でき、不動産コンサルティング事業者として独立して活動できるようになります。

宅地建物取引業者は、不動産売買に付随したコンサルティング業務が発生しても、宅地建物取引業法の規定によって仲介手数料を超える報酬は受け取れませんでしたが、この資格を取得すれば活動に見合った報酬を別途受け取れるようになりました。

公認 不動産コンサルティングマスターの試験

公認 不動産コンサルティングマスターの試験は、宅地建物取引士、不動産鑑定士、一級建築士の資格登録者で、現在業務に従事している者、または今後従事しようとする者に受験資格があり、

不動産特定共同事業法

出資などを受けて不動産取引を行い、その収益を分配する「不動産特定共同事業」の適正な運営と投資家の利益の保護を図ることを目的とした法律。

不動産投資顧問業登録規程

不動産投資について委託されて助言や判断、取引の代理などを行う「不動産投資顧問業」について、業務の適正な運営や投資家の保護を目的として定められた登録規定。

金融商品取引法

有価証券の発行や金融商品などの取引などについて、必要な事項を定めた法律。金融商品の公正な取引や円滑な流通、公正な価格形成などを確保することを目的とする。

公認 不動産コンサルティングマスターができること

- 不動産の物件・市場などの調査・分析などをもとに、依頼者が最善の選択や意思決定を行えるように企画、調整し、提案する業務（独占業務ではない）
- 「不動産特定共同事業法」「不動産投資顧問業登録規程」「不動産関連特定投資運用業」などの人的要件にもなっている

不動産のコンサルティングができる！

公認 不動産コンサルティングマスターの試験内容

事業、経済、金融、税制、建築、法律および実務の各分野から、不動産コンサルティングを的確に行うために必要な基礎知識、専門知識、一般知識、総合能力、応用能力について出題される。「不動産コンサルティング基本テキスト」の内容が中心

資格を取得すると……

受験資格のハードルが高く、5年の実務経験が必要な資格のため、取得できれば、法律、経済、金融、建築、税制など不動産業務に関わる幅広い知識と実務経験を兼ね備えた「不動産のプロ」として活躍の場が広がる

この資格を取得すれば
業界内でのキャリアを
証明できるよ！

例年11月に択一式、記述式の試験があります。

2021年の受験者数は1,170人、合格者数は444人、合格率は37.9%となっています。

Chapter8
08

スキル・知識を証明し価値を高めるその他の資格

数多くある不動産に関連する資格の中で、公的資格の賃貸不動産経営管理士、ビル経営管理士、不動産証券化協会認定マスターは設置要件を満たすこともあり、注目されています。また、資産や保険に関する資格も重要です。

設置義務や登録要件も満たす注目資格

紹介してきた資格以外にも、不動産関連の資格は数多くあります。公的資格では賃貸不動産経営管理士、ビル経営管理士、不動産証券化協会認定マスターなどがあります。

賃貸不動産経営管理士は、賃貸不動産における管理の専門家としての資格です。位置付けは分譲マンションにおける管理業務主任者に近く、賃貸住宅管理業者登録制度に登録している会社の事務所ごとの賃貸不動産経営管理士の設置義務（特例あり）を満たし、賃貸人に対して管理受託契約における重要事項説明などを行えるようになっています。

ビル経営管理士は、ビルの運営や企画立案、維持管理、テナントに対応するビル経営の専門家としての資格です。ビルそのものの知識よりも、その運営や企画立案面に強いといえます。

不動産証券化協会認定マスターは、不動産証券化の専門家としての資格です。不動産という高額の資産を、小分けの低額証券にして、売り買いしやすくします。

ビル経営管理士、不動産証券化協会認定マスターの資格には、業務独占はありませんが、不動産特定共同事業法や**総合不動産投資顧問業**、金融商品取引法の**不動産関連特定投資運用業**などの登録に要件として位置付けられており、資格取得の意義は高まっています。

総合不動産投資顧問業
不動産投資に関して顧客から投資判断を一任されて不動産取引を行う業務や、一任された業務を再委任する投資一任業務、投資助言業務などをいう。

不動産関連特定投資運用業
一定の投資運用業のうち、不動産信託受益権や不動産信託受益権に投資を行う組合契約などに基づく権利を投資対象とするもののこと。

資産・保険に関する資格

ファイナンシャル・プランナーは、顧客の資産管理と住居・教育・老後などのライフプランニングを作成するお金の専門家としての資格です。不動産を売買する際、ライフプランニングの話は

その他の主な資格

賃貸不動産経営管理士

賃貸不動産における管理の専門家

賃貸人に対し管理受託契約の重要事項説明などを行う

ビル経営管理士

ビル経営の専門家

ビルの運営や企画立案、維持管理、テナント対応などを行う

不動産証券化協会認定マスター

不動産証券化の専門家

不動産を小分けの低額証券にして、売り買いしやすくする

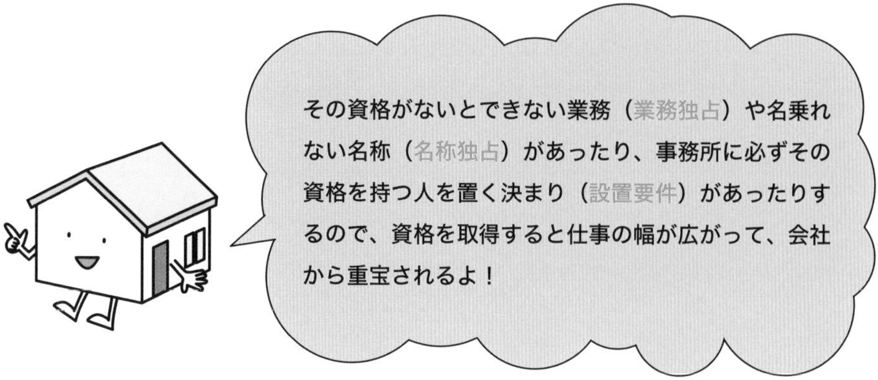
その資格がないとできない業務（業務独占）や名乗れない名称（名称独占）があったり、事務所に必ずその資格を持つ人を置く決まり（設置要件）があったりするので、資格を取得すると仕事の幅が広がって、会社から重宝されるよ！

避けて通れないので、顧客の相談に乗れるように取得する人が増えています。国家資格であるファイナンシャル・プランニング技能士と、日本FP協会の民間資格であるCFP®とAFPがあります。

住宅ローンアドバイザーは、顧客の住宅ローンに関しての相談を受けられる専門家としての資格です。ファイナンシャル・プランナーと重複する部分は多いですが、より住宅ローンに特化した資格です。

損害保険募集人は、保険募集にあたり保険商品に関する重要事項を正確に説明できる知識があることを証明する民間資格です。不動産を自然災害などから守るための損害保険の募集が行えます。不動産の売買、管理では、保険のアドバイスが重要な場面が多く、会社から取得を勧められます。

資格は、その知識やスキルを有している証明になります。業務に必要な資格を調べて取得することで、自身の価値を高めていくとよいでしょう。

不動産に関係する士業

Chapter8
09

建築士、司法書士、土地家屋調査士、税理士、弁護士との協業

不動産の業務は多くの士業との協業で成り立っています。そのため、各士業の役割を知ることが重要です。特に開発分譲事業や流通事業ではさまざまな士業と協業することが多いため、その知識が必要です。

協業の機会が多い建築士、司法書士、土地家屋調査士

建築士は、不動産業と関係のある代表的な士業です。不動産業界のすべての事業で関係するので、協業する機会は多いです。開発分譲事業では建築設計や監理を行い、流通事業ではそれらの他に既存建物状況調査などの各種調査や検査を行います。不動産には建築物が含まれるので、不動産業とは切っても切れない関係となっています。

司法書士は、登記の専門家です。登記とは、個人や法人の権利や義務を法務局に申請して守ることです。開発分譲事業や流通事業では不動産の登記を行うために協業する機会が多くなります。相続や民事信託など、高齢者による不動産対策にも司法書士が関係するため、そのほかの事業でも司法書士と提携する場面があります。

土地家屋調査士は、測量や表示の登記の専門家です。表示とは土地や建物の所在・形状・利用状況を表すことです。開発分譲事業や流通事業では、土地の測量や、建物が完成した後に表示の登記を行う際に、土地家屋調査士の力を借ります。

特定の機会に協業することの多い税理士、弁護士

税理士は、税金とその手続きの専門家です。建築士と同じですべての事業で協業する機会がありますが、法人や、富裕層といった一定の個人との取引の場合に多く、それ以外は少ないようです。関係する局面では綿密な協業体制を敷く必要があります。

弁護士は、法律の専門家です。流通事業では、競売《けいばい》や任意売却の際や、売買当事者や賃貸借人とのトラブルの際に力を借りる機会があります。

競売
債権の回収を目的として、債権者（借り入れ先の金融機関）が裁判所に申し立てをして債務者の不動産を強制的に売却する方法。

任意売却
住宅ローンなどを返済できなくなった場合、不動産を借り入れ先の金融機関などの合意を得て売却する方法。

不動産に関わる士業

建築士

新築・リフォーム　各種検査

建築物の設計、工事監理、現状の把握、その他の業務を行う専門家。
ビルや商業施設、住宅といった建築やリフォーム関係の設計、監理を行う。
また、不動産取引ではフラット35適合証明書や耐震基準適合証明書、建物状況調査など各種検査とその証明書の発行（※一級建築士の他に別途資格が必要）を行う。

司法書士

登記手続き全般

登記の手続きを行い法務局に提出する書類の作成、および成年後見人などの財産管理業務を行う専門家。
不動産のどの事業でも関与することが多く、所有権移転登記や、抵当権設定登記などさまざまな登記を行う。

土地家屋調査士

確定・現況測量　表示登記のみ

測量および不動産の表示に関する登記を行う専門家。
土地の測量や、地目の変更、新築時の建物表示登記を行う。

税理士

税額算出・申告

各種税金の申告・申請、税務書類の作成、税務相談など税金に関する専門家。
不動産取引の際に、税額の算出や申告を行う場合に関与することが多い。

弁護士

訴訟・代理人

訴訟などについて依頼者のために紛争解決に努め、その他の法律事務を行う専門家。
不動産に関係する債務や相続でトラブルになった場合に関与することが多い。

COLUMN 8

これからは2極化 宅地建物取引士に求められるスキル

高度な要求にも応えられる専門家の育成が急務

これからの不動産業は消費者からの難しい要求に対応するさまざまな知識やスキルを必要とする専門家の職域と、一般的な要求に対応する職域の２つに明確に分かれます。

前者は相続や資産絡み、特殊な活用といったマニュアルでは対応しきれない、専門知識やスキルを必要とする不動産にプラスαを加えた職域。一方、後者はマニュアルどおりでも対応が可能な普通の売買や賃貸、管理といった職域のことです。

現在もこの２極化の傾向は見えていますが、前者の職域に対応できる人材はまだ少ないのが現状です。そのため、人口減少などによる市場縮小や不動産取引に関する制度の複雑化を背景に、国土交通省も高度で専門的な職域を担う人材を増やしていきたいと考えています。

その端緒が、2015年４月１日に宅地建物取引業法の改正で、宅地建物取引主任者が宅地建物取引士へと変更されたことです。これまで組織の一員として消費者に対応する立場だった「主任者」から、一専門家として対応する「取引士」という職種へと明確に位置付けられました。この改正は主に手続きが難しい中古住宅の取引を念頭に置いています。

消費者の要求の複雑化、高度化は現場の実感

実務の現場でも、消費者のニーズは多様化し、しかも要求レベルが高度化しているのは事実です。たとえば、現状の建築物に問題があるので状況調査や耐震改修、リノベーションをしたい。相続や贈与の問題を解決したい。新設法人をつくってそこに資産を移転したい。不動産を活用して収益化したいなどの複雑なニーズに加えてこれらをできるだけ低コストかつ斬新なアイデアで実行したいという、高いレベルを求める消費者が増えているのです。

担当者は知識やスキル、経験を総動員しつつ常に情報を更新していく必要があります。今後も2極化は進み、取引士がスキルを磨いていく必要はますます高まるでしょう。

第9章

不動産業界の職場とキャリアプラン

不動産業界で働く人の給与や求められる素質は、企業の規模によって異なります。本章では不動産業界における人材教育やキャリアプランについて詳しく解説しています。

Chapter9
01

不動産業界はどのような職場なのか

瞬発力が求められる不動産業界の職場

不動産業界ではスピードが成否を決めるプロジェクトが多いので、プロジェクトが進行している期間はとても忙しくなる傾向があります。そうした職場環境で成果を出すには、瞬発力、即応力が必須です。

唯一無二の不動産を扱うスピードが重要

不動産業界は、不動産という商品を通じて取引の当事者や関係職種の人が出入りするため、活気のある職場が多いです。特に営業関係の職種の場合は体育会系の職場も多くなります。

不動産業の事業ではスピードで成否が決まるプロジェクトも多いため、そのプロジェクトを推進する期間は特に忙しくなります。また、開発事業や分譲事業は、同じ商品を大量生産して販売しているわけではないので、定型業務は比較的少なく、顧客からの問い合わせによって新しいプロジェクトが突発的に発生することがあります。

さらに、他に同じものが2つとない不動産という商品特性から、他社に先を越されないよう、短期間で契約成立などの成果を出さなければならないため、瞬発力が重要といえます。たとえば流通・賃貸事業では、顧客からの問い合わせがあった当日から1週間以内で契約に至るということが日常的にあります。その間、調査や交渉、手配、書類の準備などで慌ただしくなり、机の上には多くの書類が山積みとなり、雑然とした職場になります。また、顧客側の都合による急なキャンセルも日常茶飯事です。

自然災害による突発的事案も対応

アパート管理事業やビル・マンション管理事業も同様に多忙です。昨今では、突発的に起きる自然災害への対応や、賃借人によるトラブルの増加、そして空き家が多くなったことによる顧客対応や工事業者の手配など、数年前と比較して慌ただしく業務をこなすことが増えてきています。

不動産業の職場

定型業務は少ない

↓

臨機応変に対応

短期で契約を取る

↓

スピードが必要

よい商品を手に入れる

↓

瞬発力が大事

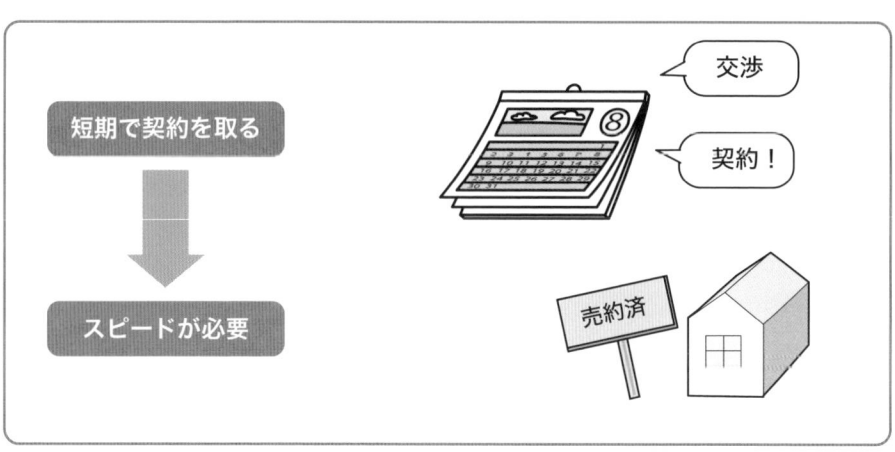

会社の規模で求められる人材のちがい

Chapter9
02

求められる人材像は会社の規模で異なる

不動産業界では、個人事業主のように何でも自分自身で行う人が求められます。規模が大きい会社ほど組織が整備され、売上のしくみを持っているので、会社資本をうまく使うことが重要です。

不動産業で求められる素質

不動産業界で働くに当たって重要なのは①不動産情報の取得と提供、②付加価値付け（建物を建てるなど）、③顧客の悩みの解決、④資金面の計画と情報提供、⑤安心な手続きの５つの業務をきちんとこなせることです。また、さまざまな関係職種の人材を手配できるネットワークを持ち、個人事業主のように経営者の視点で仕事に取り組み、しっかりした目標を持ってやり抜ける人が重宝されます。

しかし、会社の規模によって、求められる人材は多少異なります。規模の大きな会社よりも小さな会社のほうが、より個人の知識やスキルが重要になってくるのです。

大企業の求める人材像

大企業なら会社の認知度は高く、組織は細分化され、売上のしくみが整備されています。先に挙げた５つの点をとっても、組織内での不動産の仕入れルートや、会社で決められた建物の提供、問題の解決方法、提携する金融機関からのローン、手続きのチェック体制などが整っており、求められる人材もそのような会社資本を効率よく、うまく活かせる人が好まれます。また、大企業には**対象顧客像**があり、それに沿って会社の体制を整えています。個人の能力が高い人以上に、問題なく会社の資本を活かせて、対象顧客と相性がよいかどうかがポイントとなるのです。

対象顧客像
会社が想定している、商品やサービスを提供したい顧客のこと。たとえば分譲事業の建売一戸建てでは、品質よりも価格の安さが売りの商品なら30代、高品質で価格も高い商品なら40代以上が対象顧客となる。

中小企業の求める人材像

一方で、中小企業は認知度は低く、組織が十分に整っておらず、売上のしくみが整備されていないということがあります。それで

大企業と中小企業で求められる人材像のちがい

はなかなか売上が立てられないので、集客面も含めて個人の能力に頼らざるを得ない場合があり、知識やスキル、人的ネットワークがある人が求められます。

流通事業の場合で比較してみましょう。大きな事業規模の会社なら、CMやチラシで会社の名前が知られており、会社の名前を知っている安心感で売買の依頼がくることがあります。依頼を受けたら、あとは会社の資本を利用して、顧客の要望どおりにプロジェクトを進めていきます。

小さな事業規模の会社では、待っていても売買の依頼がくることはそう多くありません。紹介や偶然の問い合わせなどのきっかけを活かして、依頼を獲得していかなければならないのです。

会社の資本をうまく活かし、大きなプロジェクトに参加したいなら大きな規模の会社、個人の能力やスキルを活かして一人で何でも仕事をこなしたいなら小さな規模の会社が合っているといえるでしょう。

不動産業界の給与

企業規模や事業などによって異なる不動産会社の給与形態

不動産業界で働く人の給与は、職種や会社の規模、展開している事業によって異なります。また、不動産を保有して賃貸している会社は、決まった賃料が入ることで経営が安定するため、基本給は高く設定される傾向があります。

給与を決定付ける5つの項目

不動産業界における給与を同年齢、同年次で比較すると次のような傾向があります。

①営業職はほかの職種より給与が高い

②大手不動産会社は基本給が高く、歩合給は少ない。成果よりも年功序列で給与が決まりやすい

③中小不動産会社は基本給が低く、歩合給は高いことが多い。年功序列よりも成果を重視する傾向がある

④不動産を保有し、その不動産を賃貸管理している不動産会社は基本給が高いことが多い

⑤開発・分譲、流通、証券化事業など、商品やサービスの価格が高い事業はほかの事業よりも給与が高い

ブランド力、収益不動産の有無が決め手

①はほかの業界も同じですが、契約を直接得る営業職は給与が高い傾向があります。②は、大手不動産会社は認知度が高いため、顧客の信頼を得やすく、集客や契約などの営業活動がスムーズに進められることが多いです。そのため基本給は高く設定される傾向があります。しかし契約の成立などは会社の認知度によるところが大きいため、歩合給は低く設定し、成果は昇進や賞与で反映する会社が多くなっています。③は、中小不動産会社は認知度が大手よりも低いため、集客や契約などの営業活動は個人のスキルに頼るところがあります。そのため、歩合給を高く設定し、成果を出せば昇進や賞与で大きく還元する会社が多いのです。④は、不動産を保有して賃貸している会社の場合、毎月決まった賃料が入るため、経営が安定しやすく、基本給を高く設定しやすい傾向

産業ごとの新規学卒者の初任給額（2021年）

区　分	2021年　企業規模計（10人以上）	
	初任給額（千円）	採用人員（十人）
男女計		
産業計	212.3	54,987
鉱業、採石業、砂利採取業	221.6	12
建設業	211.1	3,917
製造業	200.1	10,502
電気・ガス・熱供給・水道業	207.6	218
情報通信業	229.1	4,597
運輸業、郵便業	196.5	2,098
卸売業、小売業	212.0	9,635
金融業、保険業	213.5	2,639
不動産業、物品賃貸業	221.1	1,030
学術研究、専門・技術サービス業	232.1	2,235
宿泊業、飲食サービス業	199.5	1,327
生活関連サービス業、娯楽業	199.4	1,124
教育、学習支援業	212.8	1,863
医療、福祉	219.7	10,777
複合サービス事業	184.8	379
サービス業（他に分類されないもの）	210.3	2,635
男		
産業計	213.4	29,065
不動産業、物品賃貸業	227.5	562
女		
産業計	211.0	25,922
不動産業、物品賃貸業	213.5	468

※厚生労働省「令和３年賃金構造基本統計調査」を基に作成

給与に影響する事項

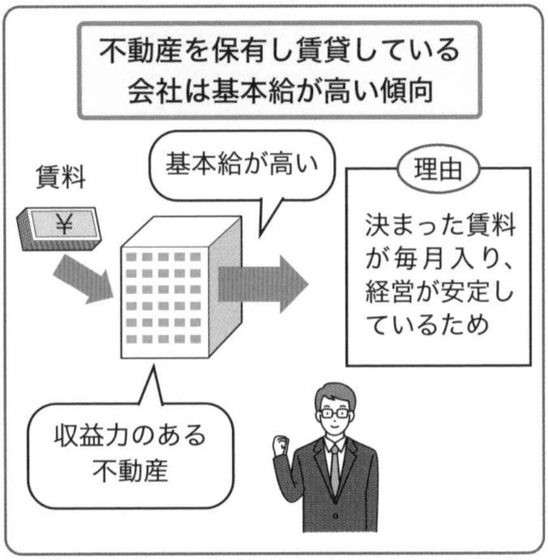
不動産を保有し賃貸している
会社は基本給が高い傾向
賃料
¥
基本給が高い
理由
決まった賃料が毎月入り、経営が安定しているため
収益力のある不動産

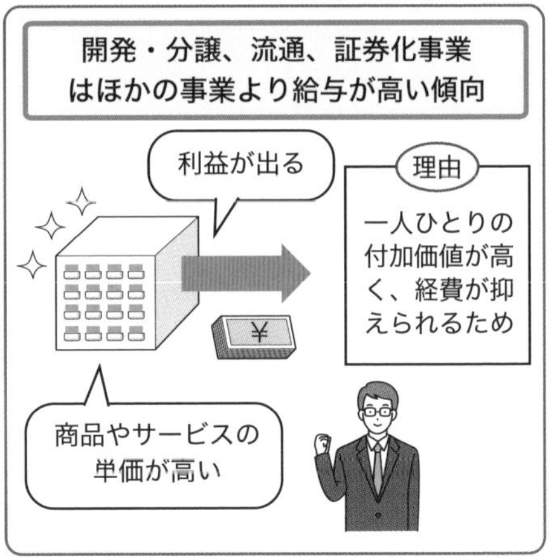
開発・分譲、流通、証券化事業
はほかの事業より給与が高い傾向
利益が出る
理由
一人ひとりの付加価値が高く、経費が抑えられるため
¥
商品やサービスの単価が高い

があります。その反面、個人の成果は見えにくい業務のため、歩合給という給与形態はとっていない会社が多くなります。⑤は、開発・分譲、流通、証券化事業では商品やサービスの単価が高いため利益を出しやすく、一人ひとりの付加価値額が高くなります。一方、賃貸管理やビル・マンション管理など、人手がかかる労働集約型の業務は、比較すると給与は低い傾向があります。

不動産業界の給与は労働に比例する面もありますが、それ以上に、その会社にブランド力があるかどうか、収益力のある不動産を所有しているか否か、つまり会社の売上に占める賃料収入の高さによって決まります。

Chapter9
04

都市部と地方や郊外での業務構造のちがい

不動産の流通量が決め手となる都市部と地方や郊外の業務構造

不動産の流通量が少ないと不動産会社の仕事量は少なくなります。そのため、流通量の少ない地方や郊外では、不動産業のみでは事業が成り立ちにくく、建設業や保険業なども兼業して行う傾向があります。

不動産の流通量が多くないと専業では成り立たない

同じ不動産業といっても都市部と地方や郊外では業務構造が異なります。都市部は不動産業を専業としても会社の経営が成り立ち、地方や郊外は不動産業以外の業務（たとえば建設業や保険業）を兼業しないと安定した売上が見込めないため、経営が成り立ちにくいのです。

ここでいう都市部と地方や郊外を分ける境目は、不動産の流通量です。売買や賃貸借の需要が多いなら都市部といえ、少ないなら地方や郊外と位置付けられます。流通量が多いということは、それだけ需要と供給が多いことを意味し、売主・買主、貸主・借主の間に入って不動産の売買や賃貸借、活用で収益を上げられやすいということです。また、不動産価格も高くなるので労働単価も確保できます。一方、流通量が少ないと、そもそも仕事が生じず、収益が上げられません。結果、専業では会社が成り立たず、建設などほかの業務も行わないといけなくなるわけです。

流通量で見る都市部とは？

国土交通省の「令和元年度土地に関する動向」によると、流通量については2019（令和元）年の土地取引件数約131万件のうち東京圏、名古屋圏、大阪圏（９都府県）が62万件とほぼ半数です。これに取引件数が１万件を超えている福岡（福岡市）、広島（広島市）、静岡（静岡市）、北海道（札幌市）を加えた都道府県が流通量が多く、都市部としての扱いになります。

地方や郊外では不動産を大きな枠組みで捉えた活動を

また、空き家の問題も流通量と深い関わりがあります。空き家

売買による土地取引件数の推移

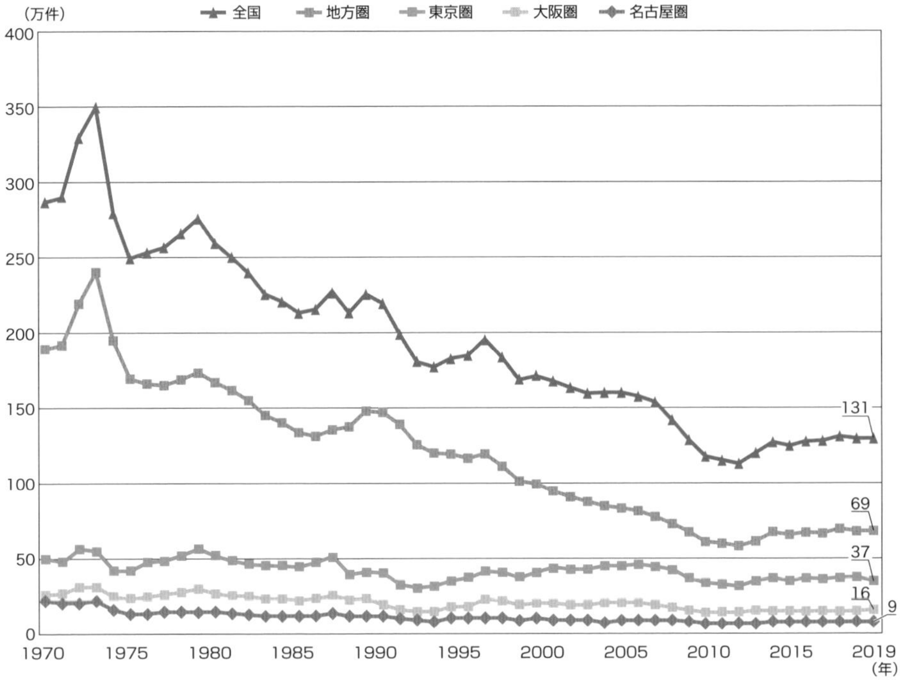

※圏域区分は以下のとおり。
東京圏：埼玉県、千葉県、東京都、神奈川県
名古屋圏：愛知県、三重県
大阪圏：大阪府、京都府、兵庫県
地方圏：上記以外の地域
国土交通省「令和元年度土地に関する動向」を基に作成

を放置せずに売ればよいという声がありますが、実際は売れないから空き家になっているのであって、地元の不動産流通会社も、どんなに活動しても売れないとわかっているので売却依頼を受けないのです。中には維持費がかからないようにするために、無料で提供しているような不動産（俗語で**負動産**という）もあります。地方や郊外にはこのような不動産がたくさんあるので、不動産業専業では経営が成り立たないのです。

　このような状況の地方や郊外では、不動産を大きな枠組みで捉え、顧客の**ライフプラン**や建物の構造・メンテナンス、火災保険や生命保険など、住まい全般のサポートができるように、知識やスキルを磨いていく必要があります。

負動産
売買や賃貸などでお金を生むことができず、所有しているだけでも税金や管理費用がかかる不動産のこと。主に地方郊外にある相続をした不動産で、住んだり活用したりできないものが多い。

ライフプラン
将来どのように生きていくかを計画する人生設計のことを指すが、ここでは主に金銭面からどのように、生きがい、子育て、仕事を充実させるかを計画することをいう。

Chapter9 05

不動産業界における4つのキャリアプラン

時代の変化により、経営幹部や創業社長などのキャリアプラン以外にも、不動産の知識やスキル、ネットワークを活かせる投資家や専門家、コンサルタントといったキャリアプランが出てきています。

社内でのキャリアプラン

不動産業界のキャリアプランは大きく分けて４つあります。

１.会社の経営幹部になるプラン（転職含む）

２.会社内で職域の専門家となるプラン

３.創業して法人代表や投資家となるプラン

４.創業して専門家・コンサルタントとなるプラン

ほかにも考えられますが、この４つが代表的なものといえます。

会社の経営幹部になるプランは、最も代表的なキャリアプランで、当然、経営面の知識・スキルが必要となります。特に財閥系や電鉄インフラ系の大手不動産会社に勤務する場合には、勤務している会社か同じ事業規模の企業で経営幹部になることを目指すのが一般的です。その理由は、高い資本力を利用した会社独自の業務が中心となるので、知識やスキルもそれに準じたものとなり、資本力が低い他社への知識・スキルの援用や創業ではうまくいかないことが多いからです。

勤務する会社内で職域の専門家となるプランもあります。独自の知識やスキルを有する専門家を目指すプランですが、不動産業界ではまだ認知度の高いキャリアプランとはいえず、活躍の場も限定的なので、これからの進展に期待したいところです。

不動産コンサルタント
顧客のさまざまな要望を不動産の専門家という視点で解決する職種のこと。相続に関係する不動産を専門とする者、資産運用に関係する不動産を専門とする者など、さまざまな不動産コンサルタントがいる。

創業するキャリアプラン

創業して法人代表となるプランは、ひと昔前は中小不動産会社に勤務する人の最善のキャリアプランと考えられていました。不動産の商品特性上、大きな金額を動かすので、それに伴う借り入れができる信用や勇気があり、人を動かす力があればこのプランは最適です。なお、不動産業の創業者には大手不動産会社の出身

4つのキャリアプラン

者は多くありません。中小不動産会社では何でも一人でやることが多く、経営者的な働き方が身につくのに対して、大手不動産会社では分業による部分的な働き方になるからです。

　一方で、近年では個人大家（**5-07**参照）や投資家になるというキャリアプランも出てきました。不動産業界で働いていると、投資に最適な不動産商品に出会う機会は多くあります。勤務しながらそれらを購入しているうちに、独立するという人もいます。

　創業して専門家・コンサルタントになるプランは、ネットやSNSの発達により専門家・コンサルタントとしての知識やスキルなどをPRして事業化できるようになったことにより生まれたキャリアプランです。シェアオフィスの登場や創業融資のハードルが下がったことで、今後も多くの人がこのプランを選ぶことが予想されます。多様化した不動産問題の解決にはさまざまな専門家やコンサルタントが不可欠なのでまだまだ需要がありますが、集客面で他社との差別化は必要で、事業として成り立たせるには、かなりの知識とスキル、経営的な知識が不可欠となります。

入職者と離職者がほぼ同数の不動産業界での転職

不動産業界は成果を重視する会社が多いので、中途入社でも成果を上げればキャリアアップが目指せます。視野を広げる意味でも転職は有効です。

転職先を考えるときの判断材料

不動産業で転職を考えるとき、次の3つが転職先を考える判断材料になります。

① 中途入社の障害（受け入れ体制、昇進機会など）と離職率
② 培ってきた知識・スキルを活かせるのか
③ 転職はキャリアになるのか

まず①中途入社による障害は、20代から30代前半の場合はあまりありません。昨今、他の産業でもいえることですが、不動産業界では転職は比較的よくあることであり、受け入れ体制などで障害になることは少ないようです。昇進機会は、新卒で入社している社員とは会社内の人的ネットワークが異なるので若干差があるかもしれませんが、成果を重視する業界的傾向があるため、20代から30代前半で成果が期待できる人材なら十分カバーできます。また、30代後半以降でも知識やスキルを有していて、成果を出せる人なら問題ないでしょう。ただ、転職前は対象顧客が法人など一般消費者でない業種にいて、対象顧客が一般消費者となる事業に転職をした場合、そのスピード感のちがいや顧客対応の慎重さ、クレームの大きさに慣れるまで時間がかかることも多いようです。

目標に合わせた転職計画が必須

厚生労働省の雇用動向調査のデータでは、不動産業、物品賃貸業が2020年は入職超過率が0.7％と他の産業と同等です。

②培ってきた知識・スキルは、同業界であってもあまり役に立たないことがあります。不動産業界の仕事は他産業と比べて同業界の事業間でのスキル共有度が低く、会社の資本力のちがいで業

産業別入職・離職状況

区分	入職率	転職入職率	離職率	入職超過率
2020年	(%)	(%)	(%)	(ポイント)
産業計	13.9	9.2	14.2	−0.3
鉱業、採石業、砂利採取業	7.9	5.5	5.6	2.3
建設業	10.0	7.7	9.5	0.5
製造業	7.8	5.0	9.4	−1.6
電気・ガス・熱供給・水道業	7.9	4.9	10.0	−2.1
情報通信業	14.6	8.6	9.2	5.4
運輸業、郵便業	14.5	11.6	13.3	1.2
卸売業、小売業	12.0	7.8	13.1	−1.1
金融業、保険業	8.1	5.0	7.7	0.4
不動産業、物品賃貸業	**15.5**	**12.3**	**14.8**	**0.7**
学術研究、専門・技術サービス業	11.4	7.1	10.3	1.1
宿泊業、飲食サービス業	26.3	13.5	26.9	−0.6
生活関連サービス業、娯楽業	15.8	10.0	18.4	−2.6
教育、学習支援業	16.2	10.7	15.6	0.6
医療、福祉	14.7	10.1	14.2	0.5
複合サービス事業	6.8	4.1	7.8	−1.0
サービス業（他に分類されないもの）	17.5	14.0	19.3	−1.8
2019年				
不動産業、物品賃貸業	16.2	13.0	15.1	1.1

※「入（離）職率」は常用労働者数に対する入（離）職者数の割合をいい、次式により算出している

$$\text{入（離）職率} = \frac{\text{入（離）職者数}}{\text{1月1日現在の常用労働者数}} \times 100\ (\%)$$

※「転職入職率」は常用労働者数に対する転職入職者数の割合をいい、次式により算出している

$$\text{転職入職率} = \frac{\text{転職入職者数}}{\text{1月1日現在の常用労働者数}} \times 100\ (\%)$$

※「入職超過率」は入職率から離職率を引いたものをいう。プラスであれば入職が離職を上回っている（入職超過）。マイナスであれば離職が入職を上回っている（離職超過）。

厚生労働省「令和2年雇用動向調査 結果の概要」を基に作成

務内容も大きく異なり、会社独自の手法、エリアによるちがいが大きいなど、会社が変わると今までの知識・スキルがまったく活かせないこともあります。そのため、今ある知識やスキルを活かしたいのなら、今在籍している会社に近い事業領域や資本力の規模、同一エリアで事業展開している会社を選んだほうがキャリアプランの形成にはよいといえます。

③は、将来、経営者や専門家、コンサルタントとして創業することを目指すなら、転職によって視野が広がり、さまざまな事業を手掛けることでキャリアに大きく寄与するといえます。

ただ、目標なく転職を繰り返しても経験を積んで視野を広げることはできないので、転職する際は将来のキャリアプランを見据えて計画を立てることが重要です。

Chapter9 07

創業しやすく開業率は高いが廃業率は全種平均と同じ不動産業

大手が寡占化しにくく、顧客からの要望も多様な不動産業は創業がしやすい面があります。廃業率もかつては高かったですが、ここ数年は安定しています。ただし、経営を維持するには何らかの強みを持たなければなりません。

不動産業は個人でも営めて、創業しやすい

創業することはキャリアプランの最終形のひとつです。不動産業は、それぞれの顧客からの細かい要望に加え、エリアによる不動産の扱い方などにちがいがあるため、大手企業が寡占しにくいといえます。また、不動産の仕入れ以外の経費はほとんどかからず、商品の単価が高くて売上が立ちやすいので、創業しやすい面があります。20代の若者でも80代の人でも創業できる業態としての幅を持っています。

また、開業率が高い反面、廃業率も高かった不動産業も、近年は安定しています。2020年度の不動産業の開業率が6.2％（全体平均5.0％）であるのに対し、廃業率は3.2％（同3.2％）と、開業率が２倍近く上回っています。ただ、開発分譲、流通、証券化事業は仕入れる不動産によって業績が変わり、賃貸管理事業は既存会社が多いため市場を取るのに労力と時間がかかります。経営維持のためには何らかの強みを持たないといけないでしょう。

さまざまな創業形態

創業の形態としては、現在のところ①開発分譲・流通・賃貸管理事業などの一事業者としての法人、②専門家・コンサルタント、③不動産投資家・個人大家の３つが主です。また、最近では異業種からの参入が多いため、異業種の形態に触発されて、今後さまざまな創業の形が出てくるものと思われます。**メディア**、**シェアハウスやシェアオフィス**、軒貸しや貸し会議室などの**空間貸し**、**民泊**、賃料保証や補償などの不動産のリスク負担を少なく利用できる時代の要請を反映して、さまざまな創業形態が模索されています。

メディア
すべての不動産情報ではなく、事業者で選定した不動産や、ヴィンテージマンションなど特定のカテゴリーの不動産を掲載するメディアが増えている。東京R不動産などが好例。

シェアハウス、シェアオフィス
複数人でひとつの住宅を共有して住む形式をシェアハウス、ひとつの事務所を共有して利用する形式をシェアオフィスという。**10-09**で詳しく述べている。

空間貸し
不動産の使われていない場所を利用すること。軒貸しは店舗が閉まった後の店前の場所を、貸し会議室は使われていない会議室をビジネスとして貸すことを指す。

民泊
旅行者などが、一般の民家に対価を支払って宿泊すること。法律では「住宅宿泊」などと呼ばれ、住宅宿泊事業法の対象となる。**10-08**で詳しく述べている。

業種別の開廃業率（2020年度）

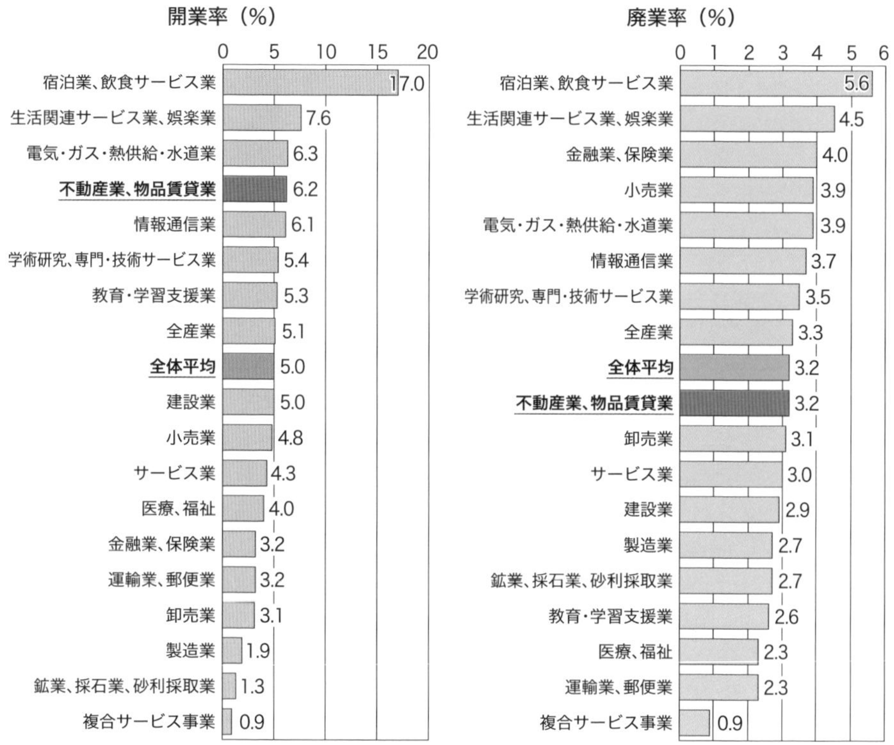

出典：中小企業庁『2022年版 中小企業白書 小規模企業白書 下』

創業に必要なのは、主に一般顧客が興味を持つ不動産の情報を仕入れるための人的ネットワークです。その構築には、細やかな連絡や気遣いなど、人の気持ちに沿ったアナログ的な動きが必要です。SNSやITツールも活用することは必須になりますが、不動産業で創業して経営を安定させるには、まだまだ対人スキルの有無のほうが重要です。

COLUMN 9

AIにとって代わられる不動産の仕事、果たして本当なのか？

日本の不動産売買は人への依存度が高い

AI技術の発展に伴って、近い将来AIにとって代わられる職種が広がっているとしばしば話題になります。不動産営業パーソンも例外ではなく、海外の調査でAIにとって代わられる可能性の高い職種としてランクインしました。その結果は、日本にも当てはまるのでしょうか？

たしかにアメリカの不動産業界ではITを使った取引が普及しており、AIによる取引だけでひとつの契約が完結するスタイルが広がっています。しかし、日本の不動産業界では賃貸契約ならまだしも、売買契約においては取引の流れがAIだけで完結する状況にはなく、やはりどこかで必ず人間の関与が必要になります。

たとえば、日本の不動産売買では登記や納税のしくみが複雑で、担当の役所とのやりとりには専門知識をもった担当者のサポートが大きな役割を果たします。

AIの苦手とする領域をケアできる営業を強みに

不動産は一生で最も大きい買い物ともいわれます。顧客が物件についての疑問を解消し納得のうえで契約するには、営業担当者の親身な対応が最後のひと押しになることは間ちがいありません。顧客が売る・買うを決めるのは単に合理性だけでなく気持ちの問題が大きく左右するものです。それをリードする営業担当者の存在はAIには代替できません。

また、大きな買い物には長期にわたる詳細な資金計画が必要になります。税制の面から見てどのような資金計画を立てるのが得策なのか？今の収入レベルに対して無理のない計画とは？　それらを見通したアドバイスができる営業担当者は顧客にとっては強い味方となるでしょう。顧客の気持ちを考え、要望や状況を聞き取り、最適な提案に結びつけることは、まさに人間が得意とする領域。AIには苦手な領域をケアできる営業パーソンになれば、代替される可能性は低いでしょう。

第 10 章

不動産業界の
新規ビジネスと将来像

人口減少や高齢化の影響を受けて、不動産業界でも近年新たなビジネスが誕生しています。ITを活用したサービスや空き家、民泊、シェアビジネスなどについて詳しく見ていきましょう。

不動産市場の問題点と新規ビジネス

Chapter10
01

人口減少と少子高齢化により生まれた新たなビジネス

人口減少と少子高齢化が原因で不動産市場は縮小、人手不足、非効率、都心回帰といった問題を抱えるようになりました。その問題を解決するための新規ビジネスが起きています。

人口減少により不動産業界は縮小傾向に

近年、不動産市場は転換期を迎えており、さまざまな不動産に絡む諸問題を解決する新しいビジネスが生まれています。

転換期となった原因は、人口減少と少子高齢化です。人口や世帯が増えるとその分住宅も必要となり、仕事をするためのオフィス、買い物をするための商業施設も同様に建設していくことになります。その結果、開発を中心に不動産流通や管理も活発化していきました。しかし、人口が2010年と比べて約100万人減少した2015年を契機に不動産業界は縮小傾向となっています。

2025年には、他の世代より消費意欲が低い65歳以上の高齢者人口の割合（高齢化率）が約30％まで上昇しています。一方で少子化により出生数は低下傾向にあるため、15～64歳の人口は増えず、65歳以上の人口が増え続けていくことが予想されます。

不動産の諸問題を解決する新しいビジネス

少子高齢化の結果、今までどおりの不動産事業を営んでいくだけでは生き残るのが厳しくなっています。そこで、集客し消費を増やすために、人口を一定のエリアに集め効率化することで不動産の諸問題を解決する新しいビジネスが出てきました。

問題は市場縮小、人手不足、非効率、都心回帰（郊外地方衰退）の4点であり、相互に深く関係しています。これらを解決するためにインバウンド系の民泊、ホテル事業、都市再開発、リゾート事業、高齢者系の相続ビジネス、**リースバック**、空き家対策、空間利用系のシェアハウス、リノベーションによる不動産再生、効率化少人数系の**不動産テック**といった動きが出てきました。不動産業務にも、新しい知識とスキルの取得が求められています。

リースバック
売主が不動産を売却した後も、買主にリース料（賃料）を支払うことで、その不動産に住み続けることができるサービス。

不動産テック
不動産の事業や業務に先端テクノロジーを応用し、新たな価値を生み出すこと、またはその技術や新サービス。ネットによるマッチング、AIによる物件査定、VRによる内覧など多岐にわたる。

リバースモーゲージ
自宅に住みながら、その自宅を担保に融資を受けられる融資制度のこと。主に高齢者層が対象とされている。

高齢化の推移と将来推計

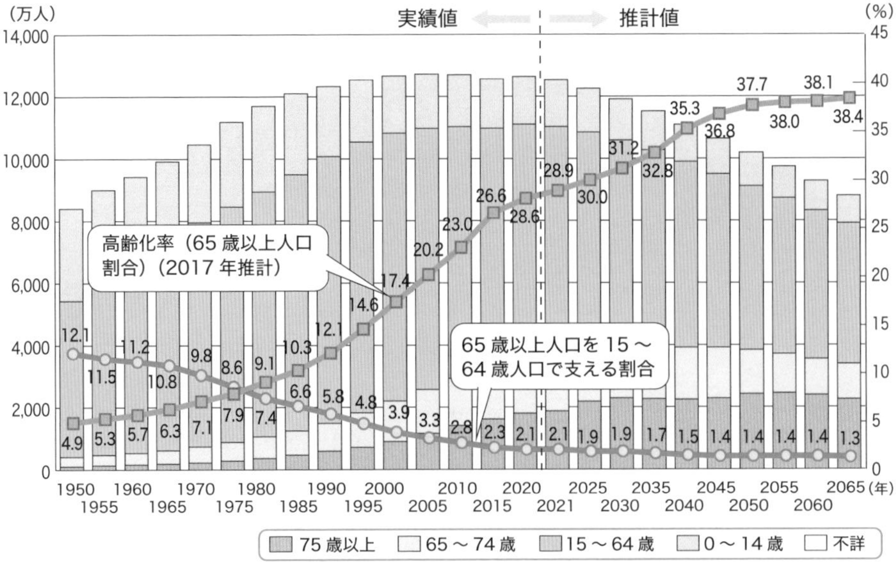

資料：棒グラフと実線の高齢化率については、2020年までは総務省「国勢調査」（2015年及び2020年は不詳補完値による）、2021年は総務省「人口推計」（令和３年10月１日現在（令和２年国勢調査を基準とする推計値）、2025年以降は国立社会保障・人口問題研究所「日本の将来推計人口（平成29年推計）」の出生中位・死亡中位仮定による推計結果

※内閣府「令和元年版高齢社会白書」を基に作成

不動産市場の新規ビジネス

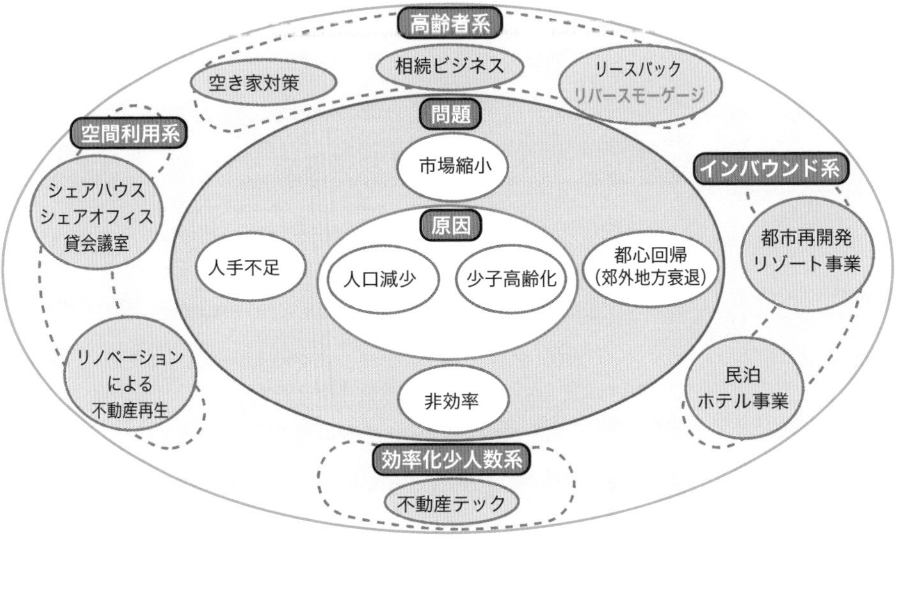

Chapter10
02

建設人材の不足と建設費の高騰

建設業就業者と大工の減少により住宅関連業は減退へ

建設業就業者数と大工数の減少は、新設住宅着工数の減少にもつながっていきます。高齢化率は高まるばかりで、29歳以下の建設業就業者が増加していないため、現状の建設数を維持するのは困難です。

建設業就業者の高齢化が進み危機的状況に

不動産業に関する問題の中でも特に深刻化しているのが、建設人材の不足と高齢化です。また、建材費の上昇もあって建設費が高騰しています。建設費の上昇は消費者の購買判断にも関わるため、総じて不動産業界全体に大きな影響が出てきています。

建設業就業者数は、1997年の約685万人をピークに2021年には約482万人と約203万人も減少しています。同時に高齢化も進んでおり、2021年には55歳以上の就業者が全体の35.5%を占めるまでとなりました。全産業でも高齢化が進んでいますが、建設業はそれを上回っています。一方で、著しく少なくなっているのは29歳以下の就業者で、全体の12.0%と約1割程度になります。若い労働力が求められる職種であるのに、その割合は全産業よりも低くなっています。ここ数年は危機意識を持った建設会社、住宅会社の育成事業が実り始めているため数字は持ち直していますが、依然として危機的状態にあります。

建設業就業者や大工の減少で建築費が高騰

この傾向が続くとどうなるのか。野村総合研究所のレポートでは、2010年の**新設住宅着工数**と大工数の実績値を100%とした場合、2030年には新設住宅着工数は27%も減ると試算をしています。2010年の着工数が約82万戸なので、その27%である約22万戸が減ると、2030年の着工数は約60万戸となります。加えて、大工数の減少により、住宅関連業は仕事を失うことになります。これを解決するには、大工数を増やすか、より効率化するしかありませんが、どちらも厳しい道のりです。

建設業就業者や大工の数が少なければ、一人当たりの賃金は需

新設住宅着工数
新築や増改築などにより増加した新設住宅の戸数のこと。国土交通省が毎月公表している。

建設工事デフレーター
建設工事にかかる「名目工事費額(実際の工事費額)」を基準年度の「実質額」に変換する指標のこと。建設工事費には、本工事費、付帯工事費、測量試験費、機械器具費および営繕費が含まれている。

建設業就業者の高齢化の進行

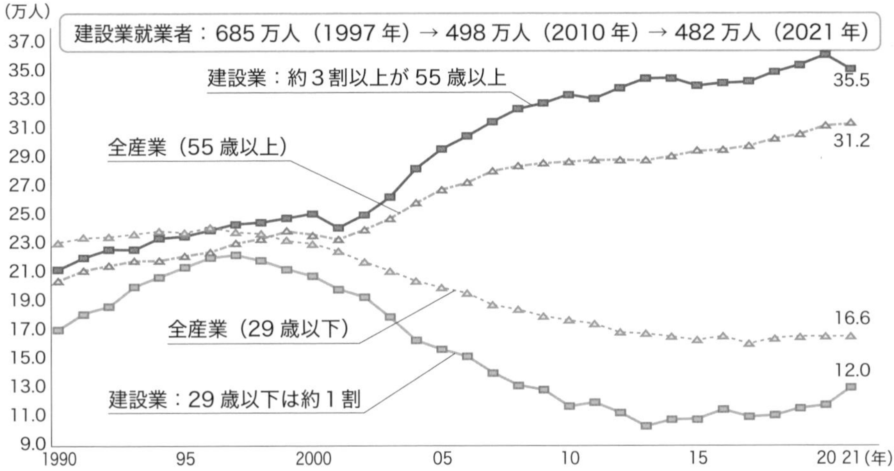

※国土交通省「建設業及び建設工事従事者の現状」を基に作成

大工の人数と着工予測の比較

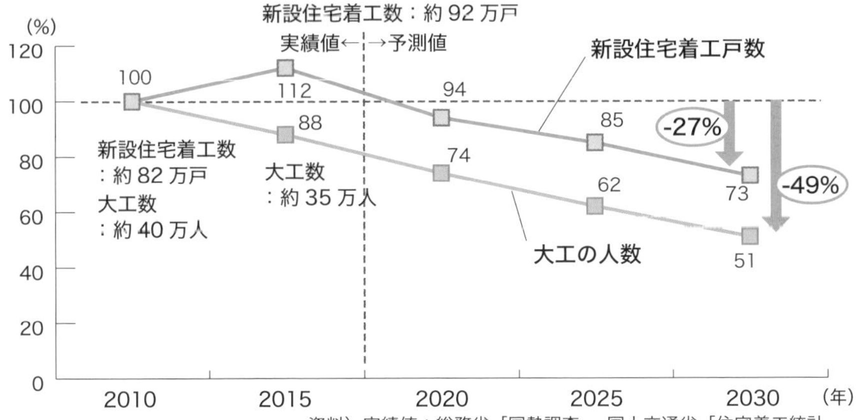

資料）実績値：総務省「国勢調査」、国土交通省「住宅着工統計」
予測値：野村総合研究所

※野村総合研究所「2030年までの不動産・住宅業界の構造的変化」を基に作成

給関係から当然高くなっていきます。**建設工事デフレーター**における住宅の建設工事費では、2015年度を指数100とした場合、2021年度が115と、この6年で約15％も上昇しています。具体的には2,000万円で建築できた住宅が2,300万円になる計算です。住宅や建築物の高騰は不動産業の仕事も厳しくさせていきます。

不動産テックによる影響（米国編）

不動産にさらなる付加価値を与える不動産テック

アメリカの不動産テックは高い情報公開度が追い風となり、流通事業において躍進を続けています。なかでも「Airbnb（エアビーアンドビー）」「WeWork（ウィーワーク）」などは日本でもよく話題になります。

ITを活用し、新たな付加価値を生み出す

不動産業において、新規ビジネスを語る上で避けて通れないのが不動産テックです。アメリカで生まれた「Airbnb（エアビーアンドビー）」「WeWork（ウィーワーク）」などは、日本でもよく聞くようになりました。不動産テックとは賃貸・売買といった「取引」、資産管理といった「業務」、市場調査や鑑定といった「評価」の各場面に応じて、先端テクノロジーを活用し、新たな付加価値を生み出す概念といえます。先端テクノロジーの代表はITです。ITは情報交換に優れたツールであるため、特に不動産情報をやり取りする取引との親和性が高いです。そのため、アメリカでも住宅流通業界でいち早くこの動きが強まり、Zillow（ジロー）社を筆頭に参入してきた各社の**住宅ポータル**が激しい競争を繰り広げ、旧態依然とした情報流通の環境を変えてきており、不動産テックの発展に寄与しています。

住宅ポータル
不動産の情報が掲載されているポータルサイト。Zillowはアメリカ最大のシェアをもつ不動産検索サイトである。

IT以外にも空間認識、ビッグデータなどがある

住宅ポータルが発展した背景には、アメリカの高い情報公開度があります。アメリカでは、日本の場合はネット上で公開されていない不動産の税金に関わる情報も掲載されており、消費者は、購入者が住宅を購入する際にかかる費用や、住み始めてからかかる費用を事前に知ることができます。このように消費者にとって利便性が高いため、急激に伸びていき、アメリカにおける不動産テックの代表例となっています。

他の代表例は「Airbnb（エアビーアンドビー）」です。日本では民泊と言われていますが、空いている住宅を貸したいホストと、それを借りたいゲストを結びつけるビジネスです。すでに世界

Zillow社のホームページ

アメリカにおける不動産テックの代表例。利便性が高く、急激に伸びている。地図上の物件の詳細が画面右でわかるようになっている

アメリカの主な不動産テック

会社名	業態	対象
WeWork	コワーキングオフィス	事業用
Airbnb	民泊マーケットプレイス	住宅
Compass	デジタル住宅仲介	住宅
Opendoor	オンライン買い取り再販	住宅
EasyKnock	セール&リースバック	住宅
Redfin	デジタル住宅仲介	住宅
Cadre	不動産クラウドファンディング	事業用
LendingHome	オンライン住宅ローン	住宅
VTS	リーシングマネジメント	事業用
Apartment List	賃貸住宅マーケットプレイス	住宅

220以上の国と地域で700万以上の宿を有しているほど影響力を持ちます。

このように不動産テックは**空間認識**（ネット上での部屋確認）、**ビッグデータ**（不動産と関連するさまざまなデータの参照）、仮想現実（CGによるリフォーム後の確認）、**公開鍵暗号**（ネット上での情報の安全なやり取り）といった技術を使い、さらなる不動産ビジネスに乗り出しています。そして当然、日本にもこの波は来ています。

空間認識
空間認識技術を活用したVRによる内覧システムなどが普及しつつある。

ビッグデータ
ビッグデータの活用事例としては、高精度の解析による不動産の市場価値の査定、売主・買主・不動産情報の集積による高度なマッチングなどがある。

公開鍵暗号
公開されている公開鍵を使って暗号化し、送信先だけが知っている秘密鍵で元に戻す方式。情報が漏えいする危険性が少なく、不動産取引における電子署名などに活用されている。

Chapter10

04

不動産テックによる影響（日本編）

不動産会社や利用者をサポートする日本の不動産テック

日本では、従来の不動産情報サイトや価格査定システムなどに、賃貸仲介や管理、住宅ローンマッチングといった不動産テックが新たに加わりました。アメリカで主流な売買流通の不動産テックだけは未発達のままです。

賃貸や管理、住宅ローンマッチングの利用が多い

アメリカの不動産テックの興隆を受けて、日本でもその動きは強まっています。もともと日本でも「SUUMO（スーモ）」や「LIFULL HOME'S（ライフルホームズ）」などの不動産情報サイトや「東京カンテイ」や「TAS-MAP」などの価格査定システムなどがあり、多くの不動産会社や消費者が利用していました。これらを不動産テックの旧世代とすると、賃貸仲介や賃貸管理、**住宅ローンマッチング**が新世代といえます。

そもそも賃貸や管理は、鍵の手配や受付などに人手がいるなど、直接利益に結びつかない非効率な面も多くあります。それらを改善できるのが新世代の不動産テックです。実際に不動産の案内を無人で自動受付し、鍵の手配までしてくれるサービスは不動産会社でかなり普及しています。また、住宅ローンマッチングは、金融機関によって異なる金利などの商品情報を比較検討しやすく、月々のローン支払い額までシミュレートできます。同時にWeb上でローン審査もできるため利用者にとって便利で、よく利用されています。

住宅ローンマッチング

住宅ローンや不動産投資ローンなどにおいて、ユーザーに最適なローンを提案し、金融機関への申し込みや支払額などのローン管理を行うWebサービスのこと。

日本の不動産テックの歩みはアメリカと異なる

アメリカでは不動産会社が主体の不動産テックが多いのに対して、日本の場合は不動産会社や利用者をサポートする立場で取り組まれている不動産テックが多いのが大きなちがいです。

また、日本ではアメリカのように売買流通に取り組む不動産テックに目立った活躍はありません。売買流通の独特の商習慣と所有者の情報公開に対するネガティブイメージが売買流通の不動産テックの発展を阻害しているからです。つまり、直接会ったこ

不動産テックの類型と概要

カテゴリ名	キーワード	概要
価格査定・ 相場情報提供	・ビッグデータ ・自動価格推定 ・一括査定	・過去の取引価格などのデータを基に相場情報を提供 ・AI技術などによる自動価格推定または不動産会社に一括査定 ・売買、購入、投資の判断に役立つ情報を取得 ・最適な物件、取引時期判断の可視化
仲介業務支援	・仲介業務総合支援 ・募集業務支援 ・集客、広告業務支援 ・内覧業務支援 ・提案業務支援	・募集、集客、内覧、提案などの仲介業務に関する支援 ・顧客管理や連携、Web上処理、提案ツール自動作成などの機能を利用して業務を効率化 ・業者間、消費者向けの広告作業を効率化
Web接客・ 内覧	・チャット接客 ・AI自動接客 ・オンライン内覧	・Web上で物件提案、問い合わせ対応の接客 ・オンラインで現地に行かずに内覧
物件口コミ情報 サイト	・ユーザー評価	・既存利用者、周辺居住者などによる物件口コミ情報を掲載、閲覧 ・口コミ情報を踏まえた物件の評価を比較
不動産情報サイト	・総合ポータル ・ニーズ特化ポータル	・物件情報のほか、相場価格や住環境、取引事例など、不動産取引を行う際に判断材料となる情報を集約して取得 ・ニーズに合った情報を取得できる
オフィス・テナントマッチング	・居抜き情報 ・オフィス利用情報	・オフィス、テナントの入居 ・退去希望物件を掲載 ・居抜き物件選定に関する情報を取得 ・入退去手続きをサポート
VR・AR内覧	・VR内覧 ・AR家具シミュレーション	・VR技術を使用し、場所を選ばず物件内覧が可能 ・VR技術で3D設計プランをわかりやすく確認 ・AR技術により、内覧時に家具配置を試すことができる
リノベーション マッチング	・事例/専門家探し	・リノベーションに関する投稿写真や実例でアイデア取得 ・リノベーション希望者が事業者を実例を基に選定、マッチング ・リノベーションと物件情報をまとめて検索
住宅ローン マッチング	・ローン比較 ・Web審査	・住宅ローンを簡単に比較 ・新規借入 ・借換試算など、住宅ローン関連情報を集約して取得
契約処理電子化	・電子契約 ・非対面決済	・契約に係る書類作成や締結に関する業務を効率化（電子化） ・書類作成、管理をクラウドで行い関係者で共有
不動産クラウド ファンディング	・利活用資金調達	・不動産に特化した投資型クラウドファンディング（ソーシャルレンディング） ・投資家の少額からの不動産投資機会とオーナー ・事業者の事業資金調達ニーズをマッチング
不動産管理・経営支援	・管理業務支援 ・資産活用支援 ・人材マッチング	・不動産の管理、経営業務をシステムで支援 ・資産活用提案を作成ツールで効率化 ・不動産管理の手間（事務作業、時間）を削減、外注 ・管理情報をクラウドで管理業者 ・オーナー間共有
IoT不動産管理	・スマートロック ・クラウド防犯カメラ	・不動産をIoT技術を活用して遠隔（無人）管理 ・スマートフォンなどを使い鍵操作が可能（受渡不要） ・鍵の時間単位での管理およびシェア、履歴管理ができる ・監視カメラおよび映像処理をクラウド利用で低コスト導入
スペースシェア マッチング	・シェアリングエコノミー	・会議室、店舗、駐車場、住居など、空きスペースをマッチング ・時間貸しや一部貸しなどの利活用が可能 ・物件登録、検索、予約、支払がサイト上で完了 ・オーナーと利用者間のやり取りがサイト上で可能
スマートホーム	・IoT住宅	・住宅環境（鍵、家電、設備、建材など）をスマートフォンなどによりどこでも一元操作、管理が可能

※国土交通省「5．不動産流通における新技術（REAL ESTATE TECH）活用状況調査」を基に作成

とがある人を信頼する商習慣と、不動産の情報を会ったことがない人に知られると悪用されないかと思う拒否感です。高い情報公開度が前提のため今のままでは発展していくのは難しいですが、**契約の電子化**、Web接客・内覧とともに今後のさらなる発展が期待されます。

契約の電子化
売買契約や賃貸借契約などを電子署名により行うサービスが普及しつつある。

Chapter10

05

高齢者市場への参入（相続、リースバック）

高齢化の波を受けて進出した相続関連事業

相続税対策と相続対策の多くは不動産を取り扱うことになるので、不動産業に関連した分野ともいえます。そのため、相続の知識を広く学んでおくことが必要です。

高齢者の主な資産である不動産を活用

2014年の総務省のデータによると、70歳以上の人が保有する不動産関係の資産（住宅・宅地資産の合計）は2,536万円／人もあります。60～69歳でもほぼ同じ数字です。不動産の売買や賃貸、活用が生まれてくる新しい市場と捉えて、相続関連などの業務に取り組む不動産会社が増えてきています。

相続関連業務は相続税対策と相続対策の２つがあります。前者は、相続時における税金を、事前にどう節税していくかを検討・実施する業務です。相続税は亡くなったときの資産総額に税金がかけられるため、相続税対策とはその資産総額を少なくする方法です。現金を不動産に変えると約２割の資産の評価減、さらに不動産を賃貸住宅にするなら約２～５割の評価減が見込めます。

一方で相続対策は、将来相続人同士で争わないように対策をしたり、被相続人（高齢者）の意思を反映するための遺言書作成や、事前に資産の分配などを行う業務です。一見、不動産に関する仕事がありませんが、相続することになったときは不動産処分などで仕事が発生するかもしれません。司法書士や税理士などと協業して行いますが、全体の計画案を作成できるように、相続に関係する広く浅い知識が必要です。

事前に財産の管理を第三者に任せる民事信託

不動産の所有者が認知症など意思判断ができなくなる状況に備えて、**民事信託**という事前に財産の利活用を第三者に任せる信託契約方法もよく用いられるようになりました。意思判断ができなくなると家庭裁判所で**成年後見制度**を利用することになりますが、高齢者の財産を守る制度なので高齢者の意思を反映できないこと

民事信託
家族などを受託者として、営利を目的とせずに引き受ける信託のこと。資産の管理や移転、処分などが主な目的。

成年後見制度
知的障害、精神障害、認知症などの精神上の障害により判断能力が十分でない場合、本人を援助する人を選任できる制度。

年代別の保有資産の状況

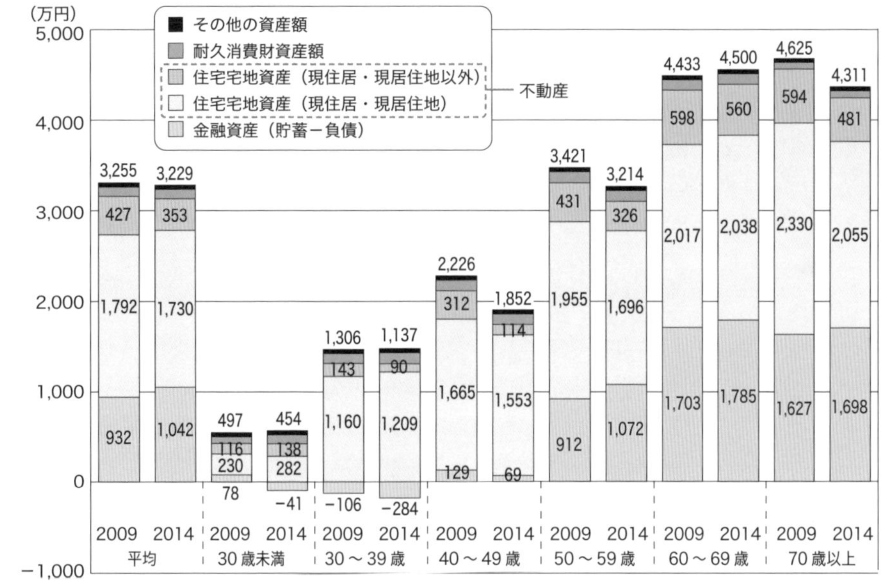

出典：「全国消費実態調査（平成21年、平成26年）」（総務省）

リースバックとは

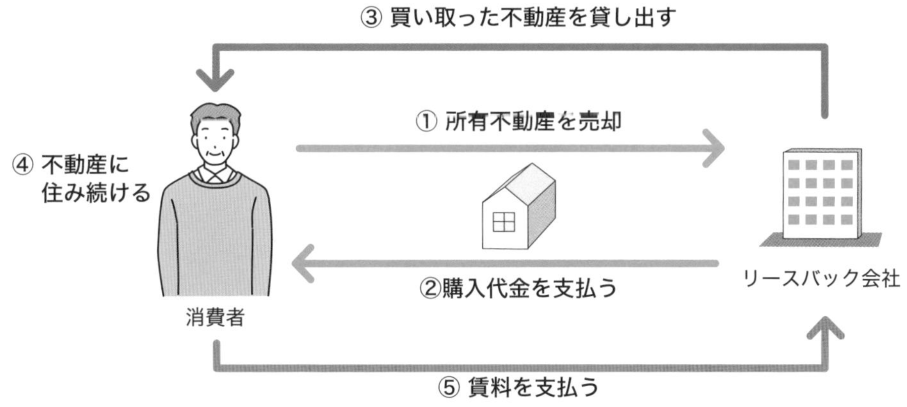

が多いため、民事信託の利用が注目を浴びています。

高齢者が持つ金融資産の大半は不動産であるため、不動産を現金化する手段のひとつがリースバックです。不動産会社に不動産を売却することで不動産所有者は現金を得ます。元の所有者は不動産会社に賃料を払わなければなりませんが、売却により生活費を確保でき、その不動産に住み続けられるメリットがあります。

Chapter10
06

コンパクトシティ化による地方再生

コンパクトシティ化で先陣を切る富山市では、公共交通を活かした街づくりで、中心市街地や沿線への人口増加、補助金の交付による民間の開発も活性化しています。地域コミュニティの核として廃校の再生も注目されています。

地方再生は開発の選択と集中が必要

地方は少子高齢化の波を受けていて、消費意欲の減退による中心市街地の空洞化、拡大した市街地のインフラ維持費の増大による収支悪化などが起きています。そのため、国も地方都市リノベーション事業として**市街地再開発事業**には整備費などを交付し、中心市街地の活性化とコンパクト化を支援していますが、それよりも早く市街地活性化に乗り出したのが富山市です。

富山市では①公共交通の活性化、②公共交通沿線地区への居住促進、③中心市街地の活性化を掲げ、拡大した市域をコンパクトに縮小するため、中心市街地や公共交通沿線での開発と補助金交付を行いました。その結果、2017年には中心市街地と公共交通沿線人口が161,197人となり、2005年から43,637人も増加しました。同時に2018年度の市税約728億円のうち約47％（約324億円）を占める固定資産税と都市計画税が、中心市街地などだけでその22.4％（約76億円）を占めました。これは市税全体の10％以上です。中心市街地などの市域面積は全体の約0.4％なので、25倍以上となり、費用対効果が高いといえます。

このように行政が開発のベクトルを決めると、民間の開発事業者も開発しやすくなります。また、自治体による再開発があると土地価格が上がることもわかっています。

コンパクトシティ
商業地域や居住地域、行政サービスなどの生活機能を一定の範囲内に集中させ、効率的な生活・行政を目指す構想。

市街地再開発事業
市街地内の細分化された敷地の統合、不燃化された共同建築物の建築、公園・広場・街路などの公共施設の整備などを行うことで、土地の合理的かつ健全な利用と都市機能の更新を図る事業のこと。

廃校を街づくりにつなげる取り組みも

少子高齢化のもうひとつの波を受けているのが学校です。廃校の数は2019年度で383校、2020年度で335校に上り、2021年5月時点で計7,398校となります。そのうち活用されていないのは25.9％に当たる1,917校となります。この廃校を街づくりにつな

富山市の街づくりの基本方針

富山市が目指すお団子と串の都市構造

串　　：一定水準以上のサービスレベル
　　　　の公共交通
お団子：串で結ばれた徒歩圏

実現するための三本柱

① 公共交通の活性化
② 公共交通沿線地区への居住促進
③ 中心市街地の活性化

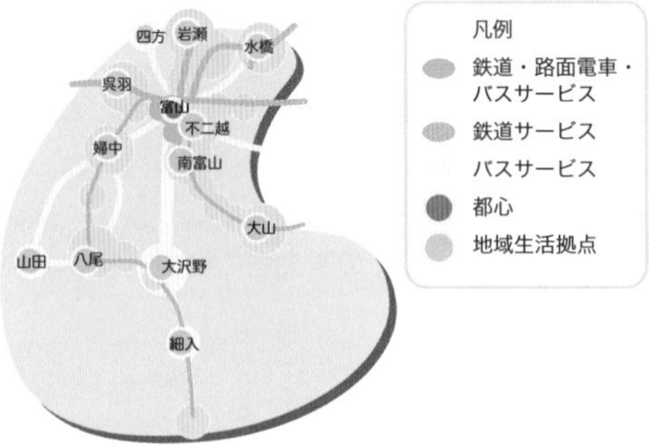

※富山市「コンパクトシティ戦略による富山型都市経営の構築」を基に作成

廃校の活用状況・主な活用用途

施設が現存している廃校の数	7,398校	
活用されているもの	5,481校	(74.1%)
活用されていないもの	1,917校	(25.9%)
活用の用途が決まっている	278校	(3.8%)
活用の用途が決まっていない	1,424校	(19.2%)
取壊しを予定	215校	(2.9%)

※文部科学省「令和３年度 公立小中学校等における廃校施設及び余裕教室の活用状況について」を基に作成

廃校した校舎を活用した事例

文化芸術活動拠点（アーツ千代田 3331）

レストラン・宿泊施設「おいしい学校」

左　※写真提供：アーツ千代田 3331
右　※写真提供：「おいしい学校」

げようと、文部科学省は「みんなの廃校プロジェクト」を立ち上げ、利用者を募集しています。中にはリノベーションを行い宿泊施設やカフェ、レストラン、貸事務所および住宅、保育園とした事例があります。国庫補助制度もあり、不動産会社の新たなビジネス機会を創出しています。

Chapter10
07

空き家ごとの特徴を活かした空き家対策を推進

空き家の解決には時間と体力を消費するため、買い手がいなければ所有者は放置するようになります。解決方法に定石はありませんが、成功事例はどれもその不動産の特徴を活かした活用を行っています。

空き家数は年々増加、所有者の多くは65歳以上

空き家対策にはこれといった効果的な方法はありません。1つひとつの空き家の特徴を見極め、それを活かす対策を取るしかないからです。空き家の数は2018年時点で約846万戸で、住宅総数の約13.6%を占めています。1998年は約536万戸だったので、この20年で1.6倍にもなっており、また、年々増加しています。

2019年の調査では、空き家所有者のうち65歳以上が61.5%と半数以上であり、50歳以上では93.9%にも上ります。空き家の解消には時間と体力を消費するため、所有者が苦慮している様子がうかがえます。

維持管理も難しい空き家をどう活かすか

2014年の空き家の利用状況では、所有者が別荘やセカンドハウスとして利用しているのは25.8%で、残りは物置以外に利用されていません。空き家にしておく理由は、「解体費用をかけたくないから」「さら地にしても使い道がないから」「古い、狭いなど住宅の質が低いから」「満足できる価格で売れそうにないから」など、売却や賃貸が困難で立地がよくない不動産であることが読み取れます。そのため、交通の便がよくなくても魅力を感じてもらえるように、歴史や自然という観光資源、古民家といった家自体の価値を活かした民泊や別荘、カフェにするケースが増えています。空き家の成功事例はこのようなケースです。

また、**空き家を管理するサービス**があります。所有者が実際に委託しているサービスの1位は外回りの清掃や草取りで、月額1万円以上支払っているケースもあります。空き家解消、管理ともにさまざまなサービスが模索されています。

空き家を管理するサービス
外回りの清掃や草取りのほかに、通気・換気、雨漏り点検、通水、郵便物の転送などのサービスも受けられる。

空き家の所有者の年齢

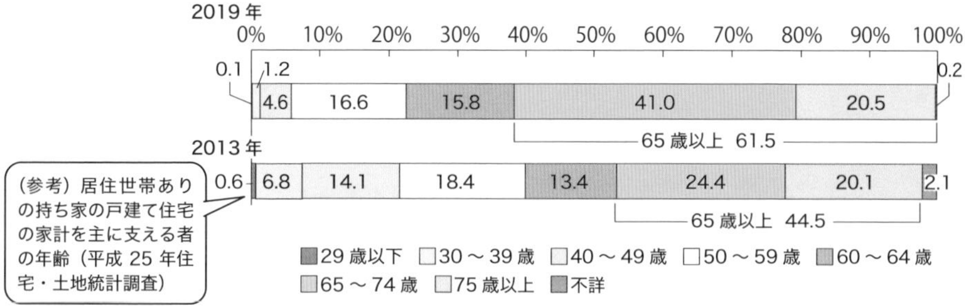
2019年
0% 10% 20% 30% 40% 50% 60% 70% 80% 90% 100%
0.1
1.2
4.6
16.6
15.8
41.0
20.5
0.2
65歳以上 61.5
2013年
0.6
6.8
14.1
18.4
13.4
24.4
20.1
2.1
65歳以上 44.5
（参考）居住世帯ありの持ち家の戸建て住宅の家計を主に支える者の年齢（平成25年住宅・土地統計調査）
29歳以下 30～39歳 40～49歳 50～59歳 60～64歳
65～74歳 75歳以上 不詳

空き家の利用状況

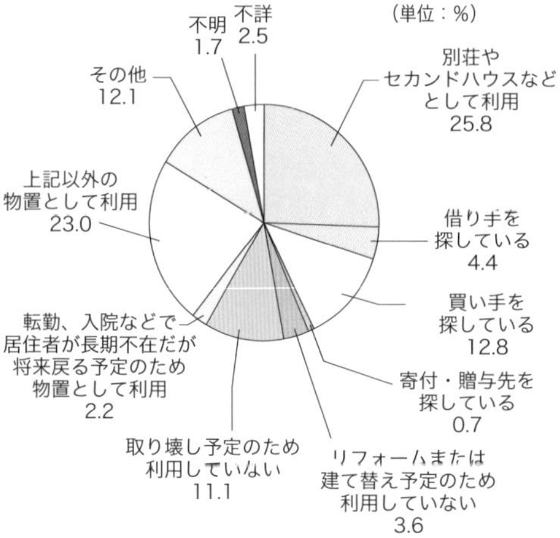
（単位：%）
別荘やセカンドハウスなどとして利用 25.8
借り手を探している 4.4
買い手を探している 12.8
寄付・贈与先を探している 0.7
リフォームまたは建て替え予定のため利用していない 3.6
取り壊し予定のため利用していない 11.1
転勤、入院などで居住者が長期不在だが将来戻る予定のため物置として利用 2.2
上記以外の物置として利用 23.0
その他 12.1
不明 1.7
不詳 2.5

空き家にしておく理由

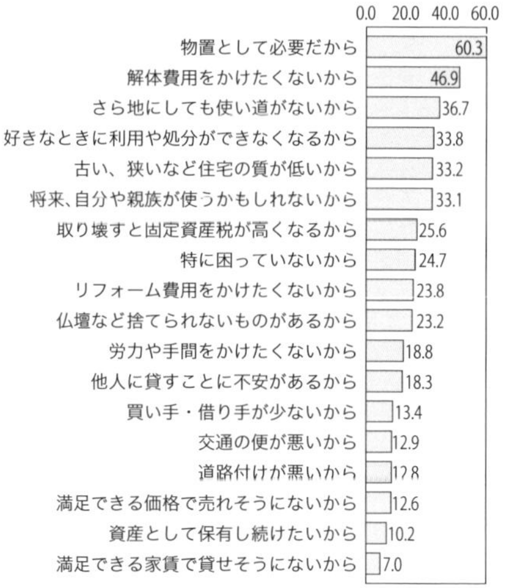
0.0 20.0 40.0 60.0
物置として必要だから 60.3
解体費用をかけたくないから 46.9
さら地にしても使い道がないから 36.7
好きなときに利用や処分ができなくなるから 33.8
古い、狭いなど住宅の質が低いから 33.2
将来、自分や親族が使うかもしれないから 33.1
取り壊すと固定資産税が高くなるから 25.6
特に困っていないから 24.7
リフォーム費用をかけたくないから 23.8
仏壇など捨てられないものがあるから 23.2
労力や手間をかけたくないから 18.8
他人に貸すことに不安があるから 18.3
買い手・借り手が少ないから 13.4
交通の便が悪いから 12.9
道路付けが悪いから 12.8
満足できる価格で売れそうにないから 12.6
資産として保有し続けたいから 10.2
満足できる家賃で貸せそうにないから 7.0

空き家の管理サービスの内容（すでに委託している場合）

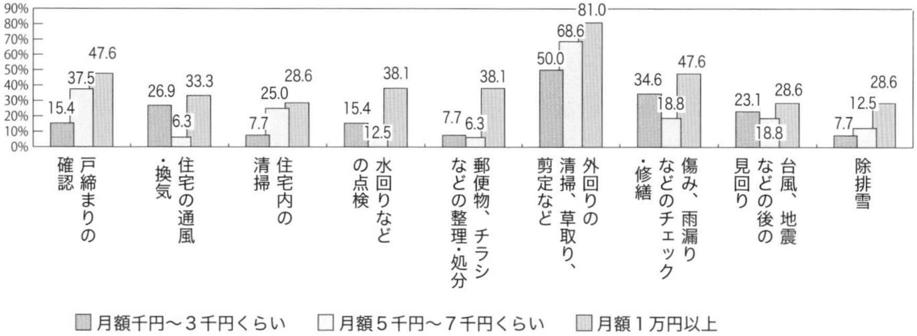
90% 80% 70% 60% 50% 40% 30% 20% 10% 0%
戸締まりの確認 15.4 37.5 47.6
住宅の通風・換気 26.9 6.3 33.3
住宅内の清掃 7.7 25.0 28.6
水回りなどの点検 15.4 12.5 38.1
郵便物、チラシなどの整理・処分 7.7 6.3 38.1
外回りの清掃、草取り、剪定など 50.0 68.6 81.0
傷み、雨漏りなどのチェック・修繕 34.6 18.8 47.6
台風、地震などの後の見回り 23.1 18.8 28.6
除排雪 7.7 12.5 28.6
月額千円～3千円くらい 月額5千円～7千円くらい 月額1万円以上

※上記の図はすべて国土交通省「令和元年空家所有者実態調査報告書」を基に作成

Chapter10
08

海外から国内に目を向けた宿泊事業

訪日外国人の減少を受けて変化を求められる民泊とホテル業

民泊は「住宅宿泊事業法」において、届け出による許認可制度や年間提供日数などが決められています。コロナ禍により訪日外国人の比率は大きく下がりましたが、国内旅行者が平均2.0泊と利用がやや戻りつつあります。

民泊には住宅宿泊事業法の理解が必須

民泊とは、住宅の全部または一部を使い、旅行者などに宿泊サービスを提供することです。**住宅宿泊事業法**の適用を受け、①届け出による許認可制、②2ヵ月ごとの定期報告、③年間提供日数180日以内（実施期間は自治体の条例で制限がある）、④住宅宿泊事業者が宿泊させる間に不在の場合や居室数5を超える場合の住宅宿泊管理業者への委託、などが定められています。Airbnb（エアビーアンドビー）などホスト（貸し手）とゲスト（借り手）の間をつなぐ企業が現れたことにより、2022年5月31日時点の観光庁データで届出住宅数が18,241住宅に上ります。

住宅宿泊事業法
民泊新法とも呼ばれ、2017年6月に成立。住宅宿泊事業の届出制度や住宅宿泊管理業・住宅宿泊仲介業の登録制度など一定のルールを定め、健全な民泊サービスの普及を図るための法律。

訪日外国人の減少による宿泊業への影響

宿泊業はコロナ禍前、訪日外国人により活況を博しましたが、訪日外国人が観光庁データで2019年の3,188万人から、2021年の25万人に著しく減少したことで苦境に陥りました。

民泊もその影響を受け、利用者数と宿泊数を減らしました。代わりに国内旅行者の利用が増え、2022年4～5月は2020年4～5月の利用総数29,555人、117,855泊から大きく伸ばし、138,889人、278,378泊まで回復しました。国内旅行者は129,969人と総数の約94%であり、「訪日外国人が増えるまで、いかに国内旅行者に利用してもらうか」が今後のポイントとなりそうです。

コロナ前後の推移を宿泊施設全体で見ると、客室稼働率は観光庁データで令和元～3年に旅館ホテル業全体で62.7%から34.3%へ減少しました。内訳として旅館が39.6%から22.8%、リゾートホテルが58.5%から27.3%、ビジネスホテルが75.8%から44.3%、簡易宿所が33.4%から16.6%へと減少しました。打開

民泊の所轄官庁

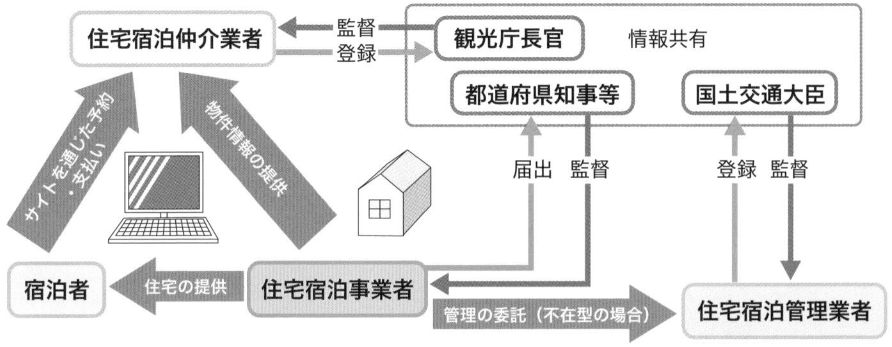

※観光庁HP「民泊制度ポータルサイト」を基に作成

民泊の利用者・宿泊数の推移

	2019年10-11月分	2020年4-5月分	2022年4-5月分
利用総数（人）	314,717	29,555	138,889
国内旅行者（人）	98,861	24,773	129,969
訪日外国人（人）	215,856	4,782	8,920
宿泊数（人泊）	860,185	117,855	278,378
届出住宅数（戸）	20,366	21,546	18,240
届出住宅あたりの延べ宿泊数（宿泊数÷届出住宅数（人泊））※	42.2	5.5	15.3
1人あたりの宿泊日数（宿泊数÷利用総数（人泊））※	2.7	4.0	2.0

※届出住宅数ではなく報告件数で計算すべきだが、ここでは届出住宅件数で算出

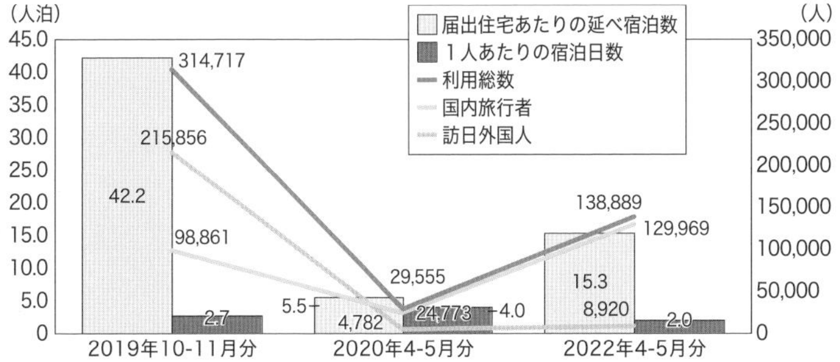

出典：観光庁「住宅宿泊事業の宿泊実績について」令和元年10-11月分、令和２年４-５月分、令和４年４-５月分を基に作成

策として、**ワーケーション**などの旅行以外の宿泊も注目されています。

人泊
宿泊人数×宿泊数のこと。

ワーケーション
「ワーク」（労働）と「バケーション」（休暇）を組み合わせた造語。都市を離れて自然豊かな郊外でリラックスしながら仕事をすることで効率を高めることと、地域経済の振興に寄与することが期待されている。

Chapter10 09

大手も参入するシェアビジネス

所有から利用への転換とITの発展によるシェアビジネスの活性化

シェアハウス、シェアオフィス、貸会議室など、不動産のシェアビジネスはさまざまな形態が出てきています。しかし、今のところ都市部に集中しており、地方・郊外はまだ開発の余地があります。

不動産業におけるシェアビジネス

シェアとは、ひとつのものを複数人で共同利用することです。不動産事業では、ひとつの不動産を複数人に利用させて収益を高くし、その分サービスとして還元すると同時に、普段使われていない不動産を時間貸しすることで効率的な利用を促進します。

シェア化の背景には不動産の「所有から利用」への事業者の意識転換と、IT化による**プラットホームの充実**、交通の便がよく価値の高い不動産の共同利用意識の高まり、消費者の趣向の多様化に向けた小口化、テレワークなどの働き方改革などがあります。

プラットホームの充実
ITの活用などにより、売り手、買い手、不動産をつなげる場やポータルサイトなどが増え、不動産のサービスを手軽に利用できるようになってきている。

シェアハウスでは、寝室だけを利用者の個室とし、リビングやキッチンなどは他の利用者と共同利用するものが多く見られます。他の利用者とのコミュニケーションを楽しむ利用者もいますが、好立地の住居を低賃料で借りることを目的とする人が多く、2015年の国土交通省の調査ではシェアハウスを選択した理由として「家賃が安いから」が55.3%と最も高くなっています。

シェアハウスの多くは東京23区に集中している

シェアハウスは全国で5,057件あり、多くは東京23区内に集中しています（日本シェアハウス連盟「シェアハウス市場調査2021年」）。23区内ではさまざまなコンセプトを設けて競合していますが、一方で地方・郊外では開発の余地が残されています。

シェアオフィスは大手不動産会社、関連会社も競って参入してきており、年々好立地で高いサービスを提供するようになっています。フリーランスや副業の利用もあることから、郊外住宅地には中小不動産会社も参入しており、今後もさまざまなサービス提供が考えられ、事業機会が増えることが予想されます。

シェアオフィスの多様なサービス

シェアオフィスとは

- 複数の企業や個人が、働く環境を共有すること
- 月額料金や時間料金を払えば使用できる

シェアオフィスを使用するメリット

- 立地がよいのに低コストで利用でき、家賃や光熱費は払わなくて済む
- OA 機器など仕事上必要なものが揃っているので、独立したてで機材が買えなくてもすぐに仕事ができる
- 仕切り付き・ブースになっていて仕事に集中できるタイプや、オープンになっていてほかの利用者とコミュニケーションがとれるタイプのオフィスがある

シェアハウスに入居した理由

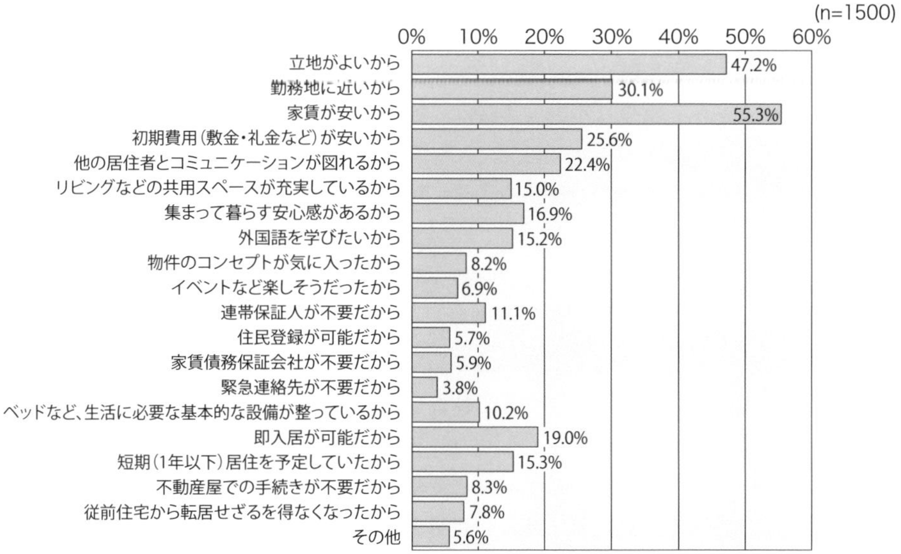

※国土交通省「シェアハウスに関する市場動向調査結果について」を基に作成

Chapter10

10

激変する不動産市場への対応

コロナ禍の市場変化への対応が急務の不動産業

コロナ禍は不動産市場に変化をもたらしました。テレワークや移動制限、家族時間の増加、物流の停滞などにより、不動産に対する消費者の意識が変わったからです。ウクライナ戦争や円安も影響し、市場への対応が急務です。

コロナ禍の不動産市場への影響

コロナ禍が不動産市場に与えた変化は「高価格化」「取引件数の減少」「住宅趣向の変化」「**オフィス需要の減退**」の４点です。

コロナ禍では「移動制限」「三密（密閉空間、密集場所、密接場面）回避」が特徴といえます。これが①物流停滞による建築資材の入手難・高価格化、②**ウッドショック**による木材価格の高騰、③在宅勤務や家族時間の増大による住宅需要の増加、④移動制限による中古住宅の供給減、⑤**テレワーク**推進によるオフィス床面積の縮小などにつながり、冒頭の４点のとおり不動産市場に変化をもたらしました。

供給減と建材高騰の状態はしばらく続く

3-09（→P.76）で述べたとおり、コロナ前からローン低金利を背景に不動産価格は高騰しました。その後、コロナ禍による需要増と供給減に加え、物流停滞やウクライナ戦争に端を発する円安で建築資材が高騰したため、さらなる高価格化を呼び込んでいます。

不動産売買の取引動向を見ると、コロナ禍になった当初、不動産業は全般的に好調でした。2015年を指数100とした場合、取引指数は最初の緊急事態宣言後に約1.7倍まで上がり、不動産も実際に飛ぶように売れました。その流れが変わったのが９月頃です。在庫がなくなりつつあるのに、移動制限により住み替えなどの不動産売却が減少して在庫は回復せず、同時にアメリカでの住宅需要の高まりから世界的に木材価格が高騰（ウッドショック）しました。それにより、輸入木材のみならず、国内木材や他の建材も高騰（指数170前後）し、それに伴って住宅などの建物が高

オフィス需要の減退
オフィスは一定期間契約が縛られる定期建物賃貸借契約が多いため、まだ解約は少ないが、それでもコロナ前よりオフィス床面積を縮小した企業が２倍以上（2019年春3.1％→2022年春8.1%）となっている（ザイマックス不動産総合研究所・大都市圏オフィス需要調査2022より）。

ウッドショック
木材価格の高騰、入手難のこと。アメリカの住宅需要の高まりから、国内木材より安かった輸入木材が高騰し、それにつられて国内木材も高騰した。

テレワーク
オフィスと離れた場所で情報通信技術を用いて仕事をすること。在宅勤務は自宅で行うテレワークのこと。

新築戸建住宅売買業および建物売買業、土地売買業の取引動向

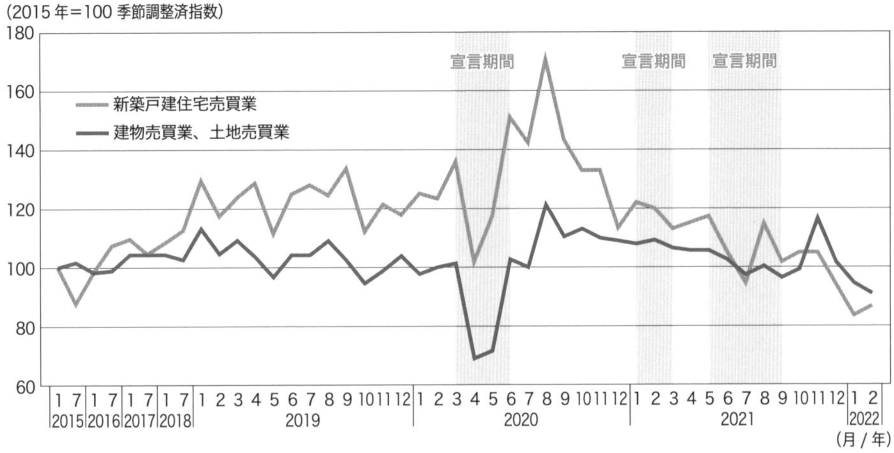

※色を敷いた部分は東京都実施の緊急事態宣言期間
出典：経済産業省「第３次産業活動指数」

新築戸建住宅売買業と木材価格の推移

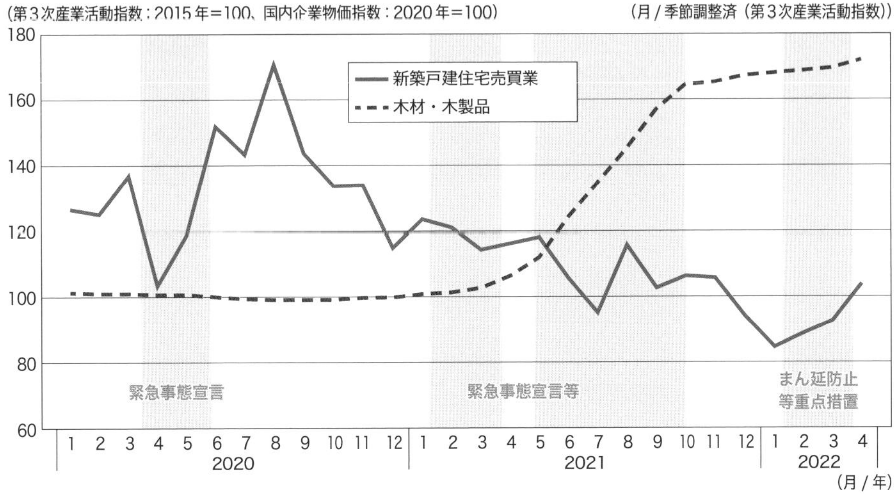

出典：経済産業省「第３次産業活動指数」、日本銀行「国内企業物価指数」、緊急事態宣言・まん延防止等重点措置は東京都実施期間

価格化したのです。そのため、消費者も追いつけず、指数は2015年当時の100まで下がっていきました。

円安の影響で輸入価格が高止まりし、ウクライナ戦争による物流停滞もあって、供給減および建材高騰の状態はしばらく続くと考えられます。不動産業界でも対応が必要といえます。

COLUMN 10

未来の不動産事業における仕事とスキル

より簡潔にわかりやすく伝えるスキルが求められる

不動産業界で働く人材に求められるスキルは今後変わっていくのでしょうか？　顧客ニーズの多様化や感染症への対応を加味したとしても、基本的に求められることは変わらないと思います。すなわち次の３つのポイントです。

- 顧客の買いたい、売りたい、活用したいという感情のフォロー
- 法律の解釈や手続きの代行助言
- プロジェクト全体の資金計画や税金など金銭面のアドバイス

これらの知識や実務遂行力を土台として、顧客の信頼を得るためには、よりわかりやすく簡潔に伝え、段取りよく業務を進めることが大切です。たとえば説明資料を作成するにしても、顧客がひと目で全体像を理解できるようにA4一枚にまとめたものがあるとより伝わりやすくなります。専門用語の羅列の長い文章を読まされるのは顧客にとってはストレスです。そのストレスを軽減してポイントをわかりやすく解説してくれる担当者は顧客にとってありがたい存在となります。

先読み力を磨いて顧客に寄り添う

戸建ての購入を検討している顧客からは資金計画についての質問が必ずあります。変動金利や固定金利の先々の動きがどうなりそうか、社会情勢を踏まえて予想したり自分なりの意見が言えたりすると、顧客の信頼をつかむのに役立つでしょう。

また売買の場合、契約に至るまでにはさまざまなステップを踏みます。担当者は慣れているかもしれませんが、顧客にとっては初めての経験。顧客の不安と期待の入り混じる気持ちに寄り添い「次は何をすればよいか」をわかりやすく示す、道案内役として機能することが重要です。「この担当者のおかげで安心して満足できる取引ができた」と思ってもらえることが次につながります。

単純作業はAIに任せて、人間ならではの顧客に寄り添う姿勢を発揮して信頼される担当者を目指したいところです。

参考文献

『不動産テック～巨大産業の破壊者たち』
北崎朋希・本間純（著），谷山智彦（監修），日経不動産マーケット情報（編）
出版社：日経BP社

『不動産業界沿革史』
東京都宅地建物取引業協会（著）　出版社：東京都宅地建物取引業協会

索引

記号・アルファベット

あ行

か行

た行

な行

は行

ま行

ら行

わ行

著者紹介

畑中　学（はたなか　おさむ）

1974年生まれ。武蔵野不動産相談室株式会社代表取締役。不動産コンサルタント。宅地建物取引士のほか、公認不動産コンサルティングマスター、マンション管理士、管理業務主任者の資格も保有している。不動産売買のスペシャリストとして年間300件前後の相談を受け、依頼を受けた不動産の売買のサポートは累計800組以上。常に顧客のメリットを優先して問題解決にあたることに定評がある。主な著書に『最新版〈2時間で丸わかり〉不動産の基本を学ぶ』（かんき出版）などがある。

■装丁　　　　井上新八
■本文デザイン　株式会社エディポック
■本文イラスト　さややん。
　　　　　　　関上絵美
■担当　　　　橘　浩之
■編集／DTP　　株式会社エディポック

図《ず》解《かい》即《そく》戦力《せんりょく》
不《ふ》動《どう》産《さん》業《ぎょう》界《かい》のしくみとビジネスがこれ１冊《さつ》でしっかりわかる教《きょう》科《か》書《しょ》
[改《かい》訂《てい》２版《はん》]

2020年　9月　8日　初版　　　第1刷発行
2022年　11月29日　改訂２版　第1刷発行
2024年　11月26日　改訂２版　第3刷発行

著　者　　畑中《はたなか》　学《おさむ》
発行者　　片岡　巌
発行所　　株式会社技術評論社
　　　　　東京都新宿区市谷左内町21-13
　　　　　電話　03-3513-6150　販売促進部
　　　　　　　　03-3513-6185　書籍編集部
印刷／製本　株式会社加藤文明社

ISBN978-4-297-13182-1 C1033　　Printed in Japan

◆お問い合わせについて

・ご質問は本書に記載されている内容に関するもののみに限定させていただきます。本書の内容と関係のないご質問には一切お答えできませんので、あらかじめご了承ください。
・電話でのご質問は一切受け付けておりませんので、FAXまたは書面にて下記問い合わせ先までお送りください。また、ご質問の際には書名と該当ページ、返信先を明記してくださいますようお願いいたします。
・お送りいただいたご質問には、できる限り迅速にお答えできるよう努力いたしておりますが、お答えするまでに時間がかかる場合がございます。また、回答の期日をご指定いただいた場合でも、ご希望にお応えできるとは限りませんので、あらかじめご了承ください。
・ご質問の際に記載された個人情報は、ご質問への回答以外の目的には使用しません。また、回答後は速やかに破棄いたします。

◆お問い合せ先

〒162-0846
東京都新宿区市谷左内町21-13
株式会社技術評論社　書籍編集部
「図解即戦力
不動産業界のしくみとビジネスが
これ１冊でしっかりわかる教科書
[改訂２版]」係
FAX：03-3513-6181
技術評論社ホームページ
https://book.gihyo.jp/116